COSMOS PRIVÉ

ŒUVRES DE PHILIP JOSÉ FARMER

DANS PRESSES POCKET :

SCIENCE-FICTION

Collection dirigée par Jacques Goimard

PHILIP JOSÉ FARMER

COSMOS PRIVÉ

Introduction par Roger Zelazny

Traduit de l'américain par Marcel Battin

PRESSES POCKET

Titre original :

PRIVATE COSMOS

© 1969, Philip José Farmer. Published by agreement with Scott Meredith Literary Agency, Inc., 845 Third Avenue, N. Y. 10022
© Marcel Battin pour la traduction française.
ISBN 2-266-012541.

INTRODUCTION

Cela remonte à mon enfance d'il y a environ trois ans, quand j'ai lu *le Faiseur d'univers*. C'était à Baltimore, un samedi matin ensoleillé, je m'en souviens parfaitement. Je pris en main le livre de Philip José Farmer et contemplai un instant la couverture sur laquelle la harpie grise (Podarge) dessinée par Gaughan se découpait sur un ciel vert du même Gaughan. J'avais l'intention de lire une page ou deux du roman avant de m'attaquer à une histoire de mon cru. Je n'écrivis pas une seule ligne ce jour-là.

Après avoir lu le livre d'une seule traite, je me précipitai chez mon libraire habituel afin de me procurer la suite, *les Portes de la création*, dont je connaissais l'existence. Lorsque j'eus terminé ma lecture, le samedi matin ensoleillé de Baltimore avait disparu et la nuit remplissait le ciel à ras bord. La première chose que j'écrivis après cela, ce ne fut pas une histoire mais une lettre de *fan* à Philip José Farmer.

Il n'entrait pas dans mon intention de dire à l'homme qui avait écrit *The Lovers, Fire and the night* et *A woman a day* que je considérais que ses deux dernières œuvres étaient les meilleures qu'il eut jamais produites. S'il avait peint un tableau ou composé une œuvre musicale, j'aurais été incapable de les comparer à ses romans et même de les juger l'un par rapport à l'autre. Les deux livres que je venais de dévorer appartenaient au genre « roman d'aventures » et je pensais que c'étaient de parfaits exemples du genre. Ils sont différents du reste de son œuvre par le style et par les thèmes utilisés ; ils sont également différents l'un de l'autre et, par là

7

même, comme toujours, impossibles à comparer. J'espérais bien qu'il y en aurait un troisième, et je fus enchanté d'apprendre qu'il y travaillait.

En d'autres termes, j'attendis près d'un an la sortie de l'ouvrage que vous avez en ce moment entre les mains.

Analysant mes propres réactions afin de savoir de façon précise pourquoi j'avais été emballé à ce point à la lecture des deux premiers volumes de la série, j'ai découvert plusieurs raisons qui expliquent l'attrait qu'ils ont exercé sur moi :

1. J'ai toujours été fasciné par le concept d'immortalité physique et par les bienfaits et méfaits qui y sont inhérents. D'un bout à l'autre de ces deux romans, ce thème se déroule comme un rouleau de fil de cuivre parfaitement poli.

2. Le concept d'univers adjacents — totalement différent, je l'ai constaté, de celui des univers parallèles — cette idée d'univers spécifiquement créés pour servir les intérêts d'êtres puissants et intelligents, est très habile. Elle rend possible, entre autres choses, la structure fascinante des Mondes Superposés.

En harmonie avec ces concepts, Philip José Farmer a imaginé un ensemble de personnages qui m'enchantent. Kickaha est un forban sympathique, héroïque, plein d'astuce et très séduisant. Il accapare presque tout le premier roman au détriment de Wolff. Le deuxième ouvrage fourmille d'êtres pitoyables, intrigants, vils, ignobles, humbles, déplaisants, mesquins ou méchants, qui s'entre-égorgeraient volontiers pour le plaisir mais dont les destins sont (mal) heureusement temporairement liés. Etant immodérément amateur du théâtre élizabéthain, j'ai été ravi d'apprendre qu'ils étaient tous plus ou moins liés par le sang.

Un être sacré peut être attirant ou repoussant — un cygne ou une pieuvre — beau ou laid — une sorcière édentée ou un bel enfant — bon ou mauvais — une Béatrice ou une Belle Dame Sans Merci — une réalité historique ou une création de l'esprit — une personne rencontrée dans la rue ou un personnage de roman ou de rêve ; il peut être plein de noblesse ou répugnant ; il peut être tout ce que l'on veut à condition — et cette condition est absolue — d'inspirer le respect et la crainte.

W.H.
(Making, Knowing and Understanding)

Philip José Farmer vit là où le soleil se couche — pour moi à l'autre bout du monde — dans une contrée appelée Californie. Nous ne nous sommes jamais rencontrés, sauf dans les pages de ses livres. J'admire son sens de l'humour et l'aisance avec laquelle il trouve la phrase parfaite qui conclut chacun de ses romans. Il peut être brillant, vigoureux, sombre, brumeux, ou de n'importe quelle teinte du spectre émotionnel. Il a un sens fascinant du Sacré et du Profane. Disons-le tout simplement : il inspire la crainte et le respect. Il possède le talent et l'habileté nécessaires pour manipuler les objets sacrés que tout écrivain doit savoir manier s'il veut entraîner le lecteur dans cet endroit situé hors du temps et de l'espace qu'on appelle l'Imaginaire.

Et puisque j'ai évoqué Auden, qu'on me permette de ratifier l'observation de ce dernier selon laquelle un écrivain ne peut lire les œuvres d'un autre auteur sans les comparer aux siennes. Je le fais constamment, et j'en sors presque toujours faible et rempli d'une crainte respectueuse lorsqu'il s'agit des trois écrivains de science-fiction qui ont pour nom Sturgeon, Farmer et Bradbury. Ils savent ce qui est sacré, avec cette trans-subjectivité très spéciale qui fait que les caractères spécifiques personnels s'effacent pour devenir des données universelles qui éclairent la condition humaine comme le ferait un arbre de Noël illuminé au néon. Et Philip José Farmer est « spécial » d'une manière tout à fait inhabituelle...

Tout ce qu'il dit, je voudrais pouvoir l'exprimer moi-même ; pour une raison ou pour une autre, je ne puis y parvenir. Il se sert de ce que Henry James appelait « l'angle de vision ». Le sien, bien que différent du mien, est toujours en accord avec ce que je ressens. Mais je ne puis y arriver comme lui, et cela signifie que quelqu'un peut faire ce que j'aime bien mieux que je ne le ferais moi-même. Cela me donne à réfléchir et me fait penser à George London lorsqu'il jouait, à l'ancien Metropolitan Opera, le rôle de Méphistophélès du *Faust* de Gounod. Au moment où Marguerite montait au ciel, il tendait les bras vers elle mais une grille de fer s'abaissait devant lui. Il saisissait un barreau, regardait un moment vers En-Haut, détournait son visage et lâchait le barreau en tombant lentement à genoux. Ensuite, rideau. Voilà ce que je ressens. *Je* ne peux pas le faire mais *cela* peut être fait.

Que dire de plus d'une histoire en particulier de Philip José Farmer ? Shakespeare l'a dit mieux que je ne pourrais le faire :

Lépide : A quoi ça ressemble, votre crocodile ?

Antoine : Exactement à un crocodile ; il est aussi large qu'il a de largeur ; il est juste aussi haut qu'il l'est et se meut avec ses propres organes ; il vit de ce qui le nourrit et dès que les éléments dont il est formé se décomposent, il opère sa transmigration.

Lépide : De quelle couleur est-il ?

Antoine : De sa propre couleur.

Lépide : C'est un drôle de serpent.

Antoine : C'est vrai. Et ses larmes sont humides (1).

Eh oui, elles le sont. C'est l'habileté liée au talent qui font qu'il en est ainsi. Toutes les créations sont différentes, complètes, uniques, et celle-ci ne fait pas exception à la règle. Je me réjouis de ce qu'un homme comme Philip José Farmer soit parmi nous, qu'il écrive en ce monde. Il en est peu comme lui. Selon moi, aucun.

En ce jour de février, il fait gris et froid et triste à Baltimore. Mais cela n'a pas d'importance. Philip José Farmer, vous qui êtes loin là-bas à l'ouest du Soleil, sachez que si, en écrivant, vous avez jamais eu l'intention d'apporter de la joie à un autre humain, vous y êtes parvenu ; vous avez éclairci de nombreux jours tristes, froids et gris des saisons de mon monde et, avec ce que j'appellerai de la splendeur, rendu encore plus lumineux ses jours les plus brillants.

Les couleurs de cette œuvre sont les siennes, et ses larmes sont humides. C'est Philip José Farmer qui l'a écrite. Il n'y a rien d'autre à ajouter.

Roger ZELAZNY
Baltimore, Maryland.

(1) Antoine et Cléopâtre, acte II, scène VII. Traduction de Christine et René Lalou.

1

SOUS un ciel vert et un soleil jaune, chevauchant un étalon noir à la crinière cramoisie et à la queue bleue, Kickaha fuyait pour sauver sa vie.

Une centaine de jours auparavant, à deux mille kilomètres de là, il avait quitté le village des Hrowakas, le Peuple de l'Ours. Las de chasser et de mener la vie simple qui était la sienne, Kickaha aspirait soudain à un certain degré — et même plus que cela — de civilisation. En outre, son intellect avait besoin de s'affiner, et il y avait beaucoup de choses qu'il ignorait sur le compte des Tishquetmoacs, le seul peuple civilisé qui vécût à ce niveau.

Il avait donc sellé et équipé deux chevaux, fait ses adieux aux chefs et aux guerriers, et embrassé ses deux femmes après leur avoir accordé la permission de se remarier s'il n'était pas de retour dans six mois. Elles lui avaient répondu qu'elles l'attendraient éternellement et cela l'avait fait sourire, car elles avaient dit la même chose à leurs maris précédents avant qu'ils ne s'élancent sur le sentier de la guerre d'où ils n'étaient jamais revenus.

Certains guerriers auraient voulu l'escorter à travers les montagnes jusqu'à ce qu'il eût atteint les Grandes Plaines, mais il avait refusé et s'était éloigné seul à cheval. Il avait mis cinq jours pour atteindre les montagnes, un de trop par la faute de deux jeunes guerriers de la tribu des Wakangishush qui l'avaient pris en chasse. Ils devaient avoir attendu pendant des mois, à l'affût dans le défilé de la Belette Noire, sachant qu'un jour Kickaha l'emprunterait. Parmi tous les scalps convoités par la centaine de grands guerriers des cinquante Nations des Grandes Plaines et des chaînes de montagnes avoisinantes, c'était celui de Kickaha qui l'était le plus ardemment. Des deux cents valeureux guerriers qui s'étaient efforcés de l'attirer individuellement dans une embuscade, pas un n'était revenu vivant. De nombreuses troupes de cavaliers avaient escaladé les montagnes pour attaquer la forteresse des Hrowakas, espérant surprendre le Peuple de l'Ours et trancher le scalp de Kickaha — ou sa tête — au cours du combat. Seuls les Oshangstawas, de la tribu des Hommes-Chevaux, avaient failli réussir à l'occasion d'un grand raid. L'histoire du raid avorté et de l'extermination des terribles Hommes-Chevaux s'était propagée parmi les cent vingt-neuf tribus des plaines et on la chantait dans les salles du Conseil et sous les tentes des chefs pendant les Festivités du Sang.

Les deux Wakangishush chevauchaient à une distance respectueuse de leur proie. Ils attendaient que Kickaha, la nuit venue, installe son campement. Ils auraient pu réussir là où tant d'autres avaient échoué, tant ils étaient attentifs et silencieux, si un corbeau rouge de la taille d'un aigle n'avait piqué au-dessus de Kickaha au crépuscule et croassé bruyamment par deux fois.

Puis il avait volé vers l'un des deux guerriers dissimulés et décrit deux cercles au-dessus de lui ; il s'était dirigé ensuite vers l'arbre derrière lequel l'autre était tapi et avait décrit deux nouveaux cercles. Kickaha, enchanté d'avoir pris la peine de dresser l'intelligent oiseau, avait souri en l'observant. La nuit venue, il avait tué d'une flèche bien ajustée le premier guerrier qui rampait vers son campement, et lancé trois minutes plus tard un couteau qui avait abattu le second.

Il fut tenté de faire un détour — qui eût allongé sa route de quatre-vingts kilomètres — afin d'aller jeter dans le camp des Wakangishush une lance à laquelle il aurait attaché les scalps des deux guerriers morts. C'étaient de tels faits d'armes qui lui avaient valu le nom de Kickaha — le Rusé — et il aimait être à la hauteur de sa réputation. Cette fois, cependant, il ne lui sembla pas que cela en valût la peine. L'image de Talanac, La-Ville-Qui-Est-Une-Montagne, étincelait dans son esprit comme un joyau placé au-dessus d'un feu.

Kickaha se contenta donc de suspendre à une branche, la

tête en bas, les deux cadavres scalpés. Puis il dirigea sa monture vers l'est, épargnant ainsi quelques vies wakangis-hush et peut-être aussi la sienne. Kickaha faisait souvent étalage de son habileté, de sa rapidité et de sa force, mais il savait pertinemment qu'il n'était ni invincible ni immortel.

Kickaha était né sous le nom de Paul Janus Finnegan à Terre Haute, Indiana, Etats-Unis d'Amérique, Terre, dans un univers voisin de celui où il se trouvait actuellement (tous les univers se trouvant à la porte les uns des autres). C'était un jeune homme musculeux, aux larges épaules, haut de plus de six pieds et pesant quatre-vingt-cinq kilos. Sa peau était très basanée, avec quelques tavelures cuivrées. Il avait des taches de rousseur et des douzaines de cicatrices, superficielles ou profondes, qui zébraient son visage et son corps. Ses épais cheveux ondulés couleur de cuivre étaient tressés en deux nattes qui lui tombaient jusqu'aux épaules. Son visage exprimait habituellement la bonne humeur. Il avait des yeux d'un vert éclatant, un nez retroussé, la lèvre supérieure longue et le menton creusé d'une fossette.

Le bandeau en peau de lion qui ceignait son front était bordé de dents d'ours fixées la pointe en haut, et une longue plume de faucon rouge et noir se dressait au-dessus de son oreille droite. Il était torse nu. Une ceinture en peau d'ours bordée de perles turquoises retenait son pantalon taillé dans une peau de panthère tachetée. Ses mocassins étaient en peau de lion. A sa ceinture pendaient deux fourreaux qui contenaient, l'un un long poignard d'acier, l'autre un couteau plus court, équilibré pour le lancer.

La selle qui le portait était du modèle léger que les tribus des plaines avaient récemment adopté à la place des classiques couvertures. Kickaha tenait les rênes d'une main, et avec l'autre serrait le manche d'une lance. Ses pieds étaient calés dans des étriers. Des carquois et des fourreaux suspendus à sa selle contenaient tout un assortiment d'armes. Un petit bouclier rond sur lequel était peinte la tête d'un ours découvrant ses dents était supendu à un crochet fixé à sa selle. Derrière la selle était roulée une peau d'ours qui contenait quelques ustensiles de cuisine. Un panier d'osier dans lequel il y avait une gourde d'eau était suspendu à un autre crochet de la selle.

Le second cheval, qui trottait derrière lui, transportait une selle, quelques armes et de l'équipement léger.

Kickaha prit son temps pour descendre des montagnes. S'il sifflotait alternativement des airs du monde où il vivait et des airs de sa planète natale, il n'en était pas pour autant exempt de soucis. Ses yeux scrutaient tout ce qu'il rencontrait et il se retournait fréquemment.

Au-dessus de lui, le soleil jaune étincelait dans le ciel vert clair sans nuages. L'air était embaumé par les odeurs qui montaient de grandes fleurs blanches épanouies, des aiguilles de pin, et de temps à autre par des bouffées parfumées que dégageaient des buissons aux baies violettes. Un faucon fit entendre son cri et, par deux fois, Kickaha perçut les grognements des ours dans les bois.

Les chevaux dressèrent l'oreille mais ne s'énervèrent pas. Ils avaient grandi avec les ours apprivoisés que les Hrowakas élevaient dans l'enceinte de leur village.

C'est ainsi, à un trot soutenu mais agréable, que Kickaha atteignit le pied des montagnes et s'engagea dans les Grandes Plaines. De l'endroit où il se trouvait et qui culminait au centre d'un arc de cercle à la courbe peu prononcée, long de deux cent cinquante kilomètres, il avait une vue d'ensemble de la contrée. Le chemin qu'il allait suivre pendant cent trente kilomètres était en pente si douce qu'il le dévalerait sans presque s'en apercevoir. Puis il y aurait une rivière ou un lac à traverser et le chemin se mettrait à monter presque imperceptiblement. Sur sa gauche se dressait le monolithe d'Abharhploonta qui paraissait ne se trouver qu'à quatre-vingts kilomètres alors qu'il était en réalité éloigné de mille cinq cents kilomètres. Il dominait toute la région de ses trente mille mètres de hauteur et, à son sommet, il y avait un autre pays et un autre monolithe. Tout en haut se trouvait Dracheland, où Kickaha était connu sous le nom de baron Horst von Horstmann. Il n'y était pas revenu depuis deux ans et, si d'aventure il y retournait, ce serait pour s'y retrouver baron sans château. La femme qu'il avait à ce niveau avait décidé de ne plus supporter ses longues absences et avait divorcé pour épouser le meilleur ami de Kickaha, le baron Siegfried von Listbat. Kickaha leur avait offert son château et était parti pour le niveau Amérindia qui était entre tous celui qu'il préférait.

Tout en trottant, Kickaha cherchait à découvrir des signes de ses ennemis. Il observait également la vie des espèces animales — celles qui étaient encore connues sur la Terre ou qui avaient disparu de sa surface, et celles qui provenaient d'autres univers. Toutes avaient été introduites dans ce monde par le Seigneur Wolff, à l'époque où on le connaissait sous le nom de Jadawin. Quelques-unes avaient été créées dans les laboratoires de biologie du palais qui était érigé au sommet du monolithe le plus élevé.

Tout autour de lui il y avait de grands troupeaux de bisons, dont certains appartenaient à l'espèce dont il existait encore des spécimens en Amérique du Nord, et d'autres à l'espèce géante qui avait disparu des plaines américaines quelque dix mille ans auparavant. Les grandes masses grises de mastodontes et de mammouths aux défenses recourbées se profilaient dans le lointain. Des créatures gigantesques dont la tête ployait sous le poids de nombreuses cornes couvertes de protubérances et dont les dents émergeaient d'une bouche cornée, paissaient l'herbe de la plaine. Des loups féroces, dont l'échine atteignait la hauteur de la poitrine de Kickaha, trottinaient parallèlement à un troupeau de bisons, attendant patiemment qu'un jeune s'éloigne de la harde. Plus loin, Kickaha aperçut un animal à la robe rayée de noir et de brun qui se glissait furtivement derrière un buisson d'herbes hautes ; il sut alors que le Felis Atrox, le grand lion sans crinière pesant cinq cents kilos, qui avait jadis hanté les plaines herbeuses de l'Arizona, nourrissait l'espoir de capturer un petit mammouth éloigné de sa mère. Ou peut-être espérait-il tuer une des antilopes du grand troupeau qui paissait non loin de là.

Des faucons et des buses décrivaient des arabesques dans le ciel au-dessus de lui. A un certain moment, un vol de canards formés en V le croisa, et leur cri rauque remplit la plaine. Ils se dirigeaient vers les rizières aménagées au sommet des montagnes.

Un troupeau de créatures gauches au long cou, qui étaient de vagues cousins des chameaux, le dépassa à longues enjambées souples. De petits chamelons dégingandés les accompagnaient, proies convoitées par une meute de loups qui les flanquait à une certaine distance et qui était à l'affût du moindre relâchement de l'attention des adultes.

De tous côtés, on sentait à la fois la vie et la promesse de la mort. L'air était doux ; pas un être humain n'était en vue. Un troupeau de chevaux sauvages galopait au loin conduit par un superbe étalon rouan. Les animaux de la plaine étaient partout. Kickaha aimait cela. C'était dangereux mais fascinant et il lui semblait vraiment appartenir à ce monde. Non qu'il y fût un intrus en raison du fait qu'il avait été créé par Wolff et qu'il lui appartenait toujours ; mais, dans un certain sens, Kickaha s'en sentait plus proche que lui puisqu'il en tirait plus d'avantages, car le Seigneur demeurait d'habitude confiné dans le palais qui se dressait au sommet du monolithe.

Le cinquantième jour, Kickaha atteignit la Grande Piste du Négoce tishquetmoac. En réalité, ce n'était pas ce que l'on appelle habituellement une piste, car l'herbe y était aussi dense qu'aux alentours. Mais chaque intervalle de un kilomètre et demi était signalé par deux poteaux de bois dont le sommet était sculpté de l'effigie d'Ishquettlammu, le dieu tishquetmoac du commerce et des limites territoriales. Cette piste s'étirait sur plus de mille cinq cents kilomètres à partir de la frontière de l'empire tishquetmoac, traversant les Grandes Plaines pour aboutir aux différents points commerciaux semi-permanents des tribus des plaines et des montagnes. Elle était empruntée par d'énormes chariots transportant des marchandises tishquetmoacs destinées à être échangées contre des fourrures, des peaux de bêtes, des plantes, de l'ivoire, des os, des animaux capturés et des prisonniers humains. La voie était protégée par traité contre toute attaque. Celui qui l'empruntait s'y trouvait en toute sécurité, en théorie du moins, mais s'il s'éloignait de l'étroit passage balisé par les poteaux sculptés, il devenait une prise légale pour quiconque s'en emparait.

Kickaha longea la voie pendant de longs jours car il était désireux de rencontrer une caravane afin d'avoir des nouvelles de Talanac. Il n'en trouva aucune et quitta donc la piste qui s'éloignait du chemin direct menant à la ville. Cent jours s'étaient écoulés depuis son départ du village des Hrowakas.

Une heure après l'aube, les Hommes-Chevaux firent leur apparition.

Kickaha ignorait ce qu'ils faisaient si près de la frontière tishquetmoac. Peut-être avaient-ils opéré un raid car, bien qu'il ne fût pas dans leurs habitudes d'attaquer les voyageurs empruntant la Grande Piste du Négoce, ils ne manquaient pas de le faire dès qu'ils pouvaient les surprendre hors de la voie balisée.

Quelle que fût la raison de leur présence en cet endroit, ils n'avaient pas à fournir d'explications à Kickaha. Et ils allaient certainement faire tout leur possible pour capturer celui qui était leur plus grand ennemi.

Kickaha poussa ses deux bêtes au galop. Les Hommes-Chevaux, qui se tenaient à quinze cents mètres sur sa gauche, prirent également le galop dès qu'ils le virent accélérer. Ils pouvaient atteindre une vitesse supérieure à celle d'un cheval alourdi par le poids d'un homme, mais Kickaha avait une bonne avance sur eux. Il savait qu'à six kilomètres de là se trouvait un avant-poste où il pourrait se réfugier, s'il réussissait à l'atteindre.

Pendant les trois premiers kilomètres, il poussa l'étalon qu'il montait à sa vitesse maximum. Bientôt, l'écume se mit à dégouliner de la bouche de l'animal, inondant son poitrail. Kickaha regrettait d'avoir à mettre le pur-sang dans cet état, mais il s'agissait de sa propre vie. D'ailleurs, si les Hommes-Chevaux le capturaient, ils tueraient le cheval pour le manger.

Lorsqu'il ne fut plus qu'à trois kilomètres de l'avant-poste, les Hommes-Chevaux s'étaient suffisamment rapprochés de lui pour qu'il pût identifier la tribu à laquelle ils appartenaient. C'étaient des Shoyshatels et leur territoire de chasse habituel se trouvait à cinq cents kilomètres de là, dans la région des Arbres aux Ombres Nombreuses. Ils ressemblaient aux centaures de la mythologie terrienne, avec toutefois une taille plus élevée et un visage et un harnachement qui n'avaient rien de grec. Leurs têtes étaient massives, deux fois plus grosses que celles des humains. Ils avaient le visage sombre, avec des pommettes larges et saillantes — le visage des Indiens de la Plaine. Ils étaient coiffés de bonnets emplumés ou avaient le front ceint de bandeaux à plumes ; leur chevelure longue et noire était tressée en une ou deux nattes. La partie supérieure de leur corps était humanoïde et comportait, là où se trouve l'abdomen chez l'homme, un énorme organe semblable à un soufflet qui alimentait en air le système pneumatique de leur partie équine. Il pulsait continuellement sous leur sternum humain et cela ajoutait à leur apparence étrange et sinistre.

Originellement, les Hommes-Chevaux étaient une création de Jadawin, Seigneur de cet univers. Il avait modelé le corps des centaures dans ses laboratoires de biologie. Sur les premiers d'entre eux avaient été greffés des cerveaux humains provenant de nomades scythes et sarmates de la Terre et de quelques membres de tribus achéennes et pélagiennes. C'était la raison pour laquelle certains Hommes-Chevaux parlaient encore la langue de ces tribus, bien que la grande majorité eût adopté depuis longtemps le langage de quelques-unes des tribus amérindiennes des Grandes Plaines.

Les Shoyshatels le poursuivaient maintenant au grand galop, presque assurés d'avoir leur ennemi numéro un à leur merci. *Presque,* car ils savaient par expérience que l'idée de le capturer n'était qu'un leurre. Eussent-ils même réussi à le faire qu'ils n'auraient pas été certains de pouvoir le garder.

Les Shoyshatels, bien qu'ardemment désireux de le prendre vivant afin de pouvoir le torturer, avaient probablement l'intention de le tuer le plus vite possible. Essayer de le prendre vivant exigeait habileté et finesse, et à ce jeu il était beaucoup plus adroit qu'eux.

Kickaha fit s'arrêter sa monture, sauta sur le sol, enfourcha sa bête de réserve, une jument noire à la crinière et à la queue argentées, et la poussa au galop. Le pur-sang abandonné s'affaissa lourdement, le poitrail blanc d'écume, en soufflant bruyamment par les naseaux. La lance d'un centaure l'atteignit. Il eut quelques soubresauts, puis demeura immobile.

Des flèches sifflèrent aux oreilles de Kickaha et des lances se fichèrent dans le sol derrière lui. Il ne prit pas la peine de riposter. Couché sur le cou de sa jument, il lui cria des mots d'encouragement. Les Hommes-Chevaux se rapprochaient toujours et leurs coups gagnaient en précision à chaque jet.

A ce moment, Kickaha aperçut l'avant-poste, qui était érigé au sommet d'une colline basse. Il était de forme quadrangulaire, fait de rondins dont l'extrémité taillée en pointe avait été enfoncée dans le sol, et flanqué de blockhaus aux quatre angles. Le drapeau tishquetmoac, vert, frappé d'un aigle écarlate avalant un serpent noir, flottait au sommet d'un mât planté au centre du poste.

Kickaha aperçut une sentinelle qui, après avoir observé ses ennemis, porta à ses lèvres l'extrémité d'une longue trompe effilée. Kickaha ne put entendre les notes de la sonnerie d'alarme car le vent soufflait dans la direction du fort et les sabots de sa monture martelaient bruyamment le sol.

L'écume dégouttait de la bouche de la jument, mais elle continuait à galoper à la même allure. Malgré sa vitesse, les centaures continuaient à se rapprocher et les lances et les flèches qu'ils projetaient devenaient de plus en plus dangereusement précises. Un bola, arme de jet faite de trois pierres fixées à des courroies, frôla en ronflant la tête de Kickaha. Au moment où les portes du fort s'ouvraient pour livrer passage à la cavalerie tishquetmoac, la jument broncha. Elle faillit s'effondrer mais réussit miraculeusement à conserver son équilibre. L'écart qu'elle avait fait n'était pas consécutif à la fatigue : une flèche était venue frapper sa croupe en oblique, la traversant de part en part. La bête n'allait plus pouvoir galoper très longtemps.

Une autre flèche se ficha dans son échine, juste à l'arrière de la selle. La jument piqua en avant et Kickaha, dégageant à toute vitesse ses pieds des étriers, plongea sur le côté. Il essaya de retomber sur ses pieds mais la vitesse acquise l'en empêcha et il roula plusieurs fois sur lui-même en atteignant le sol. L'ombre de la jument passa au-dessus de son corps et l'animal s'écrasa lourdement à quelques mètres de lui, faisant plusieurs tonneaux. La jument hennit faiblement, griffa l'air de ses sabots, puis ne bougea plus. Kickaha se releva d'un bond et courut à la rencontre des Tishquetmoacs.

Dans son dos, un Homme-Cheval poussa un cri de triomphe. Kickaha se retourna juste à temps pour apercevoir un chef au bonnet emplumé qui, la lance à l'horizontale, galopait vers lui. Kickaha dégaina son couteau de jet et, au moment précis où le centaure projetait sa lance, il lança son arme. Immédiatement après, il fit un bond de côté.

La lance siffla au-dessus de son épaule, lui frôlant le cou. L'Homme-Cheval, stoppé dans son élan par le couteau qui s'était fiché jusqu'à la garde dans son soufflet, piqua en avant et dépassa Kickaha en roulant sur lui-même. Les os de ses jambes de cheval et l'épine dorsale de la partie humanoïde de son corps se brisèrent sous le choc.

Alors, une volée de projectiles siffla au-dessus de la tête de Kickaha, et flèches et lances allèrent se ficher dans le corps des centaures. Une lance brisa l'élan d'un guerrier qui croyait réussir là où son chef avait échoué. Il tenait sa propre lance à la main mais, ne se fiant pas à son adresse au lancer, il s'apprêtait à en transpercer Kickaha en pesant dessus de tout le poids de ses deux cent cinquante kilos.

Le guerrier tomba. Kickaha lui arracha son arme et la plongea dans la poitrine de l'Homme-Cheval le plus proche.

Puis les cavaliers tishquetmoacs, qui avaient l'avantage du nombre, le dépassèrent et fondirent sur les centaures. Il y eut une mêlée sauvage. Après quelques minutes de combat, et au prix de nombreuses vies humaines, les assaillants se retirèrent. Kickaha sauta sur un cheval démonté dont le cavalier avait été abattu d'un coup de tomahawk et rejoignit le poste au galop au milieu des soldats.

« Vous amenez toujours des ennuis avec vous », lui dit le commandant du fort lorsqu'il parut devant lui.

Kickaha eut un large sourire.

« Avouez-le, vous avez été ravi de ce petit intermède », répondit-il. « Vous vous ennuyiez à mourir dans ce poste perdu. »

Le commandant lui rendit son sourire.

Le même soir, un Homme-Cheval portant une lance à laquelle était fixée une longue plume blanche de héron, s'approcha du fort. Respectueux du symbole qu'il portait, le commandant ordonna de ne pas tirer. Le centaure s'arrêta à quelques mètres de la porte du fort et cria à Kickaha :

« Tu nous a échappé une fois de plus, Rusé ! Mais nous t'attendons, et tu ne pourras jamais quitter le territoire tishquetmoac. Ne crois pas que tu seras en sécurité sur la Grande Piste du Négoce. Quiconque l'empruntera sera à l'abri et les Hommes-Chevaux ne l'attaqueront pas. Sauf toi, Kickaha ! Nous te tuerons ! Nous avons juré de ne pas rentrer dans nos huttes, de ne pas retourner auprès de nos femmes et nos enfants avant de t'avoir tué ! »

Kickaha lui cria en retour :

« Alors vos femmes se remarieront et vos enfants grandiront et vous oublieront. Vous ne me capturerez ni ne me tuerez jamais, espèces de... hennisseurs ! »

Le lendemain eut lieu la relève, et les soldats tishquetmoacs partant au repos escortèrent Kickaha jusqu'à la ville de Talanac. Les Hommes-Chevaux demeurèrent invisibles. Kickaha oublia vite les menaces des Shoyshatels.

Ils n'allaient pas tarder à se rappeler à son bon souvenir.

2

LA rivière Watcetcol naît d'un affluent du Guzirit dans le Khamshemland, ou Dracheland, sur le monolithe Abharhploonta. Elle coule à travers une jungle épaisse sur le flanc du monolithe pour aller ensuite plonger dans un canal creusé par les eaux dans le roc. Elle est entrecoupée de nombreux rapides puis, avant d'atteindre la base du gigantesque monolithe haut de trente mille mètres, elle se transforme en un monstrueux jet d'eau bouillonnant. Des nuages qui stagnent à mi-hauteur du monolithe dissimulent la chute d'eau et l'écume aux regards. La base de la montagne est également cachée et ceux qui ont essayé de pénétrer dans le brouillard nuageux ont rapporté qu'il était aussi sombre que la nuit la plus noire et qu'à une certaine altitude, l'humidité s'y solidifiait.

A mille ou deux mille mètres de la base du monolithe, le brouillard s'étire puis se liquéfie pour donner à nouveau naissance à une rivière. Ce cours d'eau coule dans un étroit couloir calcaire qui plus loin s'élargit. Il suit un cours méandreux pendant environ huit cents kilomètres, puis un trajet rectiligne pendant trente kilomètres, et se ramifie ensuite pour former plusieurs arroyos autour de la base d'une montagne rocheuse. De l'autre côté de la montagne, la rivière se reforme, tourne à angle aigu et coule vers l'est pendant cent kilomètres. Elle disparaît alors dans une immense caverne et l'on peut supposer qu'elle tombe à travers un réseau de grottes à l'intérieur du monolithe au sommet duquel est situé le niveau Amérindia. Seuls les aigles de Podarge, Wolff et Kickaha connaissent l'endroit de sa résurgence.

La montagne, transformée en île par la rivière, était faite d'un unique bloc de jade.

Lorsque Jadawin avait donné naissance à cet univers, il avait créé une masse grossièrement pyramidale de mille mètres de hauteur, constituée d'un aggloméral de jade et de néphrite striés de vert pomme, d'émeraude, de marron, de mauve, de jaune, de bleu, de gris, de rouge et de noir. Afin qu'elle refroidisse, il l'avait déposée à la lisière des Grandes Plaines et il avait plus tard dirigé le cours de la rivière autour de son pied.

Pendant des milliers d'années, la montagne de jade était demeurée vierge. N'y vivaient que des oiseaux et les poissons qui, dans la rivière, frétillaient contre de froides racines huileuses. Lorsque les Amérindiens furent introduits dans ce monde, ils découvrirent la montagne de jade. Certaines tribus en firent leur dieu, mais les nomades ne s'installèrent pas à proximité.

Alors, un groupe d'êtres civilisés de l'ancien Mexique fut introduit à son tour dans ce monde, non loin de la montagne de jade. D'après les souvenirs de Jadawin (qui devait plus tard devenir Wolff), cela s'était passé mille cinq cents années terrestres auparavant. Les immigrants involontaires appartenaient peut-être à cette civilisation que les derniers Mexicains appelaient Olmec. Ils se désignaient eux-mêmes sous le vocable de Tisquetmoacs. Ils construisirent des maisons et des murs de bois sur les côtés est et ouest de la montagne, qu'ils baptisèrent du nom de Talanac. Talanac était le nom qu'ils donnaient au Dieu Jaguar.

Le *kotchulti* (littéralement : maison du dieu) ou temple de Toshkouni, divinité de l'écriture, des mathématiques et de la musique, se trouvait à mi-hauteur de la ville pyramidale de Talanac, face à la Rue des Bienfaits Mélangés. Vu de l'extérieur, il ne donnait pas l'impression d'avoir des dimensions impressionnantes. Le frontispice du temple, constitué par une légère protubérance du flanc de la montagne, représentait la tête d'oiseau-jaguar de Toshkouni. Comme pour le reste de l'intérieur de la montagne, tout ce qui était creusé et fendu, tous les bas et hauts-reliefs du temple, avaient été obtenus par ponçage et forage. Il est en effet impossible de tailler le jade au burin ou de le diviser en lamelles ; on peut le forer, mais c'est par l'usure lente qu'on le transforme en œuvre d'art. C'est en ponçant qu'on engendre beauté et utilité.

Ainsi donc, le jade strié de noir et de blanc avait été usé par une génération d'esclaves qui utilisaient un produit abrasif pulvérulent et des outils en acier et en bois. Les esclaves avaient accompli le travail de dégrossissage, puis artisans et artistes s'étaient chargés de la finition. L'affirmation des Tishquetmoacs, selon laquelle la forme est dissimulée dans la pierre et qu'il suffit de la révéler, semblait justifiée en ce qui concernait Talanac.

« Les dieux cachent, les hommes découvrent », disaient-ils.

Lorsqu'un visiteur pénètre dans le temple par la grande porte, qui paraît le dévorer avec les dents de chat de Toshkouni, il entre en fait dans une immense caverne. Elle est éclairée par le soleil qui se déverse à flots par des ouvertures percées dans la voûte, et par une centaine de torches qui brûlent sans dégager de fumée. Un chœur de moines en robes noires, dont le crâne rasé est peint en écarlate, se tient derrière un écran de jade blanc et rouge qui s'élève à la hauteur de la ceinture d'un homme. Le chœur chante les louanges d'Ollimaml, le Seigneur du Monde, et de Toshkouni.

A chacun des angles de la pièce, de forme octogonale, des autels appariés sont sculptés en forme d'animaux, d'oiseaux et de jeunes femmes. Des parchemins s'y amoncèlent, recouverts de représentations de petits animaux et de symboles abstraits, résultat d'années de travail et de passion acharnés. Une émeraude grosse comme la tête d'un homme est posée sur l'un des autels, et il court à son sujet une histoire qui concerne aussi Kickaha. En fait, l'émeraude symbolise l'une des raisons pour lesquelles Kickaha est toujours le bienvenu à Talanac. Le joyau avait été dérobé un jour, et Kickaha, après l'avoir repris aux voleurs qui appartenaient au niveau voisin, l'avait restitué au temple, pas gratuitement toutefois. Mais ceci est une autre histoire.

Kickaha se trouvait dans la bibliothèque du temple. C'était une vaste pièce creusée au flanc de la montagne, où l'on ne pénétrait qu'après avoir traversé celle où se trouvaient les autels, et longé un large corridor. Elle était également éclairée par les rayons du soleil qui filtraient à travers des ouvertures de la voûte, et par des torches et des lampes à huile. Les murs avaient été usés et poncés jusqu'à former des milliers de niches dont chacune servait de logement à un livre tishquetmoac. Les ouvrages étaient faits de bandes de peau d'agneau cousues bout à bout, et dont chaque extrémité était fixée à un cylindre d'ébène. Le cylindre qui retenait le début du livre était accroché à un grand cadre de jade et l'ouvrage était lentement déroulé par le lecteur qui s'installait devant lui.

Kickaha se tenait dans un coin bien éclairé, juste sous un des orifices de la voûte. Un prêtre en robe noire, Takoacol, était en train de lui expliquer la signification de certains parchemins. Lors de son séjour précédent, Kickaha avait étudié l'écriture mais sa mémoire n'avait retenu que cinq cents symboles imagés, alors qu'il fallait en connaître un minimum de deux mille pour pouvoir lire couramment.

Takoacol indiquait d'un doigt jaune à l'ongle démesuré l'endroit où était situé le palais de l'empereur, du *miklosiml*.

« Tout comme le palais du Seigneur de ce monde se dresse au sommet du plus haut niveau du monde, le palais du *miklosiml* se dresse sur le niveau supérieur de Talanac, la plus grande cité du monde. »

Kickaha ne le contredit pas. A une certaine époque la capitale d'Atlantis, le pays occupant la partie supérieure du second niveau le plus élevé, avait été quatre fois plus grande et plus peuplée que Talanac. Mais elle avait été détruite par le Seigneur alors au pouvoir, et ses ruines n'hébergeaient plus que des chauves-souris, des oiseaux et des lézards, grands et petits.

« Mais », dit le prêtre, « là où le monde a cinq niveaux, Talanac a trois fois trois fois trois niveaux, ou rues. »

Le prêtre joignit le bout de ses ongles et, ses yeux obliques mi-clos, se lança dans un sermon sur les propriétés magiques et théologiques des chiffres trois, sept, neuf et douze. Kickaha ne l'interrompit pas, bien que la signification de certains termes techniques lui échappât.

Il lui avait semblé entendre, à un certain moment, un cliquetis métallique provenant de la salle voisine. L'avertissement lui avait suffi, à lui qui avait survécu parce qu'il n'avait jamais attendu qu'il y en ait un second pour se tenir sur ses gardes. En outre, il payait le fait d'être encore en vie par un certain état d'anxiété permanent tout à fait déplai-

24

sant. Il était toujours obligé de maintenir en lui un certain degré de tension, même aux moments de détente, même au cours d'intermèdes sentimentaux. Par exemple, il ne pénétrait jamais dans un endroit quel qu'il fût — même dans le palais du Seigneur où il n'avait en principe rien à craindre — sans repérer tout d'abord les cachettes où quelqu'un pouvait se dissimuler, les issues par lesquelles il pourrait s'échapper et les endroits où il pourrait se cacher lui-même.

Il n'avait aucune raison de penser qu'il pût être en danger dans cette ville, particulièrement dans la sacro-sainte bibliothèque du temple. Mais à plusieurs reprises le danger s'était déjà présenté à lui alors qu'il n'avait apparemment rien à redouter.

Le cliquetis métallique se fit à nouveau faiblement entendre. Kickaha, sans prendre le temps de s'excuser auprès du prêtre, courut vers la porte en ogive qui donnait accès à la pièce d'où le bruit lui était parvenu. De nombreux prêtres en robes noires qui lisaient ou qui peignaient des parchemins sur des bureaux au dessus incliné levèrent les yeux et le regardèrent. Kickaha était vêtu comme un Tishquetmoac aisé, car il avait pour habitude de ressembler le plus possible à un habitant du pays dans lequel il se trouvait, mais sa peau était de deux tons plus claire que celle du plus pâle des Tishquetmoacs. En outre, il avait deux couteaux à la ceinture, ce qui suffisait à le faire remarquer. Il était le seul avec l'empereur à pouvoir pénétrer armé dans le temple.

Takoacol l'appela en lui demandant ce qui n'allait pas. Kickaha se retourna et mit un doigt sur ses lèvres, mais le prêtre continua à l'appeler. Kickaha haussa les épaules. Comme cela s'était produit maintes fois en d'autres circonstances, il y avait des chances pour que son attitude le fît paraître fou ou exagérément prudent aux yeux des spectateurs. Mais cela lui était parfaitement égal.

Alors qu'il approchait de la porte, il entendit de nouveaux cliquetis, accompagnés de légers craquements. Cela ressemblait au bruit produit par des hommes en armure longeant lentement et prudemment le corridor. Ce ne pouvaient être des soldats tishquetmoacs, car les armures que portaient ces derniers étaient faites de tissu matelassé. Ils avaient des armes métalliques, mais elles ne produisaient pas le bruit caractéristique qu'il avait entendu.

Kickaha songea un instant à s'éloigner de la bibliothèque et à disparaître par une des issues qu'il avait repérées ; à l'ombre d'une voûte, il pourrait observer les arrivants lorsqu'ils pénétreraient dans la salle. Mais il ne put résister à l'envie de savoir immédiatement qui étaient les intrus. Il jeta un regard furtif dans le corridor.

A vingt pas de lui approchait un homme qu'une armure d'acier recouvrait des pieds à la tête. Sur ses pas marchaient deux par deux quatre chevaliers qui étaient suivis par au moins trente soldats, portant des épées ou des arcs. Ils étaient peut-être encore plus nombreux car la courbe du corridor dissimulait la queue de la file.

Auparavant, il était arrivé à Kickaha d'être surpris, et même effrayé. Cette fois, sa réaction fut la plus lente qu'il eût jamais eue de toute sa vie. Durant plusieurs secondes il demeura immobile, paralysé par l'étonnement. Une chape de glace lui enveloppa les épaules comme une armure.

L'homme de haute stature qui marchait en tête de la colonne de soldats, et dont on ne pouvait apercevoir qu'une partie du visage à travers la visière du casque, n'était autre que Erich von Turbat, le roi d'Eggesheim.

Lui et ses hommes n'avaient rien à faire à ce niveau. C'étaient des Drachelanders, des habitants du plateau supérieur couronnant le monolithe qui s'élevait au-dessus de Talanac. Kickaha avait à plusieurs reprises rendu visite au roi von Turbat en Dracheland, où lui-même était connu sous le nom de baron Horst von Hortsmann, et il l'avait même désarçonné un jour au cours d'une joute.

Les voir à ce niveau, lui et ses hommes, était assez déconcertant car une falaise monolithique de trente mille mètres de hauteur les séparait de leur propre niveau. Leur présence à Talanac était absolument incompréhensible. Personne n'avait jamais franchi les protections spéciales de la ville sinon Kickaha lui-même, en une unique occasion et alors qu'il était seul.

Soudain dégelé, Kickaha tourna les talons et se mit à courir. L'idée lui était venue que les Teutoniques avaient pu emprunter l'une des « portes » qui permettaient le transport instantané d'un lieu à un autre. Cependant, les Tishquetmoacs ne savaient pas où se trouvaient les trois « portes » et ils ignoraient jusqu'à leur existence. Seuls Wolff, Seigneur de cet univers, sa compagne Chryséis et Kickaha, s'étaient jamais servi de ces passages ; en théorie, ils étaient les seuls à savoir le faire.

En dépit de tout cela, les Teutoniques étaient à Talanac. Savoir comment ils avaient découvert les « portes » et comment ils avaient atteint le temple par ce moyen constituait un problème que l'on résoudrait plus tard — si jamais on y réussissait.

Kickaha sentit une vague de panique l'envahir, qu'il refréna aussitôt. Cette intrusion ne pouvait signifier qu'une chose : un Seigneur étranger avait réussi à envahir cet univers. Qu'il ait pu envoyer des hommes à la poursuite de Kickaha démontrait que Wolff et Chryséis avaient été incapables de l'en empêcher. Et cela pouvait signifier qu'ils étaient morts, ou que s'ils étaient en vie ils ne disposaient plus d'aucun pouvoir et avaient besoin de son aide. Son aide ! Voilà qu'à nouveau il s'enfuyait pour sauver sa vie !

Il existait trois « portes » cachées. Deux d'entre elles se trouvaient dans le temple d'Ollimaml, au sommet de la ville, près du palais de l'empereur. L'une était large et c'était celle que les hommes de von Turbat avaient dû emprunter, s'ils étaient arrivés en force. Il devait en être ainsi, sinon ils n'auraient pu réussir à se rendre maîtres de la garde nombreuse et fanatique de l'empereur.

A moins, pensa Kickaha, que d'une façon ou d'une autre les envahisseurs n'aient réussi à capturer l'empereur immédiatement après leur intrusion. Les Tishquetmoacs continueraient à obéir aux ordres de leur souverain, même en sachant qu'ils étaient donnés par ses ravisseurs. Du moins en serait-il ainsi pendant un certain temps. Après tout, les habitants de Talanac n'étaient pas des fourmis mais des êtres humains, et ils finiraient bien par se révolter. Ils considéraient leur empereur comme l'incarnation d'un dieu, qui n'avait comme suzerain que le créateur tout-puissant Ollimaml, mais ils aimaient aussi leur ville de jade et ils avaient dans leur histoire un double déicide.

En attendant... En attendant, Kickaha s'était mis à courir vers la porte en ogive qui se trouvait en face de celle par laquelle les envahisseurs n'allaient pas tarder à faire leur apparition.

Un cri agit sur lui comme une coup d'aiguillon ; plusieurs prêtres se mirent à hurler à la fois, puis de nombreuses exclamations proférées dans le langage haut-allemand de

Dracheland s'élevèrent. Un fracas d'armures et d'épées entrechoquées formait un bruit de fond métallique à ce vacarme vocal.

Kickaha nourrissait l'espoir que le corridor était le seul passage que les Drachelanders avaient emprunté. Et s'ils bloquaient toutes les issues de cette salle ? Non, c'était impossible. Pour autant qu'il le sût, la porte en ogive menait à un corridor qui s'enfonçait profondément dans la montagne. On pouvait y accéder par d'autres couloirs, mais tous étaient sans issue — c'était du moins ce qu'on lui avait dit. Peut-être ceux qui l'avaient renseigné lui avaient-ils menti pour une raison ou pour une autre, ou peut-être n'avait-il pas parfaitement compris ce qu'on lui avait dit.

Qu'on lui eût menti ou non, il fallait qu'il emprunte ce passage. L'ennui, c'était que même s'il ne rencontrait pas d'envahisseurs sur son chemin, ce corridor ne le conduirait qu'en direction de l'intérieur de la montagne.

3

LA bibliothèque était une pièce aux dimensions gigantesques. Il avait fallu vingt ans à des équipes de cinq cents esclaves travaillant nuit et jour pour venir à bout du travail de ponçage élémentaire. La distance qui séparait la porte par où entraient les envahisseurs de celle par laquelle Kickaha voulait s'échapper était de cent soixante mètres. Quelques-uns des Drachelanders pouvaient fort bien avoir le temps de lui décocher des flèches avant qu'il ne l'atteigne.

Se rendant compte du danger qu'il courait, Kickaha entreprit de transformer sa fuite rectiligne en une course en zigzags. Parvenu à la porte, il plongea vers le sol et la franchit en roulant sur lui-même. Des flèches sifflèrent autour de lui, rebondissant contre le mur ou se fichant dans le plancher derrière lui. Kickaha se remit sur ses pieds et enfila le corridor à toute vitesse. Lorsqu'il atteignit la courbe, il s'immobilisa.

Deux prêtres passèrent près de lui d'un pas rapide. Ils le regardèrent mais ne dirent pas un mot. Des cris aigus se firent soudain entendre, et ils se mirent à courir vers l'endroit d'où ils provenaient. Ils auraient agi plus intelligemment en rebroussant chemin, pensa Kickaha, car les cris indiquaient sans méprise possible que les Drachelanders étaient en train de massacrer les prêtres qui se trouvaient dans la bibliothèque.

Mais les deux prêtres, en se heurtant aux poursuivants, allaient retarder ces derniers de quelques secondes. Tant pis pour eux — ce ne serait pas de sa faute s'ils étaient tués. D'accord, peut-être serait-ce de sa faute. Mais il n'avait pas l'intention de les mettre en garde si cela devait lui permettre de prendre de l'avance sur ceux qui le traquaient.

Il se remit à courir. Alors qu'il atteignait une autre courbe du corridor, à quarante-cinq degrés celle-là, il entendit derrière lui les cris poussés par ses poursuivants. Il s'arrêta et dégagea de son logement une des torches enflammées qui éclairaient le passage. La tenant à bout de bras, il leva les yeux et examina la voûte. Au-dessus de lui, à six mètres de hauteur, il aperçut une ouverture circulaire. Le trou était obscur, ce qui laissait supposer que le conduit d'aération faisait un coude avant d'aller se greffer sur un autre conduit.

La montagne tout entière était creusée de milliers de conduits cylindriques semblables, dont le diamètre d'un peu plus d'un mètre avait été étudié pour permettre la libre progression des esclaves qui les avaient forés.

Kickaha, après avoir étudié la bouche d'aération, secoua la tête. Il ne disposait d'aucun moyen qui lui permît de l'atteindre.

Un bruit s'éleva derrière lui, un frottement de métal contre la paroi du corridor. Kickaha se précipita dans cette direction, franchit à nouveau la courbe, s'immobilisa et lança la torche à toute volée. Le premier archer reçut le morceau de bois enflammé en pleine figure. Il hurla, porta les mains à son visage et recula en chancelant, faisant choir à la renverse le soldat qui le suivait. Leurs casques d'acier coniques tombèrent et roulèrent sur le sol avec fracas.

Kickaha souleva l'archer au visage brûlé et recula, se servant de lui comme d'un bouclier. En même temps, il dégagea du fourreau la longue épée du Drachelander. L'archer se tenait le visage à deux mains, hurlant qu'il était aveugle. Le soldat qu'il avait fait tomber se releva, empêchant ainsi les autres archers qui approchaient de décocher leurs flèches. Kickaha se fendit et transperça la tête sans protection du soldat. Puis il lâcha le blessé qui hurlait toujours, fit demi-tour et se mit à courir.

Il pénétra dans un vaste entrepôt au moment où les premières flèches sifflaient autour de lui. La salle était remplie d'objets manufacturés mais, ce qui retint son attention, ce fut un lot d'échelles télescopiques destinées à la bibliothèque. Il en développa une, appuya son extrémité contre le bord d'une bouche d'aération du plafond, puis posa au pied de l'échelle l'épée qu'il tenait toujours à la main. Il alla ensuite chercher une autre échelle qu'il emporta en courant dans le corridor. Il obliqua l'échelle et grimpa à toute vitesse. Il s'adossa à la paroi du conduit, cala ses pieds de l'autre côté et entreprit de s'élever.

Il avait l'espoir que la première échelle ainsi que l'épée abuseraient ses poursuivants et qu'ils perdraient du temps à tirer des flèches dans l'orifice sombre. Lorsqu'ils se rendraient compte qu'ils ne pouvaient pas l'extirper de là comme un ours dans un arbre creux, ils penseraient sans doute qu'il avait réussi à emprunter à temps une canalisation perpendiculaire. Alors, certains d'entre eux se hisseraient dans le conduit à sa poursuite. S'ils avaient un peu d'idée, ils prendraient le temps de se débarrasser au préalable de leurs lourdes cottes de mailles, de leurs jambières et de leurs casques d'acier.

Non. S'ils avaient de l'idée, ils comprendraient vite qu'il était en train de leur jouer un tour. Ils exploreraient les corridors plus en détail, trouveraient la deuxième échelle et la bouche dans laquelle il se dissimulait, et le transperceraient de flèches.

Talonné par la crainte de les voir suivre ce raisonnement, il se mit à progresser plus rapidement. Heureusement, la paroi de jade du conduit était lisse et douce ; ce n'était pas le contact rude de la pierre ou du bois. Après s'être élevé de six mètres, c'est-à-dire à douze mètres au-dessus du sol, il atteignit un large tunnel de dérivation horizontal, perpendiculaire au conduit dans lequel il cheminait. Jetant un regard vers le bas, il constata que l'échelle était toujours appuyée contre le bord de la bouche d'aération, et qu'aucun bruit ne montait dans le puits. Après quelques mouvements, il réussit à prendre pied dans le tunnel horizontal.

Il entendit alors le faible écho d'une voix. Les soldats avaient dû se laisser prendre au piège. Ou alors ils s'étaient hissés dans le conduit d'aération de l'entrepôt — auquel cas il était impossible qu'ils se trouvent dans le même tunnel horizontal que lui.

Kickaha décida de tenter de les abuser une nouvelle fois. S'il trouvait une issue, il découvrirait peut-être en même temps qu'ils étaient juste derrière lui, ou pire, sous lui. Il était possible qu'ils aient réussi à se faire passer des arcs et des flèches à la chaîne le long du conduit ; s'il en était ainsi, ils pourraient l'abattre sans courir eux-mêmes le moindre danger.

En essayant de repérer la direction dans laquelle se trouvait le conduit contre l'orifice duquel il avait placé la première échelle, il atteignit un embranchement formé par trois tunnels horizontaux débouchant sur un puits vertical. Une faible lueur baignait ce nœud de canalisations. Il franchit le puits vertical en sautant et se dirigea vers l'endroit d'où provenait la lueur. A un tournant du tunnel, il aperçut un Teutonique qui se tenait courbé, lui tournant le dos. Il était en train de saisir une torche enflammée qu'on lui faisait passer par le conduit vertical. L'homme qui tenait la torche grommela qu'il s'était écorché. Son camarade, penché sur l'orifice, répondit d'une voix basse mais véhémente qu'un silence absolu était indispensable.

Les grimpeurs avaient dépouillé leurs armures et s'étaient débarrassés de leurs armes à l'exception du poignard qu'ils avaient à la ceinture.

Cependant, un arc et des flèches furent tendus au soldat qui avait atteint le tunnel horizontal. Les hommes placés dans le conduit vertical devaient faire la chaîne pour hisser les armes. Kickaha pensa qu'ils auraient mieux fait de placer six ou sept hommes au préalable dans le tunnel afin d'empêcher toute attaque par celui qu'ils poursuivaient.

L'idée lui vint d'attaquer immédiatement le soldat solitaire, puis il se dit qu'il était préférable d'attendre qu'ils aient hissé toutes les armes dont ils entendaient se servir contre lui. Un à un, les arcs, les carquois, les épées, et finalement une armure, atteignirent le tunnel sur le sol duquel le soldat les rangea bien en ordre. Kickaha eut envie de rire. Ces imbéciles ne comprenaient pas que le poids d'une armure risquait de les entraîner plus rapidement vers le bas, et qu'ils donnaient ainsi un certain avantage à leur adversaire. En outre, la cotte de mailles et les épais vêtements qu'ils portaient ne tarderaient pas à les faire transpirer. La seule raison qui pût justifier un tel comportement était l'observance de la lourde et rigide discipline militaire. Si le règlement prescrivait le port de l'armure au combat, alors on porterait l'armure, quelles que puissent être les circonstances dans lesquelles le combat se déroulerait.

Le soldat qui hissait les équipements et ceux qui se

tenaient dans le conduit s'étaient mis à grogner — pas trop fort toutefois — se plaignant de la chaleur et de la fatigue. Kickaha les entendait distinctement, mais il supposa que leurs murmures ne parvenaient pas aux oreilles des officiers placés sous eux dans le corridor.

Kickaha compta en tout trente-cinq arcs et autant de carquois, d'épées et de cottes de mailles qui étaient maintenant soigneusement alignés dans le tunnel. Lorsqu'il avait fait face aux assaillants un peu plus tôt dans le corridor, il avait dénombré plus de trente-cinq hommes. C'était donc que certains d'entre eux étaient demeurés en bas. Avec eux devaient se trouver tous les officiers, qui ne voulaient sans doute pas prendre le temps de se débarrasser de leur équipement. D'après la conversation que tenaient maintenant le soldat du tunnel et un officier — ils hurlaient littéralement alors qu'il leur eut suffi de parler à voix basse si les hommes placés dans le conduit vertical avaient relayé leurs paroles — Kickaha apprit que l'homme qui lui tournait le dos était un *shlikrum,* mot aborigène emprunté au langage des conquérants germaniques médiévaux de la Terre et désignant un sergent-chef.

Kickaha écouta avec attention en espérant découvrir si d'autres soldats étaient en train de se hisser dans d'autres conduits, car il ne voulait pas se laisser assaillir par-derrière. Il ne fut pas fait mention d'autres tentatives d'escalade, ce qui ne justifiait pas forcément qu'il n'y en eût pas. Kickaha jetait régulièrement des regards derrière lui mais il ne voyait ni n'entendait rien de suspect. Le *shlikrum* aurait dû faire preuve de la même vigilance anxieuse, mais il se sentait apparemment en sécurité.

Ce sentiment s'évapora comme une goutte de pluie au soleil. Alors que le *shlikrum* s'accroupissait pour aider le premier soldat à s'extraire du conduit vertical, Kickaha bondit et lui enfonça quelques pouces du fer de son poignard dans la fesse droite. L'homme hurla et plongea la tête la première dans le trou, aidé en cela par un solide coup de pied. Il chuta sur le soldat qu'il s'apprêtait à extraire du conduit, qui lui-même dégringola sur celui qui se trouvait sous lui ; et ainsi de suite jusqu'à ce que dix hommes hurlants se soient affalés en succession rapide dans le corridor. Le *shlikrum* dégringola le dernier sur le tas de corps, les quatre fers en l'air. Bien que sévèrement blessé, il

33

n'avait pas perdu connaissance. Il tenta de se redresser, roula tout au long de la pyramide humaine et atterrit sur le sol du corridor où il demeura étendu et gémissant.

Un officier, entièrement protégé par une armure, s'avança vers lui avec un bruit métallique et se pencha pour lui parler. Kickaha, ne pouvant entendre ce qu'il disait, ramassa un arc, l'arma d'une flèche et visa l'officier. Le tir était malaisé, mais Kickaha s'était souvent entraîné à tirer sous des angles presque impossibles. La flèche atteignit l'officier au défaut de l'épaule et il s'effondra en avant, écrasant le corps du *shlikrum* sous lui.

Kickaha aperçut alors le coffret d'argent que l'officier portait en bandoulière. Il n'en avait jamais vu de semblable et il se demanda ce que cela pouvait bien être. Mais ce n'était pas le moment de se laisser aller à la curiosité.

Les soldats qui étaient en train d'aider leurs camarades à se relever s'arrêtèrent soudain et disparurent de la vue de Kickaha. Il y eut un brouhaha de conversations, puis le silence s'établit après qu'un officier l'eût réclamé en rugissant. Kickaha reconnut la voix de von Turbat, et ce fut à ce moment précis qu'il commença à comprendre la raison de l'invasion et de la poursuite sauvage dont il était l'objet.

Von Turbat était le roi de la nation indépendante d'Eggesheim, un pays montagneux peuplé d'environ soixante mille citoyens. A une certaine époque, Kickaha, alors baron Horst von Horstmann, avait entretenu des rapports assez amicaux avec lui. Mais, après avoir été vaincu par Kickaha au cours d'une joute et aussi pour avoir surpris ce dernier en train de courtiser sa fille, von Turbat était devenu hostile mais pas d'une façon active — bien qu'il eût manifesté clairement qu'il ne se sentirait pas contraint de venger Hortsmann si quelqu'un le tuait sous son toit. Kickaha avait disparu immédiatement après avoir eu connaissance de ces paroles et plus tard, jouant son rôle de baron brigand, il avait pillé un convoi commercial qui se rendait à Eggesheim. Mais les circonstances avaient obligé Kickaha à abandonner son château et son identité et à gagner le niveau de Talanac. Cela s'était passé quelques années auparavant.

Que von Turbat ait pris un risque aussi terrible uniquement pour avoir la satisfaction de se venger de Kickaha était impensable. Et tout d'abord, comment le roi avait-il pu

34

découvrir que Kickaha et von Horstmann n'étaient qu'une seule et même personne ? Ensuite, s'il avait réellement découvert l'existence des « portes » et la façon de les franchir, pourquoi envahissait-il la dangereuse cité de Talanac ? Cela faisait beaucoup de questions qui demandaient une réponse.

Mais ce qui préoccupait le plus Kickaha, c'était sa situation immédiate. Il était évident que les Teutoniques allaient se hisser dans d'autres conduits — le bruit de leurs voix et le claquement de leurs bottes de cuir dans le corridor ne laissaient aucun doute à ce sujet. Kickaha entrevit l'extrémité d'une échelle que l'on balançait un peu plus loin. Il pensa que ceux qui allaient maintenant entrer en action seraient moins lourdement équipés que leurs prédécesseurs malheureux, car il avait en sa possession la majeure partie de leurs armes et de leur équipement. Naturellement, des renforts n'allaient pas tarder à arriver. Il fallait qu'il sorte de là le plus rapidement possible.

Un des hommes empilés sous lui dans le corridor se releva, et Kickaha le transperça d'une flèche. Il tira cinq autres flèches en succession rapide, neutralisant cinq autres ennemis. Durant les cinq minutes qui suivirent il courut dans toutes les directions, empruntant les différents tunnels. Par trois fois il surprit des soldats en train de se hisser dans les conduits verticaux et tua l'homme de tête. A deux reprises il tira de haut en bas dans un conduit, abattant deux hommes qui circulaient dans le corridor. Mais il ne pouvait espérer retenir longtemps tous ses ennemis, car pour cela il eût fallu qu'il se trouvât partout à la fois. Et apparemment, le roi ne tenait aucun compte des pertes. Les conduits qui avaient été empruntés à l'origine voyaient se hisser de nouveaux soldats. Il y avait partout des lumières et du bruit. Kickaha fut contraint d'abandonner les armes qu'il avait conquises et de ne conserver que ses deux couteaux pour pouvoir entreprendre l'ascension d'un autre conduit vertical. Il entendait les soldats qui se frayaient un passage dans les conduits dont l'issue débouchait à l'extérieur. S'il réussissait à atteindre un point culminant de la montagne, au-dessus de la rue des Bienfaits Mélangés, il trouverait bien un moyen de s'échapper.

Il était possible cependant que von Turbat connût la configuration des lieux. En ce cas, il ne manquerait pas de poster des archers dans les rues avoisinantes, au-dessus et en dessous.

Si Kickaha pouvait demeurer éloigné des soldats dans le réseau de tunnels jusqu'à ce que la nuit soit tombée, il pourrait alors se glisser furtivement dehors et atteindre le bord de la falaise de jade. Une fois là, il verrait s'il lui était possible de s'échapper en s'agrippant à ses saillies.

Il mourait de soif. Il n'avait rien bu de la matinée car c'était alors la soif d'apprendre qui le tenaillait. Le choc qu'il avait subi en apercevant les envahisseurs, la bataille et la course l'avaient complètement déshydraté. Au coin de sa bouche pendait une épaisse stalagtite de salive ; il lui semblait que sa gorge était pleine de cailloux du désert déterrés par le sabot d'un chameau.

Il lui était possible de tenir jusqu'à la fin du jour et même la nuit entière s'il le fallait, mais il sortirait de là dans un état d'épuisement total. Il lui fallait à tout prix de l'eau et, pour s'en procurer, il ne disposait que d'un seul moyen.

Il redescendit dans le conduit qu'il venait d'escalader mais s'immobilisa presque aussitôt. Il sourit. Qu'est-ce qui lui était arrivé ? Il avait subi une secousse trop forte, et son astuce habituelle ainsi que sa manière de raisonner non conventionnelle lui avaient fait défaut durant un moment. Il avait laissé passer une chance de s'échapper. Ce qu'il allait tenter était une folie, mais c'était justement le caractère insensé de l'opération qui lui donnait des chances de réussir. A condition qu'il ne fût pas trop tard !

Il se laissa glisser sans difficulté et se retrouva dans le tunnel, auprès du tas d'armes et d'équipements. Par chance, aucun bruit ne s'élevait dans les environs immédiats — les soldats devaient progresser dans des conduits assez éloignés. Kickaha se débarrassa de ses vêtements tishquetmoacs et les enfonça à l'intérieur de la cotte de mailles qui se trouvait au bas du tas. Il revêtit une armure à la hâte mais il lui fallut un peu de temps pour trouver une cotte de mailles et un casque à sa taille. Puis il se pencha au-dessus de l'ouverture qui surplombait le corridor et appela. C'était un parfait imitateur et bien qu'il n'eût pas entendu parler le dialecte germanique d'Eggesheim depuis des années, il s'en souvenait parfaitement.

Les soldats qui étaient postés dans le corridor soupçonnèrent une ruse. Ils n'étaient pas aussi stupides qu'on aurait pu le croire. Ils n'imaginèrent pas cependant ce qui se passait en réalité, et supposèrent que Kickaha essayait de les attirer à portée de son arc.

« *Ikh'n d'untershlikrum Hayns Gimbat* », dit-il. « Je suis le caporal Hayns Gimbat. »

Hayns était un prénom très répandu dans le Dracheland. Gimbat était un nom propre d'origine aborigène — presque tous les noms se terminaient en *bat*. Gimbat était particulièrement commun dans cette région du Dracheland, parmi les classes inférieures qui étaient constituées d'un mélange d'aborigènes et d'Allemands. Il y avait donc nécessairement plusieurs hommes portant ce nom parmi les assaillants.

Un sergent s'approcha à grandes enjambées et leva la tête pour essayer de voir quelque chose à travers le conduit.

« *Vo iss de trickmensch?* Où est le Rusé?

— *E n'iss hir, nettrlikh. Ikh hap durss.* Il n'est pas ici, naturellement. J'ai soif.

— *Frahk zu fyer de vass?* » beugla le sergent. « Tu demandes de l'eau? A un moment pareil? *Shaysskopp!* »

La demande était logique, et c'était également le meilleur moyen d'écarter toute suspicion de la part des Drachelanders. Tandis que le sergent vociférait, des torches apparurent à chaque extrémité du tunnel dans lequel se tenait Kickaha. Ce dernier marcha à la rencontre de l'officier qui dirigeait les arrivants. Il était sans armure — von Turbat avait dû penser en définitive qu'il était indispensable qu'un officier dirige les opérations.

Kickaha le reconnut. C'était le baron von Diebrs, souverain d'une petite principauté située en bordure d'Eggesheim. Kickaha l'avait aperçu à la cour alors que lui-même s'y trouvait en visite.

Il garda la tête baissée afin que le casque dissimule une partie de son visage et il haussa sa voix d'un ton. Von Diebrs l'écouta mais ne prêta aucune attention à ses traits. Pour le baron, l'homme qu'il avait devant lui n'était autre qu'un soldat anonyme. Kickaha lui signala que le Rusé avait disparu sans laisser de traces. Il se hâta de dire également qu'il avait demandé de l'eau mais que le sergent semblait penser qu'il ne s'agissait pas là d'une requête raisonnable.

Le baron, qui s'humectait les lèvres, paraissait d'un avis tout à fait contraire. Et bientôt des hommes juchés sur des échelles leur tendirent des gourdes pleines d'eau fixées au bout de perches, et Kickaha put assouvir sa soif. Il fit alors une tentative afin de s'éclipser et s'efforcer d'atteindre le corridor, mais von Diebrs l'en empêcha en lui ordonnant de prendre la tête du groupe qui allait se hisser dans un conduit vertical afin d'explorer le tunnel horizontal supérieur. Le baron l'injuria en outre pour avoir conservé son armure et Kickaha dut s'en débarrasser ainsi que de sa cotte de mailles. Il était prêt à frapper ou à courir au moindre signe montrant que le baron l'avait reconnu, mais von Diebrs n'avait qu'une idée en tête : mettre la main sur le barbare assassin.

Kickaha aurait voulu poser des questions, mais il ne pouvait le faire sans éveiller les soupçons et il garda donc le silence. Il se hissa dans le conduit et prit ensuite les arcs, les carquois et les longues épées qu'on lui tendait. Lorsque tout le monde eut atteint le tunnel supérieur, le groupe se divisa en deux et les deux équipes s'éloignèrent en se tournant le dos. D'après les instructions reçues, si le groupe dont faisait partie Kickaha en rencontrait un autre, ils auraient à escalader un autre conduit et à explorer le tunnel supérieur. Le corridor et les tunnels inférieurs se remplirent d'animation et de bruit. Des renforts venaient d'arriver pour accélérer les opérations. Von Turbat — ou quiconque était responsable de l'invasion — devait parfaitement contrôler la situation si l'on en jugeait au nombre de soldats disponibles.

Kickaha demeura avec son groupe, puisque personne ne l'y connaissait. Lorsqu'ils rencontraient d'autres équipes, il se gardait d'ouvrir la bouche. Il portait encore son casque, étant donné que personne ne lui avait ordonné de l'enlever. Il n'était d'ailleurs pas le seul dans ce cas.

La progression devint de plus en plus malaisée car les tunnels se rétrécissaient et il leur fallut bientôt se déplacer en file indienne. Les soldats étaient en excellente forme, mais ce genre d'exercice leur fatiguait les jambes et les reins. Bien qu'il ne souffrît en aucune manière, Kickaha ne manquait pas de se plaindre comme les autres afin de ne pas se faire remarquer.

Après ce qui leur parut durer des heures et qui en fait ne dépassa pas quatre-vingts minutes, le groupe de six, après avoir escaladé un dernier conduit, atteignit une petite pièce circulaire dont un côté comportait de larges ouvertures qui donnaient sur l'extérieur. Les hommes se penchèrent pour regarder et virent sous eux, dans la Rue des Bienfaits Mélangés, des troupes de fantassins et de cavaliers. Ils apparaissaient minuscules mais étaient néanmoins identifiables. Kickaha reconnut les drapeaux, les fanions et les uniformes d'Eggesheim mais également ceux d'une douzaine d'autres royaumes et de quelques baronnies.

Il y avait des corps étendus, principalement ceux d'habitants tishquetmoacs, et çà et là quelques flaques de sang, mais la bataille entre les Teutoniques et les garnisons de Talanac avait dû se dérouler ailleurs, probablement au sommet de la ville.

A une grande distance en dessous des rues coulait la rivière, et les deux ponts que Kickaha pouvait apercevoir étaient encombrés de réfugiés qui s'éloignaient en direction de la vieille ville.

Le regard de Kickaha fut attiré par un Tishquetmoac qui descendait à cheval la longue rampe sinueuse de la rue supérieure et qui s'immobilisait à la hauteur de von Turbat, lequel, à ce moment précis, sortait du temple. Le roi enfourcha sa propre monture avant d'autoriser le Tishquetmoac à lui adresser la parole. L'homme portait un costume splendide, robe écarlate et jambières vertes, et son chef était couvert d'une coiffure surmontée de longues plumes blanches ondulées. C'était probablement un fonctionnaire de la suite de l'empereur. Il paraissait faire son rapport à von Turbat, ce qui pouvait signifier que l'empereur avait été fait prisonnier.

Même si Kickaha réussissait à s'évader, il y aurait peu de cachettes possibles pour lui. Les habitants qui demeuraient dans la ville continueraient à obéir au souverain et, s'ils recevaient l'ordre de signaler la présence du fugitif dès qu'il serait découvert, ils n'hésiteraient pas une seconde à le faire.

L'un des soldats qui se trouvaient à ses côtés était en train de parler de la récompense offerte pour sa capture ou pour tout renseignement qui aiderait à le capturer. Elle était considérable : dix mille *dracheners,* plus la baronnie de Horstmann y compris le titre, le château, les terres et les citoyens. Si c'était un roturier qui gagnait la récompense, il se trouverait anobli ainsi que sa famille. L'argent offert représentait une somme supérieure à celle que la collecte d'impôts rapportait au roi d'Eggesheim en deux ans.

Kickaha aurait voulu s'informer du sort qui avait été

réservé à Lisa von Horstmann, sa femme, et à von Listbat, son bon ami qui dirigeait la baronnie en son absence. Il n'osa pas mais eut un frisson à la pensée de ce qu'avait pu être leur destin.

Il se pencha à nouveau par l'ouverture afin d'aspirer un peu d'air frais, et il aperçut quelque chose qu'il avait déjà vu quelques minutes auparavant mais à quoi il n'avait guère attaché d'importance. Un peu plus tôt, il avait vu un chevalier qui se tenait derrière von Turbat ; il tenait une épée à la main et serrait sous son autre bras une grande cassette en acier. Maintenant, ce même chevalier était dans la rue auprès du roi et lorsque ce dernier rentra dans le temple, l'homme qui portait la cassette le suivit comme son ombre.

C'était très étrange, pensa Kickaha. Mais toute l'histoire était étrange. Il ne pouvait trouver aucune explication aux événements. Une chose cependant était certaine : Wolff n'avait plus le contrôle efficace de ce monde sinon rien de tout cela ne se serait passé. Wolff était mort ou captif dans son propre palais, ou alors il se cachait quelque part dans ce monde ou dans un autre.

Le caporal ordonna au détachement de redescendre. Tous les tunnels et conduits environnants furent explorés une nouvelle fois. Lorsqu'ils eurent rejoint l'entrée, les soldats étaient fatigués, affamés, inondés de transpiration et remplis de mauvaise humeur. Ces désagréables sensations furent encore aggravées par l'agressivité des officiers qui les couvrirent de reproches. Von Turbat et les chevaliers n'arrivaient pas à croire que Kickaha ait pu leur échapper. Le souverain s'entretint avec ses officiers, établit un nouveau plan d'opérations plus détaillé et ordonna que l'on poursuivit les recherches. Il y eut une pause durant laquelle on distribua aux soldats des gourdes d'eau, des biscuits durs et de la viande séchée. Kickaha s'adossa au mur comme ses compagnons et ne parla que lorsqu'on lui adressa la parole. Les membres du groupe auquel il s'était joint semblaient appartenir à la même unité, mais ils ne lui demandèrent pas de quel peloton il était. Ils étaient trop las et de trop mauvaise humeur pour parler beaucoup.

Une heure après le crépuscule, les recherches reprirent. Un officier affirma que le Rusé n'avait pas la possibilité de s'échapper : le flot des réfugiés avait été stoppé, ils étaient bien gardés et des patrouilles sillonnaient les deux berges de la rivière qui coulait au pied de la ville ; en outre, la fouille méthodique de toutes les habitations de Talanac venait de commencer.

Cela signifiait que les équipes de recherches allaient devoir travailler toute la nuit alors que les hommes avaient grand besoin de sommeil. Ils passeraient la nuit éveillés, à rechercher Kickaha. Ils seraient encore debout le jour suivant et même la nuit suivante si l'on n'arrivait pas à le retrouver.

Les soldats n'élevèrent aucune protestation. Ils ne tenaient pas à recevoir le fouet, puis à être émasculés pour être pendus ensuite. Mais ils murmuraient entre eux et Kickaha tendit l'oreille pour essayer de glaner quelques renseignements. C'étaient des hommes résistants et endurcis qui grognaient mais qui étaient prêts à obéir à n'importe quel ordre raisonnable et à presque tout ordre insensé.

Ils marchaient d'un bon pas en dépit de leurs jambes lourdes. Kickaha avait habilement manœuvré pour se placer au dernier rang du peloton et, profitant du fait qu'ils s'engageaient dans une rue déserte, il se laissa légèrement distancer puis disparut dans l'embrasure d'une porte.

4

LA porte devant laquelle il se trouvait ne pouvait évidemment s'ouvrir de l'extérieur. Elle était assujettie de l'intérieur au moyen du gros loquet que tiraient chaque nuit tous les citoyens de Talanac afin de se protéger contre les rôdeurs.

Toute civilisation engendre des voleurs et Kickaha, dans la situation où il se trouvait, ne pouvait que se réjouir qu'il en fût ainsi. Durant un long séjour qu'il avait fait précédemment à Talanac, il s'était lié délibérément avec certains membres de la classe criminelle. Ils savaient qu'il y avait plusieurs manières clandestines de pénétrer dans la ville ou d'en sortir et Kickaha voulait les connaître dans l'éventualité où il aurait un jour à les utiliser. De plus, il trouvait que les délinquants qu'il connaissait, des contrebandiers pour la plupart, étaient des gens très intéressants. L'un d'entre eux, une femme du nom de Clatatol, était plus qu'intéressante. Elle était belle. Elle avait de longs cheveux noirs plats et brillants, de grands yeux marron, des cils longs et recourbés, une peau lisse et cuivrée et un corps épanoui. Ses seules imperfections physiques étaient celles de presque toutes les femmes tishquetmoacs : des hanches larges et des mollets un peu trop forts. Kickaha recherchait rarement la perfection chez les autres ; il convenait qu'une légère asymétrie était à la base de la beauté véritable.

Il était donc devenu l'amant de Clatatol, en même temps qu'il courtisait la fille de l'empereur. Cette double vie avait fini par lui créer des ennuis, et le frère de l'empereur ainsi que le chef de la police lui avaient poliment demandé de quitter Talanac. Il pourrait revenir lorsque la fille de l'empereur serait mariée, et de ce fait confinée derrière un purdah comme c'était la coutume chez les nobles. Kickaha était parti sans même dire au revoir à Clatatol. Il s'était rendu dans l'un des petits royaumes inféodés de Talanac et situé à l'est de celle-ci, un pays civilisé dont les habitants s'appelaient les Quatslslets. Ce pays avait été conquis longtemps auparavant et il payait tribut à Talanac, mais ses habitants parlaient encore leur propre langue et se conformaient à leurs coutumes assez particulières. Pendant qu'il se trouvait parmi eux, Kickaha apprit que la fille de l'empereur avait épousé son oncle, conformément à la tradition. Il pouvait donc revenir à Talanac mais, au lieu de cela, il était retourné chez les Hrowakas, le Peuple de l'Ours, dans les montagnes près des Grandes Plaines.

Son intention était de se rendre chez Clatatol, qui pourrait peut-être le faire sortir secrètement de la ville... à condition qu'elle voulût bien le recevoir, se dit-il. Elle avait essayé de le tuer la dernière fois qu'il l'avait vue. Si elle lui avait pardonné par la suite, elle serait de nouveau en colère car il n'avait pas cherché à la voir depuis qu'il était revenu à Talanac.

« Mon pauvre Kickaha », murmura-t-il pour lui-même, « tu te crois très malin et tu te trompes toujours ! Heureusement que tu es le seul à le savoir. Mais bien que tu aies une grande bouche, tu ne l'avoueras jamais ! »

La lune fit son apparition. Elle n'était pas argentée comme le satellite de la Terre, mais verte comme le fromage qui, selon certains humoristes-folkloristes, constituait la matière première lunaire. Elle était aussi deux fois et demi plus grande. Elle se découpait sur le ciel noir sans nuages, projetant sa lumière d'un vert argenté sur l'avenue de jade striée de blanc et de brun.

Lentement, le satellite géant se déplaça dans le ciel et sa lumière convergea vers le linteau de la porte contre laquelle était tapi Kickaha.

Il leva les yeux vers l'astre. Il aurait souhaité s'y trouver. Il était déjà allé sur la lune et, s'il pouvait atteindre l'une des petites « portes » cachées de Talanac, il pourrait y revenir. Cependant, il y avait des chances pour que von Turbat connût leur emplacement, étant donné qu'il connaissait celui des grandes « portes ». Il aurait été néanmoins intéressant de s'en assurer, mais l'une des petites « portes » se trouvait dans un sanctuaire situé trois rues au-dessus du niveau inférieur de Talanac, et l'autre dans le temple. Les envahisseurs bloquaient toutes les avenues et ils avaient commencé à visiter les maisons de la rue la plus basse. Ils fouillaient en opérant un mouvement ascendant, tablant sur le fait que si Kickaha se cachait dans Talanac, il se trouverait repoussé continuellement vers le haut jusqu'à ce qu'il rencontre les soldats qui étaient postés aux derniers niveaux supérieurs, juste sous le palais. En même temps, des patrouilles sillonnaient les rues à intervalles réguliers afin de tromper le fugitif. Toutefois, les détachements étaient de peu d'importance car von Turbat ne disposait pas d'un nombre d'hommes suffisant.

Kickaha quitta son refuge, traversa nonchalamment la rue, escalada le rempart et se mit à descendre en s'accrochant aux fresques en relief qui saillaient au flanc de la montagne, dieux, hommes, animaux et motifs abstraits. Il allait lentement car il avait parfois des difficultés à assurer ses prises sur le jade poli et aussi parce qu'il y avait des soldats au pied de la rampe d'accès entre les deux rues. Ils tenaient des torches à la main et plusieurs d'entre eux étaient à cheval.

Parvenu à mi-distance des deux rues, il se plaqua soudain à la paroi, aussi immobile qu'une mouche qui vient de détecter l'ombre d'une main menaçante. Une patrouille de quatre cavaliers défilait bruyamment sous lui. Ils arrêtèrent leurs chevaux pour adresser quelques paroles aux soldats postés sur la rampe, puis poursuivirent leur chemin. Kickaha reprit sa descente, atteignit la rue puis se glissa le long du mur et des maisons, sautant d'un porche obscur à l'autre. Il avait toujours son arc et son carquois dont il n'avait pas voulu se débarrasser bien qu'ils fussent parfois encombrants. Il en aurait peut-être impérativement besoin à un moment ou à un autre et il préférait les garder malgré le cliquetis qu'ils produisaient et leur poids gênant.

Ce ne fut qu'au moment où la lune s'apprêtait à disparaître au nord-ouest, derrière le monolithe, qu'il atteignit le quartier où habitait Clatatol. C'était le quartier des pauvres, des esclaves qui avaient récemment acheté leur liberté, des hôtels et des tavernes pour marins et contrebandiers navigateurs qui trafiquaient le long de la rivière, et également des gardes mercenaires et des conducteurs de convois commerciaux qui traversaient les Grandes Plaines. Le quartier hébergeait aussi des voleurs et des assassins contre qui la police ne possédait pas de preuves, et d'autres criminels qui se cachaient d'elle.

En temps normal, la Rue aux Odeurs Suspectes était encombrée et bruyante, même à cette heure tardive, mais le couvre-feu imposé par les envahisseurs faisait son plein effet. Pas un être humain n'était en vue hormis les soldats en patrouille, et toutes les portes et fenêtres étaient barricadées.

Ce niveau, comme la majeure partie des autres rues inférieures, avait été obtenu par érosion lorsque les Tishquetmoacs avaient entrepris de transformer la montagne en métropole. Il y avait des maisons et des boutiques dans la rue elle-même ; une rue secondaire était tracée au sommet de ces maisons qui supportait une autre rue, laquelle en supportait une quatrième. En d'autres termes, il existait une pyramide en paliers à l'intérieur d'une pyramide plus grosse.

On aboutissait à ces rues au moyen d'un escalier étroit et escarpé taillé dans le jade entre la cinquième et la sixième maison de la rue principale. Les animaux tels que les porcs et les moutons pouvaient en gravir les degrés mais un cheval s'y fut infailliblement cassé les jambes.

Kickaha traversa d'un bond la Rue des Oiseaux Verts, qui était située juste au-dessus du quatrième niveau d'habitations de la Rue des Odeurs Suspectes. La maison de Clatatol — si elle habitait toujours au même endroit — se trouvait en face du troisième niveau. Il se proposait d'escalader le rempart, de s'y suspendre par les mains, de se laisser tomber sur les toits du quatrième niveau, et de recommencer de la même manière jusqu'au troisième. Il n'y avait aucune saillie à laquelle il pût s'accrocher pour descendre.

Mais au moment où il traversait la rue des Oiseaux Verts, il entendit le cabladacac caractéristique produit par des sabots ferrés. Trois cavaliers montant des chevaux noirs sortirent de l'ombre projetée par le porche d'un temple. Le premier était un chevalier en armure, et les deux autres des hommes d'armes. Ils foncèrent sur Kickaha au galop, couchés sur le cou de leur monture. Leurs capes noires flottaient derrière eux, fumée sinistre montant du feu d'intentions maléfiques.

Ils étaient suffisamment loin pour que Kickaha eût le

temps de s'échapper en franchissant le rempart et en se laissant tomber, mais ils étaient probablement armés d'arcs et de flèches, bien que Kickaha ne pût s'en rendre compte. S'ils descendaient assez rapidement de cheval, ils pourraient lui tirer dessus. La lune projetait une lumière deux fois plus intense que celle de la pleine lune de la Terre. En outre, même si leurs traits le manquaient, ils ne manqueraient pas d'appeler du renfort et de fouiller toutes les maisons avoisinantes.

Eh bien, pensa-t-il, les recherches allaient commencer maintenant, quoi qu'il arrive, mais peut-être pourrait-il les tuer avant qu'ils aient le temps d'avertir les autres. Peut-être... Cela valait la peine d'essayer.

En d'autres circonstances Kickaha aurait visé les cavaliers, car il adorait les chevaux. Mais lorsqu'il s'agissait de sauver sa vie, toute sentimentalité disparaissait en lui. Toutes les créatures doivent mourir un jour, mais Kickaha entendait bien que sa propre mort survînt le plus tard possible.

Il décocha deux flèches en succession rapide, faisant mouche à chaque coup. Les chevaux s'abattirent tous deux sur le côté droit, et aucun des cavaliers ne se releva. Le troisième, le chevalier en armure, continua à foncer tout droit, visant de sa lance le ventre ou la poitrine du fugitif. Kickaha tira une troisième fois et sa flèche transperça le cou du cheval. La bête tomba à genoux, puis ses sabots arrière passèrent par-dessus sa queue. Le cavalier, projeté en l'air, lâcha sa lance, puis atterrit brutalement dans une position fœtale. Le heaume conique arraché à sa tête tinta contre le jade puis se mit à dévaler bruyamment la rue. L'homme roula sur le côté, s'écartant de sa cape détachée comme s'il s'arrachait à son ombre.

En dépit du poids de son armure, il se releva et tira son épée du fourreau. Il ouvrait la bouche pour appeler à la rescousse quiconque pourrait l'entendre lorsque Kickaha tira sa quatrième flèche. Le trait pénétra dans la bouche ouverte du Drachelander et ressortit à la base du cou après avoir traversé la moelle épinière. Le Teutonique tomba à la renverse, lâchant son épée qui résonna contre le sol.

Un coffret d'argent pendait à la selle de la bête qui avait porté le chevalier. Kickaha essaya de l'ouvrir, mais la clé devait se trouver dans les vêtements du mort et il n'avait pas le temps de la chercher.

Il avait devant lui un chevalier et trois chevaux réduits à l'état de cadavre, plus deux soldats qui étaient peut-être morts eux aussi. Aucun cri ne s'élevait dans le lointain pour indiquer que quelqu'un avait entendu le tintamarre. Cependant, les cadavres et les carcasses des chevaux n'allaient pas demeurer longtemps inaperçus. Kickaha laissa tomber son arc et son carquois sur un toit du troisième niveau et les suivit. Moins de soixante secondes plus tard, il était à proximité de la maison de Clatatol. Il s'approcha de l'épais volet de bois qui obturait une fenêtre, frappa trois petits coups, compta jusqu'à cinq, frappa deux autres coups, compta jusqu'à quatre et frappa le dernier coup. Dans son autre main, il tenait un couteau.

Aucune réponse ne lui parvint. Il attendit d'avoir compté mentalement jusqu'à soixante, selon le code dont il se souvenait, puis recommença à frapper sur le même rythme.

Presque simultanément lui parvinrent des cris et l'écho d'une galopade. Puis un appel de clairon. Des lumières naquirent dans la rue sous laquelle il se trouvait puis dans celle qui était immédiatement sous lui. On entendit des roulements de tambour.

Le volet s'ouvrit d'un coup sec et Kickaha dut faire un bond de côté pour ne pas le recevoir en pleine figure. La pièce était plongée dans l'obscurité, mais il devina les contours d'un visage et d'un torse nu de femme. Une odeur composite faite de relents d'ail, de poisson, de viande de porc et de fromage fait grouillant de vers (nourriture que les Tishquetmoacs prisaient par-dessus tout), s'exhala par la fenêtre ouverte.

Kickaha associait la beauté du jade ouvragé à ces odeurs, et en ce moment précis l'odeur signifiait Clatatol, qui était aussi belle que son fromage était ignoble. Ou aussi belle que son langage était ordurier et son tempérament bouillant comme un geyser islandais.

« Chut ! » souffla Kickaha. « Les voisins ! »

Clatatol vomit une bordée d'injures scatologiques et impies.

Kickaha la fit taire en plaçant une main sur sa bouche, et il lui tordit légèrement la tête pour lui rappeler qu'il pouvait facilement lui rompre le cou. Puis il la repoussa si brutalement qu'elle recula en chancelant, et il bondit à travers la fenêtre ouverte. Il ferma et verrouilla le volet puis se tourna vers Clatatol. Elle avait repris son équilibre et allumait une lampe à huile. A la lumière de la flamme vacillante, elle s'approcha de Kickaha, le prit dans ses bras et l'embrassa sur le visage, le cou et la poitrine tout en l'inondant de ses larmes et en bégayant des mots tendres.

Kickaha, ne tenant aucun compte de son haleine chargée de relents de vin résineux, d'ail, de fromage faisandé et de sommeil, lui rendit ses baisers. Puis il demanda :

« Tu es seule ?

— Ne t'ai-je pas juré de te rester fidèle ? » répondit-elle.

« Oui, mais je ne te l'avais pas demandé. C'est toi qui l'as voulu ainsi. D'ailleurs », ajouta-t-il, « nous savons bien toi et moi que tu ne peux pas te passer d'homme pendant plus d'une semaine. »

Ils rirent tous deux et elle l'entraîna dans la pièce de derrière, une salle carrée coiffée d'un plafond en dôme. La pièce lui servait de chambre et également de bureau et de magasin, car c'était là qu'elle tirait les plans de ses opérations de contrebande et entreposait des marchandises diverses. Pour l'heure, la pièce était vide hormis le mobilier. Le meuble principal était un lit fait d'un châssis de bois sur lequel étaient tendues des courroies de cuir. Des peaux de lion et de daim s'amoncelaient sur les courroies. Kickaha s'y laissa tomber. Clatatol fit remarquer qu'il avait l'air fatigué et affamé. Elle retourna dans la cuisine mais Kickaha lui cria de ne lui apporter que de l'eau et du pain avec du bœuf séché ou des fruits frais, si elle en avait. Pour aussi affamé qu'il fût, il n'aurait pu supporter le fromage.

Après avoir mangé, il lui demanda ce qu'elle savait de l'invasion. Clatatol s'assit auprès de lui sur le lit. Elle semblait prête à reprendre leurs relations amoureuses interrompues plusieurs années auparavant, mais Kickaha l'en dissuada. La situation était trop grave pour que l'on pensât à la bagatelle.

Clatatol, qui avait l'esprit pratique quels que puissent être ses défauts, fut d'accord avec lui. Elle se leva, enfila une jupe faite de plumes vertes, noires et blanches, et jeta sur ses épaules un manteau de coton couleur de rose. Elle se rinça la bouche avec un mélange comportant une partie de vin pour dix parties d'eau, puis appliqua sur sa langue une touche d'un parfum puissant. Elle revint ensuite s'asseoir près de Kickaha et se mit à parler.

Bien qu'elle fût parfaitement au courant de tous les bruits qui couraient dans le monde de la pègre, elle ne put lui apprendre qu'une partie de ce qu'il désirait savoir. Les envahisseurs avaient subitement fait leur apparition dans une salle reculée du grand temple d'Ollimaml, semblant venir de nulle part. Ils avaient foncé vers le palais et fait prisonnier l'empereur et toute sa famille après s'être rendus maîtres de la garnison et de la garde personnelle du souverain.

La prise de Talanac avait été organisée et réalisée de façon presque parfaite. Tandis que le second de von Turbat, von Swindebarn, prenait la direction du palais et commençait à réorganiser à son profit la police de Talanac et les forces armées, von Turbat lui-même, à la tête des envahisseurs dont le nombre croissait sans cesse, avait investi la ville.

« Nous étions tous paralysés », dit Clatatol, « tellement tout cela était inattendu. Tous ces hommes blancs en armure que semblait vomir le temple d'Ollimaml... On eût dit que c'était le dieu lui-même qui les envoyait et c'était quelque chose qui nous paralysait encore plus. »

Les civils et les policiers qui avaient tenté de s'opposer à l'invasion avaient été massacrés. Une partie de la population s'était réfugiée dans les habitations ; les autres, lorsque les nouvelles de l'attaque s'étaient répandues dans les niveaux inférieurs, avaient essayé de fuir en empruntant les ponts sur la rivière, mais les Drachelanders n'avaient pas tardé à les barrer.

« Ce qui est étonnant... » Clatatol eut une hésitation puis elle poursuivit avec assurance : « Ce qui est étonnant, c'est que cette invasion ne semble pas résulter d'un désir de conquérir Talanac. La ville n'est pour les envahisseurs... comment dit-on ?... qu'un sous-produit. Ils donnaient l'impression de vouloir s'en emparer comme s'il s'agissait... d'un étang contenant un poisson très désirable.

— Et ce poisson, c'est moi », dit Kickaha.

Clatatol hocha la tête.

« Je ne comprends pas pourquoi ces gens te désirent à ce point. Et toi ?

— Moi non plus », fit Kickaha. « Je pourrais trouver des raisons mais je n'en chercherai pas. Mes spéculations ne

49

feraient que t'embrouiller les idées et d'ailleurs cela prendrait trop de temps. La première des choses à faire en ce qui me concerne, c'est de m'enfuir. Et c'est là, mon amour, que tu entres en scène.

— Maintenant, tu m'aimes », dit-elle.

« Si nous avions le temps… » répliqua-t-il.

« Je peux te cacher dans un endroit où tu seras en sûreté aussi longtemps qu'il le faudra », dit-elle. « Bien sûr, il y a les autres… »

Kickaha se demanda si elle ne lui cachait pas quelque chose. Sa position ne lui permettait pas de la rudoyer mais il le fit néanmoins. Il saisit son poignet qu'il serra très fort. Elle grimaça et essaya de se dégager.

« Quels autres ?

— Cesse de me brutaliser et je te le dirai. Embrasse-moi et je te le dirai sûrement. »

Cela valait la peine de perdre quelques secondes. Il l'embrassa. Le parfum capiteux qu'elle avait sur la langue lui emplit les narines et il lui sembla qu'il l'envahissait jusqu'aux orteils. Il se demanda si elle ne méritait pas une petite récompense après tout ce temps.

Il se mit à rire et la relâcha doucement.

« Tu es la femme la plus belle et la plus désirable que j'aie jamais rencontrée, et j'en ai rencontré mille fois mille », dit-il. « Mais la mort hante les rues et elle me cherche.

— Lorsque tu verras cette autre femme… » dit-elle.

Puis elle redevint sauvage et il dut lui faire comprendre que cette attitude farouche ne pouvait être pour elle qu'une source de douleur. Elle ne lui en voulut pas — en fait elle aimait cela, car elle ne concevait l'amour physique qu'assorti d'une certaine dose de rudesse et de souffrance.

5

IL semblait que trois étrangers se fussent échappés des profondeurs du temple d'Ollimaml quelques minutes avant l'arrivée de von Turbat. Comme les envahisseurs, ils avaient la peau blanche. L'un d'eux était la femme brune que Clatatol, pourtant très jalouse et toujours prête à critiquer tout le monde, considérait comme la plus belle créature qu'elle eût jamais vue.

Les autres étaient des hommes, l'un très grand et très gros, l'autre petit et maigre. Ils étaient tous trois vêtus d'étrange manière et aucun d'entre eux ne connaissait le langage tishquetmoac. Ils parlaient le wishpawaml, la langue liturgique des prêtres. Malheureusement, les voleurs qui les avaient cachés ne connaissaient que quelques mots de cet idiome, les répons que prononcent les fidèles au cours des services religieux.

Kickaha sut alors qu'il s'agissait de Seigneurs, car dans ce monde, ils parlaient tous le langage liturgique.

S'ils fuyaient von Turbat, cela signifiait qu'ils avaient été dépossédés de leurs propres univers et qu'ils s'étaient réfugiés dans celui-ci. Mais qu'est-ce qu'un roi mineur comme von Turbat faisait dans une affaire qui impliquait des Seigneurs ?

« Y a-t-il une récompense pour la capture de ces trois-là ? » demanda Kickaha.

« Oui », répondit Clatatol. « Dix mille *kwatluml*. Par tête ! Pour la tienne, trente mille plus un haut poste officiel au palais de l'empereur. Ce n'est qu'un bruit, mais on parle aussi d'un mariage possible au sein de la famille royale. »

Kickaha garda le silence. L'estomac de Clatatol gargouillait, comme si elle ruminait les récompenses promises. Un murmure de voix lui parvenait faiblement par les bouches d'aération du plafond. L'atmosphère de la pièce, qui était fraîche lorsqu'ils y étaient entrés, devenait étouffante. La sueur ruisselait aux aisselles de Kickaha. Des têtards liquides sourdaient à l'épiderme couleur de cuivre de la femme. De la pièce qui servait de cuisine, de salle de bains et de toilette parvenaient des bruits d'eau et l'écho de voix faibles.

« Tu as dû t'évanouir à la pensée de tout cet argent », dit finalement Kickaha. « Qu'est-ce qui vous retient, toi et ta bande, de l'empocher ?

— Nous sommes des contrebandiers, des voleurs et même des assassins, mais nous ne sommes pas des mouchards. Ce sont les Faces Pâles qui ont offert ces récompenses... »

Elle se tut en voyant le sourire sarcastique de Kickaha, puis elle sourit elle aussi.

« Ce que j'ai dit est la vérité. Pourtant, les sommes offertes sont énormes. Ce qui nous a fait hésiter — puisqu'il faut te le dire, espèce de coyote rusé — c'est ce qui risque de se passer quand les Faces Pâles ne seront plus là. Ou s'il y a une révolte. Nous ne voulons pas être massacrés par la populace ou torturés comme traîtres et délateurs. »

Elle ajouta et ajouta :

« Alors, les trois fugitifs nous ont promis de nous donner mille fois plus que la somme offerte par les Faces Pâles si nous les aidions à sortir de la ville.

— Mais comment pourraient-ils le faire ? » dit Kickaha. « Ils n'ont plus d'univers à eux.

— Quoi ?

— Est-ce qu'ils peuvent vous offrir quelque chose de tangible — tout de suite ?

— Ils portaient tous trois des bijoux qui représentaient plus de valeur que les récompenses », dit-elle. « Ces joyaux... je n'ai jamais rien vu de pareil. Ils sont... surnaturels. »

C'était exactement cela, mais Kickaha s'abstint de le lui dire.

Il allait lui demander s'ils étaient armés, mais il pensa que si tel était le cas, elle ne s'en serait pas aperçue. Ils n'allaient pas fournir une telle indication à ceux qui les tenaient à leur merci.

« Et en ce qui me concerne ? » dit-il, s'abstenant de lui demander ce que les trois fugitifs avaient offert en plus de leurs bijoux.

« Toi, Kickaha, tu es le bien-aimé du Seigneur, c'est du moins ce qu'on prétend. D'ailleurs, tout le monde dit que tu sais où sont cachés les trésors de la terre. Est-ce qu'un pauvre aurait rapporté la grosse émeraude d'Oshquatsmu ?

— Avant longtemps, les Faces Pâles vont tambouriner à ta porte, et tout le quartier va être encerclé. Où allons-nous ? »

Clatatol insista pour qu'il se laisse bander les yeux, puis elle lui couvrit la tête d'un capuchon. Ne pouvant se permettre de discuter, il se laissa faire. Elle s'assura qu'il ne pouvait rien voir puis elle le fit rapidement tourner sur lui-même une douzaine de fois. Elle le prit ensuite par la main et lui demanda de se laisser guider.

Il y eut un raclement de pierre frottant contre de la pierre puis, le poussant devant elle, elle le fit avancer dans un passage si étroit que ses épaules heurtaient les deux parois. Elle lui reprit ensuite la main et il gravit en trébuchant cent cinquante marches, longea un couloir en faible déclivité où il compta deux cent quatre-vingts pas, et fit quarante pas de plus dans un passage horizontal. Clatadol, d'une pression de la main, lui fit signe de s'arrêter et lui ôta le capuchon et le bandeau.

Il cligna des yeux. Il se trouvait dans une salle circulaire aux parois de jade strié de noir et de vert, d'un diamètre de douze mètres et dont la voûte était percée d'une large bouche d'aération. A la muraille étaient fixées des torches dont les flammes se contorsionnaient. La pièce comportait des sièges de jade et de bois et était à demi-remplie de coffres, de coupons d'étoffe, de piles de fourrures et de barils d'épices. Il y avait aussi un tonnelet d'eau et une table supportant un plat de viande, des biscuits et un fromage qui empestait. Contre la cloison était aménagée une installation sanitaire.

Six Tishquetmoacs étaient accroupis contre le mur. Leurs franges de cheveux noires et luisantes cachaient leurs yeux. Quelques-uns fumaient de petits cigares. Ils étaient armés de poignards, d'épées et de hachettes.

Trois personnages à la peau claire étaient assis sur des chaises. L'un était petit, avec une peau rugueuse, un nez fort et une bouche qui ressemblait à la gueule d'un requin. Le deuxième, qui faisait penser à un lamantin, était plein de bourrelets de graisse qui débordaient de son siège.

Quant au troisième, une femme... Kickaha sursauta en la voyant.

« Podarge ! » s'exclama-t-il.

C'était la plus belle femme qu'il eût jamais vue. Il l'avait déjà rencontrée auparavant — son visage appartenait à son passé. Mais le corps n'appartenait pas au visage.

« Podarge », dit-il dans ce mycénien décadent qu'elle parlait ainsi que ses aigles, « je ne savais pas que Wolff t'avait débarrassée de ton corps de harpie, et donné un corps de femme pour y héberger ton cerveau. Je... »

Il se tut. Elle le regardait avec une expression indéchiffrable. Peut-être ne voulait-elle pas qu'il apprît aux autres ce qui s'était passé. Et lui, qui se taisait d'habitude lorsque les circonstances l'exigeaient, avait été tellement surpris que...

Mais Podarge avait découvert que Wolff était en réalité le Jadawin qui l'avait arrachée à son Péloponèse d'il y avait trois mille deux cents ans, et qui avait enfermé son cerveau dans un corps de harpie créé dans ses laboratoires de biologie. Elle avait refusé de lui laisser rectifier l'erreur commise et le haïssait à un tel point qu'elle avait conservé son corps ailé et griffu et juré de se venger (1).

Qu'est-ce qui avait bien pu lui faire changer d'idée ?

Sa voix, cependant, n'était pas celle de Podarge. Cela provenait évidemment de ce transfert somatique.

« Qu'est-ce que vous êtes en train de baragouiner, *leblab-biy* ? » demanda-t-elle dans la langue des Seigneurs.

Kickaha retint une envie folle de la gifler. *Leblabbiy* était le terme péjoratif qu'utilisaient les Seigneurs pour désigner les sujets humains qui peuplaient leurs univers et sur lesquels ils régnaient. Le *leblabbiy* était un petit animal d'appartement importé de l'univers d'où étaient originaires les Seigneurs. Il mangeait les friandises que son maître lui offrait, mais il était également friand d'excréments. Souvent, il devenait fou.

(1) Voir *le Faiseur d'univers*, dans la même collection.

« Entendu, Podarge, fais semblant d'ignorer le mycé-nien », dit Kickaha. « Mais fais attention à ce que tu dis. Je n'éprouve pas le moindre amour pour toi. »

Elle parut surprise. « Ah, vous êtes un prêtre ? » dit-elle.

Il fallait avouer que Wolff avait parfaitement réussi son œuvre. Le corps était splendide ; la peau était aussi blanche et sans défauts qu'il se la rappelait ; les cheveux longs étaient noirs et brillants. Les traits n'étaient naturellement pas d'une régularité parfaite. Ils étaient légèrement asymétri-ques, et il en résultait une extraordinaire beauté qui, en d'autres circonstances, eût desséché les lèvres de Kickaha.

Elle était vêtue d'une robe faite d'un tissu vert soyeux et de sandales assorties, comme une femme prête à se mettre au lit et qui aurait été dérangée. Comment diable Podarge se trouvait-elle compromise avec ces Seigneurs ?

Aussitôt qu'il se fut posé cette question, la réponse s'imposa à son esprit. Evidemment, elle devait se trouver dans le palais de Wolff lorsqu'il avait été envahi. Mais que s'était-il exactement passé à ce moment-là ?

« Où est Wolff ? » demanda-t-il.

« Qui, *leblabbiy ?*

— On l'appelait habituellement Jadawin », répondit-il.

Elle haussa les épaules.

« Il n'était pas là. Ou s'il y était, il été tué par les Cloches Noires. »

Kickaha y voyait de moins en moins clair.

« Les Cloches Noires ? »

Wolff lui en avait parlé une seule fois. Brièvement, car leur conversation avait dévié à la suite d'une intervention de Chryséis. Plus tard, après que Kickaha eut aidé Wolff à reprendre son palais à Vannax, il avait projeté de le questionner sur les Cloches Noires, mais il ne l'avait jamais fait.

Un des Tishquetmoacs s'adressa durement à Clatatol. Kickaha comprit ce qu'il disait. Il désirait que lui-même s'adressât à ces gens, dont les Tishquetmoacs ne compre-naient pas le langage.

La femme à la peau claire, répondant à ses questions, déclara :

« Je suis Anania, sœur de Jadawin. Ce petit homme est Nimstowl, que les Seigneurs appellent l'Etrangleur. L'au-tre, le gros, c'est Judubra. »

Maintenant, Kickaha comprenait. Anania la Splendide était une sœur de Wolff, et il avait créé le visage de Podarge à son image dans ses laboratoires de biologie. Plus précisément il l'avait reproduit de mémoire car, à ce moment-là, il y avait plus d'un millier d'années qu'il n'avait vu sa sœur Anania. Et maintenant, cela faisait quatre mille ans qu'il était séparé d'elle.

Kickaha se rappela alors que Wolff lui avait dit que les Cloches Noires avaient été conçues pour être utilisées en partie comme réceptacles de la mémoire. Les Seigneurs, sachant que le cerveau humain, malgré sa complexité, était incapable d'enregistrer des milliers d'années de connaissances, avaient expérimenté le transfert de la mémoire. On pouvait théoriquement la restituer au cerveau humain en cas de besoin.

Un coup fut frappé contre la cloison. Une porte circulaire s'ouvrit brusquement et un contrebandier entra. Il fit un geste et les autres vinrent se grouper autour de lui en chuchotant. Au bout d'un moment, Clatatol se sépara du groupe et s'approcha de Kickaha.

« On a triplé le montant des récompenses », murmura-t-elle. « En outre, la Face Pâle von Turbat a proclamé qu'il quitterait Talanac dès que tu aurais été capturé, et que tout redeviendrait comme auparavant.

— Si tu avais décidé de nous vendre, tu ne m'aurais pas appris cela », rétorqua-t-il. Cependant, il se pouvait qu'elle fût extrêmement subtile et qu'elle essayât de le mettre à l'aise avant qu'ils frappent. Ils étaient huit contre un. Il ignorait quelle serait l'attitude des Seigneurs et ne pouvait par conséquent pas compter sur eux. Il avait encore ses deux couteaux, mais dans cette pièce exiguë... Bon. Il verrait, le moment venu.

Clatatol ajouta :

« Von Turbat a dit également que si on ne te livrait pas à lui dans les vingt-quatre heures, il ferait tuer tous les habitants de la ville. Il a dit cela en privé à ses officiers, mais un esclave a surpris ses paroles. Maintenant, tout Talanac est au courant.

— Si von Turbat parlait allemand, comment se fait-il qu'un Tishquetmoac ait pu le comprendre ? » demanda Kickaha.

« Von Turbat parlait à von Swindebarn et à plusieurs

autres dans la langue sacrée des Seigneurs », répondit Clatatol. « L'esclave avait servi dans le temple et connaissait ce langage. »

Les Cloches Noires étaient la lanterne encore masquée qui éclairerait le mystère. Kickaha savait que si les deux rois teutoniques étaient capables de comprendre l'officiant pendant les services, ils ne possédaient pas suffisamment le langage sacré pour le parler couramment. Ces deux-là n'étaient donc pas en réalité ce qu'ils donnaient l'impression d'être.

On ne lui laissa pas le temps de poser des questions. Clatatol dit :

« Les Faces Pâles ont découvert le passage secret qui aboutit à ma chambre et ils vont bientôt enfoncer la porte. Nous ne pouvons pas demeurer ici. »

Deux hommes quittèrent la pièce et revinrent presque aussitôt porteurs d'échelles coulissantes. Ils les développèrent, les dressèrent et en appuyèrent l'extrémité contre le bord de la bouche d'aération. Voyant cela, Kickaha sentit son appréhension diminuer.

« Votre patriotisme exige maintenant que vous nous livriez à von Turbat », dit-il. « Alors ? »

Deux hommes avaient escaladé les échelles. Les autres pressèrent Kickaha et les trois Seigneurs de les imiter.

« Nous avons entendu dire que l'empereur était possédé par un démon », dit Clatatol, « et que son âme avait été chassée dans le froid au-delà de la lune. Le démon habite son corps mais il n'y est pas encore commodément installé. Les prêtres ont secrètement propagé la nouvelle dans toute la ville. Ils nous ont demandé de combattre ce mal, le pire de tous. Et nous n'allons pas te livrer, Kickaha, toi qui es le bien-aimé du Seigneur, Ollimaml, non plus que les trois autres.

— L'empereur possédé ? » s'étonna Kickaha. « Comment pouvez-vous en être sûrs ? »

Clatatol ne répondit que lorsqu'ils eurent grimpé les barreaux de l'échelle, franchi le conduit vertical et atteint un tunnel horizontal. L'un des contrebandiers alluma une lanterne et les autres remontèrent les échelles dont ils emboîtèrent les éléments télescopiques avant de les emporter.

« L'empereur s'est mis soudain à parler dans la langue

sacrée. Il était donc évident qu'il ne comprenait plus le Tishquetmoac. Et les prêtres ont rapporté que von Turbat et von Swindebarn ne parlaient que le wishpawaml et que c'étaient leurs propres prêtres qui traduisaient et transmettaient leurs ordres. »

Kickaha ne voyait pas pourquoi un démon était supposé posséder Wiskatiil, l'empereur. Le langage liturgique était censé écorcher les lèvres des démons lorsqu'ils essayaient de le parler. Mais il n'allait pas commettre la bêtise de faire remarquer cet illogisme alors qu'il l'avantageait.

Le groupe parcourut le tunnel à vive allure, malgré la respiration bruyante et les plaintes de Judubra. On dut l'aider à poursuivre son chemin ; sa robe était déchirée et il avait la peau écorchée en maints endroits.

Kickaha s'enquit auprès de Clatatol si le temple était bien gardé. Il espérait que la plus petite des « portes » secrètes n'avait pas été découverte. Elle répondit qu'elle n'en savait rien. Kickaha lui demanda comment elle et ses compagnons comptaient s'y prendre pour sortir de la ville. Elle répondit qu'il valait mieux qu'il n'en sût rien ; ainsi, s'il était capturé, il ne pourrait pas trahir les autres. Kickaha n'insista pas. Bien qu'il n'eût aucune idée de la façon dont ils allaient pouvoir se faufiler entre les mailles du filet tendu autour d'eux, il pouvait aisément imaginer ce qui se passerait ensuite. Lors de sa visite précédente, il avait découvert comment elle et ses amis réussissaient à faire transiter les marchandises de contrebande au nez et à la barbe des douaniers. Elle ne soupçonnait pas qu'il fût au courant.

Il s'adressa à Anania dont le cou, les bras et les jambes luisaient faiblement devant lui :

« La femme Clatatol prétend que son empereur et deux envahisseurs au moins sont possédés. Elle veut dire qu'ils sont devenus soudain incapables de parler une autre langue que celle des Seigneurs.

— Les Cloches Noires », dit Anania après un silence.

Des cris résonnèrent soudain à faible distance, et aussitôt la lanterne s'éteignit. Des lumières apparurent aux deux extrémités du tunnel. D'autres échos de voix parvinrent en même temps par les conduits cylindriques verticaux supérieurs et inférieurs qui y aboutissaient.

Kickaha s'adressa aux Seigneurs :

« Si vous avez des armes, préparez-vous à vous en servir. »

Ils ne répondirent pas. Le groupe était étiré en une seule file et chacun tenait son voisin par la main. L'homme de tête les fit obliquer dans un tunnel de dérivation. Ils avancèrent en canard pendant une cinquantaine de mètres, tandis que les voix des poursuivants augmentaient de volume, puis ils entendirent un grondement d'eau lointain. La lanterne fut rallumée. Ils atteignirent bientôt une petite salle qui ne comportait aucune issue à l'exception d'un trou de un mètre de diamètre creusé dans le sol au ras de la cloison opposée. Le trou exhalait une humidité fétide et le grondement de l'eau s'y faisait entendre plus distinctement.

« Le conduit forme un angle, et l'égout avec lequel il communique se trouve quinze mètres plus bas », expliqua Clatatol. « Cependant, la glissade n'est pas dangereuse. Nous n'emprunterons cette solution qu'à la dernière extrémité, si tout le reste échoue. En arrivant au bas de ce conduit, on tombe dans un canal qui est rempli de l'eau des égouts et qui lui-même aboutit verticalement dans la rivière, bien au-dessous du niveau de l'eau. Si néanmoins nous parvenions à remonter jusqu'à la surface, nous serions immanquablement capturés par la patrouille fluviale des Faces Pâles dont les bateaux sont amarrés à proximité. »

Clatatol leur dit alors ce qu'il convenait de faire. L'un après l'autre, ils s'assirent au bord du trou puis se laissèrent glisser en freinant avec les mains et les pieds. Aux deux tiers environ de la descente, ils se faufilèrent dans une dérivation inconnue des autorités et que des générations de criminels avaient creusée. Ils se retrouvèrent dans le réseau de tunnels qui se situait sous celui qu'ils venaient de quitter.

Clatatol expliqua alors qu'il était nécessaire de gagner un endroit où se trouvait un autre grand collecteur. Ce collecteur était à sec : il avait été obturé en amont par une équipe de criminels, trente ans auparavant, au prix de nombreux efforts et de la perte de plusieurs vies humaines. Le flux avait été canalisé vers d'autres collecteurs. Ce conduit asséché menait directement à un port sous-marin aménagé sous la rivière et éloigné des secteurs surveillés par les Faces Pâles. Il se trouvait en face des quais où étaient amarrées les péniches. Pour atteindre ces dernières, il leur suffirait de traverser à la nage la rivière, large à cet endroit d'un kilomètre et demi.

Après maintes ascensions et de nombreux tours et détours, le groupe de fugitifs obliqua dans un tunnel horizontal qui permettait d'accéder au collecteur asséché, lequel faisait un angle de cinquante-cinq degrés avec l'horizontale.

Kickaha ne sut jamais ce qui fit échouer l'opération. Il était douteux que les Teutoniques eussent réussi à les localiser avec précision. Ce qui était vraisemblable, c'est qu'ils avaient dû envoyer de nombreuses patrouilles explorer toutes les zones possibles et, le hasard aidant, l'une d'entre elles s'était trouvée là où il fallait au moment opportun. Le collecteur se remplit soudain de lumières et de hurlements, puis quelque chose de lourd atterrit au milieu des fugitifs. Plusieurs Tishquetmoacs s'affaissèrent, et Clatatol tomba de tout son long devant Kickaha. A la faible lueur d'une lanterne renversée, il vit sa peau, d'un bleu-noir dans la semi obscurité, sa mâchoire pendante, ses yeux clos et le carreau d'arbalète fiché dans son crâne un centimètre au-dessus de l'oreille droite. Le sang qui jaillissait à flots ruisselait sur ses cheveux, son oreille et son cou.

Il rampa par-dessus le cadavre, le corps engourdi par le choc provoqué par l'attaque et par l'attente des prochains projectiles. Il se redressa, détala le long du collecteur et s'engagea dans une dérivation qui semblait vide d'ennemis. Derrière lui, dans l'obscurité, il entendit une respiration précipitée. Anania se fit reconnaître. Elle ne savait pas ce qui était arrivé aux autres.

Ils avancèrent en rampant à demi, et leur dos et leurs jambes ne tardèrent pas à devenir douloureux, jusqu'à la moelle des os leur sembla-t-il. Ils obliquèrent à droite puis à gauche, au petit bonheur, et se hissèrent par deux fois dans des conduits verticaux. Vint un moment où ils se trouvèrent plongés dans une obscurité et un silence absolus, avec seulement le bruit du sang qui bourdonnait dans leurs oreilles. Apparemment, ils avaient semé leurs poursuivants.

Ils continuèrent à progresser vers le haut. Il était vital pour eux d'attendre que la nuit tombe avant de se faufiler à l'extérieur. Ils s'arrêtèrent afin de se reposer et d'essayer de dormir, mais cela s'avéra presque impossible. A chaque instant ils s'éveillaient en sursautant, comme s'ils plongeaient du tremplin de l'inconscience dans le lac de l'inquiétude éveillée. Leurs jambes lançaient des ruades, leurs mains se crispaient; ils s'en rendaient compte mais ne réussissaient pas à s'endormir dans l'oubli bienfaisant ni à s'éveiller complètement lorsqu'ils sortaient de leurs cauchemars.

Lentement, le jour s'éteignit au-dessus d'eux, à l'extrémité du conduit qui débouchait à la surface de la montagne. Ils se levèrent, se hissèrent jusqu'au sommet et s'en extirpèrent. Sous eux, ils aperçurent des patrouilles et en entendirent d'autres au-dessus de leur tête.

Ils attendirent que tout fût redevenu calme avant de se mettre à escalader les remparts, puis les versants inclinés qui séparaient les différents niveaux où étaient taillées les rues. Lorsqu'ils ne pouvaient pas se hisser par l'extérieur, ils empruntaient les bouches d'aération.

Les rues inférieures de la ville étaient illuminées par des centaines de torches. Les soldats et la police les fouillaient de fond en comble. A mesure que les deux fugitifs s'élevaient vers le sommet de Talanac, la spirale humaine qu'ils surplombaient se rapprochait, les repoussant vers le ciel.

« Si les ordres ont été donnés de nous prendre vivants, pourquoi ont-ils tiré sur nous ? » demanda Anania. « Ils n'y voyaient pas assez pour choisir leurs cibles.

— Ils se sont énervés », répondit Kickaha. Il était fatigué, il mourait de faim et de soif et était plein de rage contre les meurtriers de Clatatol. La tristesse viendrait plus tard, mais il n'éprouverait pas de sentiment de culpabilité. Il ne s'était jamais senti coupable, sauf lorsqu'il y avait une raison réaliste à cela. Si Kickaha avait des faiblesses nerveuses et également des vertus nerveuses — ce qui était inévitable, puisqu'il était humain — jamais un sentiment de culpabilité inapproprié ne venait s'y mêler. Il n'était en aucune façon responsable de la mort de Clatatol. Elle s'était lancée dans cette aventure de son propre gré et en sachant parfaitement qu'elle risquait d'y laisser sa vie.

Et même, dans un certain sens, cette mort lui procurait une légère satisfaction. Après tout, il aurait pu être tué si elle ne s'était trouvée devant lui pour recevoir le projectile.

Kickaha explora une série de conduits, à la recherche de nourriture et de boisson. Anania ne voulut pas demeurer en arrière, car elle craignait qu'il ne puisse la retrouver. Elle l'accompagna jusqu'à un conduit qui aboutissait à une demeure dans laquelle toute une famille ronflait bruyamment, et qui exhalait de forts relents de vin et de bière, Kickaha revint muni d'une corde, de fromage, de fruits, de viande de bœuf séchée et de deux bouteilles d'eau.

Ils attendirent jusqu'à ce que la nuit baigne entièrement le monolithe et envahisse la ville. Ils reprirent alors leur escalade, par la paroi extérieure quand cela était possible, par les conduits verticaux lorsqu'elle était par trop lisse ou abrupte. Anänia demanda à Kickaha pour quelle raison ils se dirigeaient vers le sommet. Il lui répondit qu'ils ne pouvaient pas faire autrement car la partie inférieure de la ville était systématiquement fouillée à l'extérieur comme à l'intérieur.

6

VERS le milieu de la nuit, ils quittèrent une habitation dans laquelle ils s'étaient glissés en utilisant un conduit d'aération et dissimulés en évitant de réveiller les dormeurs. Cette maison était située dans la rue qui se trouvait immédiatement sous le palais de l'empereur. A partir de cet endroit, les conduits d'aération n'étaient plus reliés entre eux. Etant donné que tous les chemins et tous les escaliers étaient gardés, il ne leur était possible d'atteindre leur but qu'en escaladant une partie de la paroi extérieure. Cela ne serait pas facile. Sur une hauteur de douze mètres, on s'était délibérément abstenu de sculpter la montagne et la paroi verticale était absolument lisse.

Soudain, alors qu'ils se faufilaient précautionneusement dans l'ombre au pied de la paroi, ils faillirent se heurter à deux pieds bottés qui émergeaient d'une niche obscure. Les pieds appartenaient à un cadavre, celui d'une sentinelle. Un autre corps gisait à proximité. L'un des soldats avait eu la gorge tranchée, et l'autre avait un morceau de fil serré autour du cou.

« Nimstowl est passé par ici », murmura Anania. « On l'appelle l'Etrangleur. »

Les torches d'une patrouille qui approchait brillèrent à moins de trois cents mètres de l'endroit où ils étaient tapis. Kickaha maudit l'imprévoyance de Nimstowl, qui n'avait pas pris la peine de cacher les corps. De toute manière, se dit-il, cela n'eût pas changé grand-chose à la situation. En s'apercevant de l'absence des sentinelles, la patrouille n'allait pas manquer de donner l'alarme.

La petite porte aménagée dans la paroi était ouverte : on ne pouvait la fermer que de l'extérieur. Kickaha et Anania, après avoir pris les armes des deux soldats, se précipitèrent dans l'ouverture et gravirent quatre à quatre l'escalier qui s'élevait entre deux hauts murs lisses. Lorsqu'ils atteignirent le haut des marches, ils suffoquaient et haletaient.

Des cris s'élevèrent dans la cage de l'escalier. Une lumière apparut, puis des bruits de bottes se firent entendre. Des tambours résonnèrent et un appel de clairon retentit.

Kickaha et Anania avaient bondi, non pas vers le palais, mais en direction d'un escalier raide qui se trouvait sur leur gauche. Au sommet des marches luisaient des toits d'argent et des barreaux de fer gris. Une odeur d'animaux, de paille, de viande corrompue et de purin frappa leurs narines.

« Le zoo royal », dit Kickaha. « Je suis déjà venu ici. »

A l'extrémité d'un long passage pavé, quelque chose brilla comme un fil dans l'ourlet de la nuit. Cela traversa le clair de lune pour disparaître dans l'obscurité, reparut puis disparut à nouveau par une porte immense s'ouvrant dans un colossal bâtiment blanc.

« Nimstowl ! » s'exclama Anania. Elle fit mine de vouloir se lancer à sa poursuite, mais Kickaha l'arrêta d'une poigne brutale. Son visage grimaçant aussi blanc que la lumière argentée de la lune, ses yeux aussi grands que ceux d'un hibou furieux, elle se dégagea avec brusquerie.

« Tu oses me toucher, *leblabbiy* ?

— Chaque fois qu'il le faudra », dit-il rudement. « Et ne t'avise pas de me traiter une nouvelle fois de *leblabbiy*. Je ne me contenterai pas de te frapper, je te tuerai. Ne crois pas que je sois homme à supporter ton arrogance et ton mépris. Ils sont uniquement basés sur un égoïsme vide, empoisonné, maladif. Répète ce mot, et je te tue. Tu n'es supérieure à moi en aucune manière. Si tu veux tout savoir, tu *dépends* de moi.

— Moi, je dépends de toi ?

— Absolument », dit-il. « Tu as un plan pour t'échapper ? Un plan qui puisse réussir, même s'il est insensé ? »

Les efforts qu'elle accomplissait pour se contrôler la faisaient frissonner. Puis elle se força à sourire. S'il n'avait pas été conscient de sa fureur cachée, il aurait pensé que c'était là le sourire le plus merveilleux, le plus charmant, le plus séduisant, le plus tout ce que l'on veut qu'il eût jamais vu dans cet univers et dans son monde d'origine.

« Non, je n'ai pas de plan. Tu as raison, je dépends de toi.

— De toute façon, tu es réaliste », dit-il. « J'ai entendu dire que la plupart des Seigneurs sont tellement arrogants qu'ils préféreraient mourir plutôt que d'avouer une faiblesse ou une dépendance quelconques. »

Sa souplesse la rendait pourtant plus dangereuse que jamais. Il ne fallait pas qu'il oublie qu'elle était la sœur de Wolff. Wolff lui avait dit que ses sœurs Vala et Anania étaient probablement les deux femelles humaines les plus dangereuses du monde. Même si l'on faisait la part d'un orgueil familial excusable et d'une certaine exagération, elles l'étaient probablement excessivement.

« Reste ici », ordonna-t-il.

Il se lança silencieusement à la poursuite de Nimstowl. Il n'arrivait pas à comprendre comment les deux Seigneurs s'y étaient pris pour arriver directement à l'étage du palais. Comment avaient-ils appris l'existence de la petite « porte » secrète dans le temple ? Il n'y avait qu'une explication possible : durant leur bref séjour au palais de Wolff, ils avaient dû voir la maquette sur laquelle était précisé son emplacement. Anania ne se trouvait sans doute pas avec eux à ce moment-là, ou si elle y était, elle gardait le silence pour une raison connue d'elle seule.

Pourtant, si les deux Seigneurs avaient découvert l'emplacement de la « porte », comment se faisait-il que les Cloches Noires ne l'eussent pas également repéré, alors qu'ils disposaient de beaucoup plus de temps ? Trouver la réponse ne lui demanda que quelques secondes : les Cloches savaient où était la « porte », et ils y avaient placé deux gardes. Mais tous deux étaient morts, l'un égorgé, l'autre étranglé ; maintenant l'angle du palais était ouvert à tous les vents, et de la lumière y était visible. Kickaha se glissa avec précaution dans l'étroite ouverture et pénétra dans la petite chambre. Quatre croissants d'argent étaient sertis dans les dalles du sol ; les quatre autres, qui auraient dû se trouver suspendus à des crochets scellés dans le mur, avaient disparu. Les deux Seigneurs avaient utilisé une « porte » pour s'échapper, en emportant quatre croissants afin de s'assurer que personne ne pourrait les suivre.

Furieux, Kickaha revint vers Anania et lui apprit la mauvaise nouvelle.

« Cette issue est inutilisable, mais tout n'est pas encore perdu », dit-il.

Il emprunta un chemin dallé de diorite, dont les dalles extérieures étaient serties de petites pierres précieuses, et s'arrêta devant une énorme cage. Les deux oiseaux qui y étaient enfermés se dressèrent sur leurs pattes et lancèrent à Kickaha un regard chargé de colère. Ils avaient trois mètres de haut ; leur tête était rougeâtre et leur bec jaune pâle ; leur corps était du même vert que le ciel à midi ; ils avaient les pattes jaunes et leurs yeux ressemblaient à des boucliers écarlates parsemés de protubérances noires. L'un d'eux parla, avec la voix d'un perroquet géant :

« Que fais-tu ici, Kickaha, vil Rusé ? »

Dans la grosse tête du monstre se trouvait le cerveau d'une femme enlevée par Jadawin trois mille deux cents ans auparavant sur les rives de la mer Egée. Ce cerveau avait été transplanté dans un but à la fois récréatif et utilitaire par Jadawin dans le corps animal créé dans son laboratoire de biologie. Cet aigle était l'un des rares spécimens à cerveau humain encore en vie. Les grands aigles verts, tous femelles, se reproduisaient par parthénogénèse. Il restait environ quarante survivants sur les cinq mille créés originellement. Les autres, les quelques millions encore en vie, étaient leurs descendants.

« Dewiwanira ! » s'exclama Kickaha qui ajouta, en grec mycénien : « Que fais-tu ici, dans cette cage ? Je croyais que tu étais un familier de Podarge, pas de l'empereur. »

Dewiwanira cria et mordilla les barreaux de sa cage. Kickaha, qui se tenait tout près, fit un bond en arrière puis se mit à rire.

« C'est ça, stupide oiseau. Continue à faire ce vacarme, et ils vont s'amener au galop et t'empêcher de t'échapper. »

L'autre aigle répéta :

« S'échapper ?

— Oui, s'échapper », répondit Kickaha. « Aidez-nous à quitter Talanac et nous vous ferons sortir de votre cage. Mais décidez-vous sur-le-champ, car nous ne disposons pas de beaucoup de temps.

— Podarge nous a ordonné de vous tuer, toi et Jadawin-Wolff », dit Dewiwanira.

« Tu pourras essayer plus tard », répliqua Kickaha.
« Mais si tu ne nous promets pas de nous aider, tu mourras
dans cette cage. Veux-tu voler à nouveau, revoir tes amis ? »

Des torches apparurent au bas des marches menant au
palais et aux jardins zoologiques.

« Oui ou non ? » insista Kickaha.

« Oui », dit Dewiwanira. « Par les seins de Podarge,
oui ! »

Anania sortit de l'ombre pour aider Kickaha, et ce ne fut
qu'à ce moment-là que les deux aigles aperçurent distinctement son visage. Ils sautèrent sur place, battirent des ailes et
croassèrent : « Podarge ! »

Kickaha s'abstint de leur expliquer qu'elle était la sœur de
Jadawin-Wolff. Il dit simplement :

« Le visage de Podarge a eu un modèle. »

Il courut vers un entrepôt, se félicitant de l'avoir visité
lors de son séjour chez l'empereur. Il en revint porteur d'un
rouleau de corde. Il sauta alors dans une fosse creusée dans
le jade et pesa de toutes ses forces sur un levier de fer. Il y
eut un grincement de métal et la porte de la cage s'ouvrit
brusquement.

Anania montait la garde, une flèche à son arc bandé.
Dewiwanira se baissa pour sortir la première et demeura
immobile pendant que Kickaha, après avoir coupé la corde
en deux, en attachait une extrémité à chacune de ses pattes.
Antiope, l'autre aigle, quitta la cage à son tour et se laissa
entraver de la même manière.

Kickaha expliqua quel était son plan. Alors, au moment
où les soldats faisaient leur apparition et envahissaient les
jardins, les deux oiseaux géants se perchèrent sur le mur peu
élevé qui entourait le zoo. Ils ne s'y prirent pas de la manière
habituelle ; au lieu d'avancer à grandes enjambées, ils
sautillèrent en agitant les ailes afin de ne pas se blesser les
pattes.

Kickaha s'assit entre les pattes de Dewiwanira, la corde
sous ses cuisses, agrippant chaque patte au-dessus des
énormes serres, puis il cria :

« Prête, Anania ?... Allez Dewiwanira, vole ! »

Bien qu'alourdis par le poids des deux humains, les deux
aigles s'élevèrent dans les airs, leurs immenses ailes battant
avec difficulté. Kickaha sentit la corde lui pénétrer dans les
chairs. Le mur, sous lui, disparut. Bientôt, les parois

obliques et les rues de Talanac, éclaboussées par la lumière
argentée de la lune, défilèrent sous lui à une vitesse
effrayante. Beaucoup plus bas, à près de mille mètres, il vit
étinceler le ruban de la rivière qui, au pied de la montagne,
roulait ses eaux tumultueuses.

Puis la montagne se mit à glisser sur sa gauche, dangereusement près. Les aigles pouvaient supporter un poids
relativement important car leurs muscles étaient proportion-
nellement beaucoup plus puissants que ceux des aigles de la
Terre, mais ils ne pouvaient pas battre des ailes suffisamment vite pour supporter longtemps ce poids. Tout ce qu'ils
pouvaient faire en ce cas, c'était freiner la vitesse de leur
descente.

Ils volèrent ainsi parallèlement à la montagne, battant
frénétiquement des ailes lorsqu'ils approchaient trop près
d'une rue en saillie, et l'évitant avec une telle lenteur que
Kickaha en avait la gorge serrée. Au moment d'aborder la
rue sur laquelle ils semblaient devoir s'abîmer, ils
« ramaient » furieusement et réussissaient par miracle à la
franchir.

Les deux humains durent continuellement garder les
jambes repliées sous eux pendant cette partie délicate du
trajet, le cœur battant et la bouche sèche. Par deux fois, ils
furent souffletés par des branches d'arbres. A un certain
moment les deux aigles durent virer à angle droit pour éviter
d'entrer en collision avec une haute construction de bois
érigée au sommet d'une maison pour une raison inconnue.
Un peu plus tard, Kickaha et Anania heurtèrent la paroi de
jade marron et noir qui fort heureusement était lisse, et ils
s'en tirèrent avec quelques contusions. Si la montagne avait
comporté des motifs en relief à cet endroit, ils se seraient
déchiré les chairs et rompu les os.

Vint enfin le moment où le niveau le plus bas, la Rue des
Sacrifices Rejetés — ainsi baptisée pour des raisons que
Kickaha n'avait jamais découvertes — se trouva derrière
eux. Mais là aussi ils avaient frôlé la catastrophe, car ils
n'évitèrent le rempart de jade qui la clôturait à l'extérieur
que de quelques centimètres. Kickaha était si certain qu'il
allait être déchiré par les pointes de fer qui le couronnaient
qu'il en ressentit la douleur.

Les aigles virèrent et continuèrent à perdre lentement de
l'altitude, en se dirigeant droit vers le fleuve.

Il mesurait un kilomètre et demi de largeur à cet endroit. Sur la rive opposée, il y avait des docks et des navires à quai, et plus loin d'autres navires étaient à l'ancre. C'étaient pour la plupart des galères à deux ponts avec de hautes dunettes et un ou deux mâts gréés en carré.

Kickaha enregistra tout cela d'un seul coup d'œil et, tandis que les aigles descendaient vers la surface de l'eau, il fit ce qu'il avait arrangé avec Anania avant le départ. Convaincu que les aigles essaieraient de les tuer dès que tout danger serait écarté, il avait conseillé à Anania de lâcher prise et de se laisser tomber dans l'eau dès que l'occasion serait propice.

Ils se trouvaient à quinze mètres au-dessus du fleuve lorsque Dewiwanira opéra sa première tentative. Elle abaissa le cou et tenta de frapper Kickaha du bec, mais heureusement, la proie qu'elle convoitait se trouvait légèrement hors de sa portée. L'énorme bec battit l'air à quelques centimètres de la tête de Kickaha.

« Saute ! » cria l'aigle géant. « Tu vas me faire tomber dans l'eau ! Je vais me noyer ! »

C'était exactement ce que Kickaha espérait. Il craignait toutefois que l'animal ne réussît à se maintenir assez haut et n'appelât Antiope qui viendrait le déchiqueter avec son bec. Les deux oiseaux pourraient ensuite intervertir les positions et attaquer Anania. Mieux valait s'éloigner du danger le plus rapidement possible.

Il entreprit de donner à la corde un mouvement de balance d'avant en arrière puis, à l'instant propice, il bascula la tête en bas et fit un plongeon impeccable. En atteignant le niveau de l'eau, il aperçut du coin de l'œil Anania qui l'avait imité et qui tombait dans l'eau à quelques mètres de lui.

Ils se trouvaient à environ deux cent cinquante mètres de la plus proche des cinq galères à l'ancre. A deux kilomètres en aval, des torches s'avançaient dans leur direction. La lumière faisait luire des casques et éclairait des avirons qui battaient l'eau en cadence.

Les deux aigles avaient traversé le fleuve et ils commençaient à s'élever, silhouettes noires dans le clair de lune.

Kickaha héla Anania, et ils se mirent à nager vers le navire le plus proche. Ses vêtements et ses deux couteaux l'alourdissant, il détacha de sa ceinture le fourreau qui contenait l'arme la plus lourde et le laissa glisser dans les profondeurs, puis il se débarrassa de ses vêtements et les laissa dériver derrière lui. Il regrettait d'avoir à agir ainsi, mais les événements des dernières quarante-huit heures et le manque de nourriture l'avaient vidé de presque toute son énergie. Tournant la tête vers Anania qui nageait non loin de lui, il vit qu'elle l'avait imité.

Finalement, ils atteignirent le navire, longèrent sa coque et allèrent s'accrocher à sa chaîne d'ancre. Epuisés, ils aspirèrent l'air à grandes goulées, la bouche ouverte. Personne n'apparut sur le pont du bateau, au-dessus d'eux. S'il y avait un veilleur, il devait dormir.

Le patrouilleur lancé à leur poursuite approchait rapidement. Cependant, Kickaha ne pensait pas qu'ils eussent été découverts. Il expliqua à Anania ce qu'il comptait faire et, lorsqu'il eut repris son souffle, il plongea sous la coque. Il vira lorsqu'il pensa se trouver sous la partie centrale du navire et nagea vers l'arrière en suivant l'axe longitudinal de la quille. Il faisait quelques brasses puis s'arrêtait pour tâter ce qui se trouvait au-dessus de lui. Il atteignit ainsi l'arrière du bâtiment et émergea sous la dunette surélevée sans avoir rien découvert. Il rejoignit alors Anania, qui avait exploré de la même façon la partie avant du navire, et qui elle non plus n'avait rien trouvé.

« Il est à peu près certain », dit-il en haletant, « qu'aucun de ces cinq bateaux ne comporte de cachette secrète pour les marchandises de contrebande. Nous pourrions tout aussi bien en examiner cent sans rien trouver. En attendant, le patrouilleur approche.

— Peut-être devrions-nous essayer la voie de terre », suggéra-t-elle.

« Nous ne le ferons qu'à la dernière extrémité », dit-il. « A terre, nos chances de nous échapper sont extrêmement réduites. »

Il se laissa glisser dans l'eau sans bruit, nagea vers le navire le plus proche et reprit ses recherches le long de la quille. Ce bateau et le suivant s'avérèrent posséder des fonds sans secrets. Kickaha estima que le patrouilleur était maintenant tout près, bien qu'il ne pût le voir.

Un bruit de tonnerre jaillit soudain du bord opposé du navire, quelque chose qui ressemblait à un coup de canon. Il y eut une seconde explosion, puis des cris s'élevèrent, des cris poussés par des aigles et par des hommes.

Bien qu'il ne pût rien voir, il comprit ce qui s'était passé. Les aigles géants avaient rebroussé chemin pour essayer de le tuer. Ne le trouvant pas, ils avaient décidé de se venger de leur longue captivité sur les humains les plus proches. Tombant du ciel nocturne, ils avaient plongé sur le navire. Le bruit que Kickaha avait entendu était le claquement produit par leurs ailes au moment où ils les avaient ouvertes pour contrôler leur chute.

Maintenant, ils devaient se trouver à l'intérieur du bateau, déchiquetant l'équipage de leur bec et de leurs serres.

Il y eut encore quelques cris, et le silence se rétablit pour un instant. Il y eut ensuite des hurlements de triomphe pareils au barrissement d'un éléphant, puis le claquement d'ailes géantes contre l'air. Kickaha et Anania plongèrent sous la coque du quatrième navire et entreprirent de poursuivre leurs recherches tout en se tenant hors de la vue des deux oiseaux.

Kickaha, en arrivant sous la dunette, entendit le battement de leurs ailes et il demeura immobile jusqu'à ce que les deux monstres se fussent éloignés. Peut-être abandonneraient-ils leur chasse, peut-être aussi avaient-ils l'intention de revenir.

Anania n'était pas en vue. Il y avait si longtemps qu'elle avait disparu que Kickaha se demanda si elle ne s'était pas noyée. Peut-être aussi avait-elle découvert ce qu'elle cherchait, et décidé de tenter sa chance seule.

Il se mit à nager sous l'eau vers l'avant du navire et soudain, sa main rencontra le rebord d'un puits aménagé sous la quille. Il remonta, ouvrit les yeux et aperçut à travers l'eau un reflet gris sombre au-dessus de lui. Il se glissa dans l'ouverture et émergea dans un local carré éclairé par une lampe. Clignant des yeux, il aperçut Anania. Elle était accroupie sur une corniche et tenait un couteau à la main. La corniche surplombait l'eau de cinquante centimètres et faisait entièrement le tour de la petite pièce. Auprès de la main armée d'Anania, il aperçut la chevelure noire d'un homme. Kickaha fit un rétablissement et se hissa sur la corniche. L'homme était un Tishquetmoac et il était profondément endormi.

Anania sourit et dit : « Il dormait quand j'ai émergé dans la cachette. Heureusement, car il aurait pu me transpercer de sa lance avant même que je ne me sois aperçue de sa présence. Je lui ai donné un bon coup du tranchant de la main sur le cou afin qu'il continue à dormir. »

La corniche avait environ un mètre vingt de large. Sur un de ses côtés étaient posés quelques fourrures, des couvertures, un tonnelet marqué d'un signe qui indiquait qu'il contenait du vin, et quelques coffrets de bois sertis de métal dont Kickaha espéra qu'ils recelaient de la nourriture. L'absence de marchandises signifiait que l'on avait enlevé les denrées de contrebande et qu'il y avait de fortes chances pour que personne ne vînt les déranger.

La fumée dégagée par la lampe s'élevait vers quelques trous percés dans le plafond. Kickaha, approchant sa joue de l'un des trous, sentit un léger appel d'air. Il était à peu près certain que la lumière n'était pas visible de l'extérieur, mais il lui faudrait aller s'en assurer.

« De nombreux navires sont équipés de locaux secrets comme celui-ci », dit-il à Anania. « Parfois les capitaines connaissent leur existence, parfois ils l'ignorent. » Il montra du doigt l'homme endormi. « Nous l'interrogerons plus tard. » Il entrava les chevilles du Tishquetmoac et le retourna pour lui attacher les mains derrière le dos. Puis, bien qu'il mourût d'envie de s'allonger et de dormir, il se remit à l'eau. Il nagea vers la chaîne de l'ancre, s'y accrocha et entreprit de se hisser sur le pont du navire. Il prit pied sur le tillac et explora le bâtiment de bout en bout. Il ne découvrit aucun gardien et se fit une idée précise du plan du navire. En outre, il trouva des baguettes de viande sèche et des biscuits enveloppés dans des boyaux imperméables. Les aigles n'étaient pas en vue et le patrouilleur lancé à leur recherche avait dérivé si loin qu'il ne put se rendre compte si les oiseaux géants avaient ou non attaqué ceux qui le montaient.

Lorsqu'il reprit pied dans le compartiment secret, le Tishquetmoac avait repris conscience.

Il s'appelait Petotoc. Il s'était caché là parce qu'il était recherché par la police (il ne voulut pas dire de quoi on l'accusait). Il n'était pas au courant de l'invasion. Il fut évident qu'il ne croyait pas ce que lui disait Kickaha. Ce dernier s'adressa à Anania :

« Un grand nombre de personnes nous ont vus nous échapper, et les recherches dans Talanac ont dû être abandonnées », dit-il. « On va maintenant nous chercher dans la vieille ville, dans les fermes, dans la campagne, et l'on va certainement fouiller aussi tous les bateaux. Quand les envahisseurs verront que nous sommes introuvables, il est possible que la vie normale reprenne. Alors ce navire lèvera l'ancre et appareillera vers sa destination. »

Kickaha demanda à Petotoc s'il leur était possible de se procurer suffisamment de vivres pour qu'ils puissent tenir tous trois durant un mois. Les yeux d'Anania s'agrandirent.

« Passer un mois dans ce trou puant et humide ! » s'exclama-t-elle.

« Si tu veux vivre, il n'y a pas d'autre solution », répondit-il. « J'espère sincèrement que nous n'y demeurerons pas aussi longtemps, mais j'aime bien disposer de réserves en cas d'urgence.

— Je deviendrai folle », dit-elle.

« Quel âge as-tu ? » demanda-t-il. « Dans les dix mille ans, je suppose. Et au bout de tout ce temps, tu n'as pas encore appris à avoir un comportement mental approprié lorsque tu te trouves dans une situation délicate ?

— Je n'ai jamais pensé que je pourrais me trouver un jour dans une situation pareille », dit-elle d'un ton maussade.

— En somme, il t'arrive quelque chose d'inhabituel après dix millénaires, hein ? Tu devrais être heureuse de ne plus t'ennuyer. »

D'une manière tout à fait inattendue, elle se mit à rire.

« Je suis fatiguée et irritable. Mais tu as raison, Kickaha. Mieux vaut mourir de peur que d'ennui. Et ce qui s'est passé... »

Elle tendit les mains, la paume en dessus, pour indiquer qu'elle ne pouvait plus parler.

Renseigné par Petotoc, Kickaha remonta sur le pont du navire. Il mit à l'eau une petite embarcation, s'y laissa tomber, rama vigoureusement jusqu'au rivage et pénétra dans un petit entrepôt. Il prit tous les vivres qu'il put emporter, en bourra le canot et revint vers le navire. Il attacha l'embarcation à la chaîne d'ancre et plongea pour aller chercher Anania. A eux deux, ils firent plusieurs voyages pour transporter les provisions et, lorsqu'ils eurent terminé, ils étaient à tel point exténués qu'ils eurent de la peine à se hisser sur la corniche. Avant sa dernière plongée, Kickaha avait détaché le canot qui était parti à la dérive.

Frissonnant de froid et de fatigue, il avait une envie

irrésistible de s'allonger et de dormir mais il n'osait pas laisser le contrebandier sans garde. Anania était d'avis de résoudre le problème en le tuant. Le prisonnier écoutait sans comprendre, car ils parlaient dans la langue des Seigneurs, mais lorsqu'il vit Anania passer un doigt en travers de sa gorge, il comprit de quoi il s'agissait et sa sombre pigmentation vira au rouge clair.

« Je ne le ferai que si cela s'avère nécessaire », dit Kickaha, « car même si nous le tuons, il sera nécessaire de monter la garde. D'autres contrebandiers pourraient surgir pendant notre sommeil et nous maîtriser. Clatatol et sa bande auraient pu résister à la tentation de nous livrer — bien que je doute fort qu'ils eussent pu tenir longtemps — mais d'autres ne montreront pas la même loyauté. »

Il prit le premier tour de garde et ne put résister au sommeil qu'en s'aspergeant d'eau, en bavardant avec Petotoc et en faisant furieusement les cent pas sur la corniche. Lorsqu'il pensa que deux heures s'étaient écoulées, il réveilla Anania en la giflant et en lui lançant de l'eau. Après qu'elle lui eut promis de ne pas succomber au sommeil, il s'allongea et ferma les yeux.

Il venait de se rendormir après son troisième tour de garde quand il sentit qu'on le secouait. Il allait se relever mécaniquement lorsqu'Anania lui mit une main sur la bouche et lui chuchota à l'oreille :

« Silence ! Tu ronflais. Il y a des hommes à bord. »

Il resta longtemps étendu, écoutant les bruits de pas sur le pont, les cris, les conversations, le choc sourd des marchandises que l'on déplaçait et les coups portés contre les cloisons du navire afin de déceler les compartiments clandestins.

Après douze cents secondes comptées silencieusement une à une par Kickaha, les hommes quittèrent le navire et le silence se rétablit. Chacun à son tour, Anania et Kickaha essayèrent de rattraper le sommeil perdu.

7

LORSQU'ILS se sentirent assez reposés pour demeurer éveillés ensemble, Kickaha demanda à Anania comment elle s'y était prise pour se mettre dans cette situation.

« Les Cloches Noires », dit-elle en étendant la main droite. Un anneau de métal sombre dans lequel était enchâssée une grosse pierre verte ornait son médius. « J'ai donné aux contrebandiers tous mes bijoux sauf cette bague. J'ai refusé de m'en séparer et je leur ai dit qu'il leur faudrait me tuer s'ils voulaient me la prendre. Pendant un moment, j'ai pensé qu'ils allaient le faire.

» Par quoi commencer ? A l'origine, les Cloches Noires étaient des formes de vie artificielles créées il y a environ dix mille ans par les savants au service des Seigneurs. C'est à l'occasion de leurs recherches pour découvrir le secret de l'immortalité véritable que les savants ont créé les Cloches.

» Comme son nom l'indique, la Cloche Noire a la forme d'une cloche. Elle est faite d'un matériau noir indestructible. Si on en attachait une à une bombe à hydrogène, la Cloche résisterait à la fission. Plongée au sein d'une étoile, elle survivrait pendant un milliard d'années.

» A l'origine, les savants en avaient fait quelque chose d'entièrement automatique. Elle n'avait pas de cerveau propre, et n'était qu'un dispositif mécanique. Placée sur la tête d'un homme, elle détectait le potentiel de sa peau et projetait automatiquement deux aiguilles extrêmement fines et rigides qui perforaient le crâne pour atteindre le cerveau.

» Par l'intermédiaire de ces aiguilles, la Cloche Noire pouvait vider le cerveau humain de son contenu, c'est-à-dire qu'elle était capable de dérouler la chaîne de molécules protéiques géantes qui composent la mémoire et de dissocier les systèmes neuraux complexes de l'esprit conscient et inconscient.

— Quelle était l'utilité de tout cela ? » demanda Kickaha. « Pourquoi un Seigneur aurait-il pu vouloir que son esprit soit démêlé — je veux dire déchargé ? N'aurait-il pas été après cela une sorte de néant, une *tabula rasa* ?

— Bien sûr, mais tu ne comprends pas. L'opération n'était pas destinée aux Seigneurs eux-mêmes mais à des créatures humaines leur appartenant. A des esclaves. »

Kichaha ne s'affolait pas facilement, mais il se sentit à la fois écœuré et effrayé.

« Quoi ? Mais...

— C'était nécessaire », dit Anania d'une voix sérieuse. « L'esclave étant destiné à mourir un jour, cela ne changeait rien pour lui. Par contre, cela pouvait permettre à un Seigneur de survivre même si son corps était blessé mortellement. »

Elle s'abstint de lui expliquer que les techniques scientifiques mises au point par les savants au service des Seigneurs, leur permettaient de vivre pendant des millénaires si aucun accident, homicide ou suicide, ne se produisait. Mais cela, Kickaha le savait, naturellement. Cette éternelle jeunesse régnait également, quoique à un degré moindre, dans l'univers de Wolff. Les eaux de cet univers charriaient des substances introduites par Wolff, qui empêchaient les humains de vieillir pendant une durée approximative de mille ans. Cela permettait de restreindre la natalité, et de cette façon la démographie demeurait stable.

« Les Cloches Noires procuraient le moyen de transférer les facultés mentales d'un Seigneur dans le cerveau d'un hôte, et il pouvait ainsi continuer à vivre même si leur propre corps succombait à ses blessures.

» La Cloche Noire était conçue de telle manière que les facultés mentales d'un Seigneur pouvaient, en cas de besoin, y demeurer en dépôt très longtemps. Elle contenait une sorte de bloc d'alimentation permettant l'animation des facultés mises en réserve lorqu'on le désirait. En outre, la Cloche extrayait automatiquement de l'hôte l'énergie neurale nécessaire à la recharge du transformateur. Dérouler et dématricer étaient en somme les méthodes employées par les

Cloches Noires pour sonder l'esprit et enregistrer le résultat de leur sondage au sein de la structure en forme de cloche. Elles constituaient en quelque sorte un double de cet esprit. La duplication avait pour résultat un dépouillement total du cerveau original, qui redevenait vierge.

» Je me répète », ajouta-t-elle, « mais c'est afin que tu me comprennes bien.

— Je te suis », dit Kickaha, « mais ce dépouillement, ce dématriçage, ce sondage et ce dédoublement ne me semblent pas correspondre à une véritable immortalité. Ce n'est pas comme si on transvasait les facultés mentales d'un cerveau dans un autre. Ce n'est pas un véritable transfert. Cela consiste en réalité à enregistrer les complexes cérébraux, antérieurs et postérieurs, je suppose — à moins que les Cloches Noires ignorent l'existence de l'inconscient — tout en les détruisant, pour obtenir l'esprit dans son intégralité. Puis on fait passer l'enregistrement — les bandes, si tu veux — et on reconstitue un cerveau identique dans un réceptacle différent.

» Mais le cerveau du second élément n'est pas celui du premier. En réalité, le premier est mort. Et bien que le second individu pense être devenu le premier puisqu'il possède son système cérébral, il est en réalité un autre.

— La sagesse du temps passe par la bouche de l'enfant », dit Anania. « Ce que tu dis serait vrai s'il n'existait pas la psyché, ou âme, comme vous les humains, l'appelez. Les Seigneurs avaient la preuve indubitable qu'il existait une entité extraspatiale, extratemporelle, inhérente à tout être doué de raison. Même vous, les humains, en êtes dotés. Elle double de contenu mental du corps, ou soma. Plus précisément, elle reflète l'ensemble psyché-soma, à moins que ce ne soit l'inverse.

» De toute manière, la psyché constitue l'autre moitié de la personne " réelle ". Lorsque le double soma-cerveau est reconstitué dans la Cloche Noire, la psyché, ou âme, s'y transfère. Et lorsque la Cloche redistribue les contenus mentaux au nouvel hôte, la psyché elle-même passe dans ce dernier.

— Tu as la preuve de l'existence de cette psyché ? » demanda Kickaha. « Des photographies ? Des indications sensitives, ou quelque chose de ce genre ?

— Je n'en ai jamais vu », répondit-elle, « et je n'ai jamais connu personne qui possédât ces preuves. Mais on nous a assuré qu'à une certaine époque, elles ont existé.

— Bon », dit-il d'un ton sarcastique dont elle eut ou non conscience. « Ensuite ?

— Il a fallu plus de cinquante ans, je crois, pour que l'expérience réussisse à cent pour cent et pour que les Cloches Noires fonctionnent parfaitement. La plupart des essais furent effectués sur des esclaves humains qui souvent mouraient ou devenaient idiots.

— Au nom de la science !

— Au nom des Seigneurs », corrigea-t-elle. « Au nom de l'immortalité des Seigneurs. Mais les sujets humains et plus tard les Seigneurs qui se prêtèrent aux expériences déclarèrent qu'ils ressentaient un sentiment presque insupportable de détachement de la réalité, une angoisse de séparation quand leur esprit était logé dans les cloches. Vois-tu, les cerveaux n'avaient quelque perception du monde extérieur que lorsque les antennes-aiguilles étaient déconnectées. Mais cette perception était très limitée.

» Pour neutraliser ce sentiment d'isolement et de panique, on améliora le pouvoir perceptif des antennes. La perception du son, des odeurs et un sens limité de la vision furent rendus possibles.

— Les Cloches Noires sont les anciens Seigneurs ? » demanda Kickaha.

« Non ! Les savants découvrirent accidentellement qu'une Cloche non encore utilisée possédait potentiellement les facultés de se développer en une entité. Autrement dit, la cloche était une sorte de bébé. Si on lui parlait, si on jouait avec elle, si on lui apprenait à parler, à identifier les objets, à développer sa personnalité embryonnaire, elle devenait non pas un objet, une mécanique, mais un être vivant. Un être assez bizarre et étrange, mais un être tout de même.

— En d'autres termes », dit-il, « le cadre qui servait à loger un esprit humain pouvait devenir lui-même un être humain ?

— Oui, et cela fascina les savants. Ils se mirent à travailler sur un projet annexe et découvrirent qu'une Cloche Noire pouvait devenir aussi intelligente et aussi complexe qu'un Seigneur. Ils abandonnèrent alors le projet initial, décidant que les cloches non développées serviraient de réceptacle au surplus de mémoire des Seigneurs.

— Je crois comprendre ce qui s'est passé », dit Kickaha.

« Personne ne le sait exactement », dit Anania. « Le projet prévoyait dix mille Cloches adultes et un certain nombre de bébés Cloches. Or, d'une façon ou d'une autre, une Cloche Noire réussit à perforer avec ses épingles-antennes le crâne d'un Seigneur. Elle déroula et dématriça son esprit et le transféra dans le cerveau d'un hôte. Ensuite, l'un après l'autre, tous les Seigneurs impliqués dans le projet subirent le même sort. »

Kickaha ne s'était pas trompé dans ses hypothèses. Les Seigneurs avaient créé de leurs mains leurs propres Frankensteins.

« A cette époque, mes ancêtres étaient en train de créer leurs propres univers sur mesures », poursuivit Anania. « C'étaient des Seigneurs — des dieux s'il en existât jamais. L'univers originel continua bien entendu à servir de fondation à la race humaine. La plupart des Cloches Noires qui résidaient dans les corps des hôtes s'arrangèrent pour quitter l'univers originel et émigrer dans les univers privés. Lorsqu'on découvrit enfin la vérité, il fut impossible de savoir qui avait ou n'avait pas été transféré. Environ six mille Seigneurs avaient, selon le terme, été " mis sous cloche ".

» La guerre des Cloches Noires dura deux cents ans. C'est à cette époque que je naquis. La plupart des savants et techniciens au service des Seigneurs avaient été tués. Plus de la moitié de la population avait également disparu. L'univers originel était ravagé. Ce fut la fin de la science et du progrès, qui coïncida avec le début du solipsisme des Seigneurs. Les survivants avaient un pouvoir supérieur, et mécanismes et machines étaient sous leur contrôle. Mais la faculté de compréhension des principes qui reposaient derrière le pouvoir et les machines s'était perdue.

» Parmi les dix mille Cloches Noires existantes, il y en avait cinquante dont on avait perdu toute trace. Les neuf mille neuf cent cinquante autres furent placées dans un univers spécialement créé pour elles. Il était entouré d'une triple enceinte de manière que nul ne pût y pénétrer ou en sortir.

— Et les cinquante Cloches manquantes ?

— On ne les retrouva pas. A partir de ce moment, les Seigneurs vécurent dans le doute, au bord de la panique. Pourtant, il n'y eut aucune preuve que des Seigneurs avaient à nouveau été " mis sous cloche ". Avec le temps, l'angoisse disparut, mais on n'oublia pas cependant les Cloches manquantes. »

Elle tendit à nouveau sa main droite.

« Tu vois cet anneau ? Il peut détecter une structure en forme de cloche dans un rayon de six mètres. Il ne peut naturellement pas détecter une Cloche Noire qui loge dans le corps d'un hôte. Mais les Cloches Noires n'aiment pas se tenir trop loin d'une structure. Si quelque chose devait arriver au corps qui l'héberge, la Cloche veut pouvoir transférer son esprit dans la structure avant que ce corps meure.

» L'anneau qui détecte la Cloche déclenche un système d'alarme implanté dans le cerveau du Seigneur. Cette alarme stimule certaines zones du système neural et le Seigneur entend le tintement d'une cloche. Pour autant que je sache, ce signal ne s'était pas fait entendre depuis un peu moins de dix mille ans. Mais il a résonné pour trois d'entre nous il y a moins de deux semaines, et nous avons su alors que l'horreur d'autrefois allait à nouveau se donner libre cours.

— On a retrouvé les cinquante en question ? » demanda Kickaha.

« Pas toutes. Du moins, je n'en ai vu que quelques-unes », répondit Anania. « A mon sens, ces cinquante Cloches Noires on été cachées toutes ensemble dans un univers quelconque. Elles ont dû demeurer inertes, toutes fonctions vitales momentanément suspendues, pendant dix millénaires. Puis un *leb*... » — elle se reprit en voyant l'expression de Kickaha — « quelque humain a dû buter contre la cachette où on les avait dissimulées. Etant curieux, il a placé une des structures en forme de cloche sur sa tête, déclenchant automatiquement le mécanisme des antennes-aiguilles. La Cloche est alors sortie de son sommeil millénaire. Elle a anesthésié l'humain afin qu'il ne se débatte pas et, une fois son crâne perforé, elle a vidé son cerveau de sa configuration neurale et de sa mémoire et s'est transférée elle-même dans ce cerveau. Ensuite, la Cloche a trouvé des hôtes pour héberger ses quarante-neuf congénères. Après cela, les cinquante se sont lancées dans leur campagne rapide et silencieuse. »

Il était impossible d'estimer la quantité d'univers dont les

Cloches Noires s'étaient ainsi emparées, ni le nombre de Seigneurs qu'elles avaient massacrés ou possédés. Elles avaient échoué en ce qui concernait trois d'entre eux : Nimstowl, Judubra et Anania. Cette dernière et Nimstowl s'étaient arrangés pour mettre Judubra au courant de la situation, et il leur avait permis de se réfugier dans son univers. Seules les Cloches Noires pouvaient faire oublier à un Seigneur sa guerre perpétuelle contre ses pairs. Fat Judubra était en train de renforcer ses moyens de défense lorsque l'ennemi s'était brusquement présenté, et les trois Seigneurs avaient été contraints de venir se réfugier dans le palais de Wolff en empruntant une « porte ».

Ils avaient choisi cet endroit parce qu'ils avaient entendu dire que Wolff était devenu un être faible et doux, et qu'il n'essaierait pas de les tuer s'ils se montraient amicaux. Mais le palais semblait vide et n'hébergeait que des talos, ces androïdes mi-métal mi-protéines qui servaient de gardes du corps à Wolff et à Chryséis.

« Wolff aurait disparu ainsi que Chryséis ? » demanda Kickaha. « Où seraient-ils allés ?

— Je ne sais pas », répondit Anania. « Nous avons disposé de peu de temps pour procéder à des recherches. Nous avons été obligés de quitter la salle des commandes du palais sans savoir où nous allions. Nous avons abouti dans le temple d'Ollimaml, d'où nous nous sommes réfugiés dans la ville de Talanac. Là, nous avons eu la chance de rencontrer Clatatol et sa bande. A peine quatre jours plus tard, les Drachelanders investissaient la ville. J'ignore comment les Cloches Noires s'y sont prises pour posséder von Turbat, von Swindebarn et les autres.

— Elles ont pénétré en Dracheland », dit Kickaha, « et se sont emparées des deux rois sans que leurs sujets s'en aperçoivent. Elles ne savaient probablement pas que je me trouvais à Talanac mais elles doivent me connaître, je suppose, grâce aux films et aux enregistrements qui se trouvent au palais. Elles sont venues ici pour vous poursuivre, vous, les Seigneurs, mais ayant appris que je me trouvais ici, elles m'ont englobé dans la chasse.

— Pourquoi voudraient-elles te prendre ?

— Parce que je possède beaucoup de renseignements sur les " portes " secrètes et les pièges du palais. Entre autres, elles ne pourront pas pénétrer dans la salle d'armes si elles ne connaissent pas le code qui permet d'en ouvrir les portes. Voilà pourquoi elles me voulaient vivant. A cause des renseignements que je détiens.

— Y a-t-il des engins volants au palais ? » demanda Anania.

« Wolff n'en a jamais possédé.

— Je pense que les Cloches Noires en feront transiter plusieurs depuis mon monde. Il faudra cependant qu'elles les démontent pour les faire passer par les " portes " étroites du palais, et ensuite qu'elles les remontent. Mais lorsque les humains verront les appareils, il faudra que les Cloches fournissent quelques explications.

— Ils pourront les présenter au peuple comme des vaisseaux magiques », dit Kickaha.

Il aurait aimé avoir la Trompe de Shambarimen, ou d'Ilmarwolkin comme on l'appelait parfois. Lorsqu'on en tirait une suite de notes correspondant au point de résonance de n'importe quel univers, ce point devenait une « porte » reliant deux univers entre eux. La Trompe pouvait également servir de moyen d'accès à des points différents de la planète. On pouvait par conséquent se passer d'assortir les croissants qui permettaient l'accès aux « portes ». Mais Anania n'avait pas vu la Trompe. Il était propable que Wolff, où qu'il fût allé, l'avait emportée avec lui.

Les jours et les nuits qui suivirent furent passablement inconfortables. Ils marchaient tous deux de long en large sur la corniche afin de se procurer un peu d'exercice, et ils déliaient parfois Petotoc pour le laisser assouplir ses muscles en marchant, tandis que Kickaha le tenait par une longue corde dont l'extrémité était nouée autour de son cou. Ils dormaient d'un sommeil agité. Bien qu'ils eussent décidé de ne laisser brûler la lampe que de temps en temps afin d'économiser le combustible, ils la laissaient allumée presque en permanence.

Le troisième jour, un certain nombre d'hommes montèrent à bord du navire. L'ancre fut levée et les avirons battirent l'eau. Il était propable que l'on conduisait le bateau aux docks. Il y eut un choc contre un quai et, à travers les cloisons, ils entendirent le bruit provoqué par l'embarquement des marchandises. Ce bruit dura quarante-huit heures sans interruption. Puis le navire quitta le dock et, au rythme du marteau du chef de nage, les rameurs se remirent à manœuvrer les avirons en cadence. Ce bruit monotone allait se faire entendre sans discontinuer pendant plusieurs jours et plusieurs nuits.

8

LE voyage dura environ six jours. Puis le navire s'arrêta, l'ancre fut mouillée et le bruit provoqué par le déchargement des marchandises parvint aux oreilles des fugitifs. Kickaha était certain que le navire s'était dirigé vers l'ouest et qu'ils se trouvaient à la lisière des Grandes Plaines.

Lorsque tout fut redevenu silencieux, il quitta la cachette et s'éloigna du bateau à la nage. En approchant de la terre, il vit des docks, d'autres navires, une grande bâtisse en rondins devant laquelle brûlait un feu et, à l'est, une colline peu élevée et très boisée.

Ils avaient atteint la ville frontière qui était le point de destination des navires fluviaux. Là, les marchandises étaient transbordées dans des chariots géants qui se dirigeaient en caravane vers la Grande Piste du Négoce.

Kickaha n'avait pas l'intention de laisser partir Petotoc, mais il lui demanda s'il désirait demeurer avec eux ou s'il préférait prendre le risque de rejoindre les Tishquetmoacs. Petotoc répondit qu'il était recherché pour le meurtre d'un agent de police, et qu'il préférait tenter sa chance en leur compagnie.

Ils se glissèrent dans une ferme à la limite de la ville et volèrent des vêtements, des armes et trois chevaux. Pour ce faire, il leur fallut assommer le fermier, sa femme et leurs deux fils pendant leur sommeil. Puis il enfourchèrent les chevaux et s'éloignèrent, laissant derrière eux la ville fortifiée et le fort qui marquait la frontière. Ils atteignirent la lisière des Grandes Plaines avant l'aube, et décidèrent d'emprunter la voie commerciale pendant un certain temps.

Le but de Kickaha était de rejoindre les montagnes où se trouvait le village des Hrowakas, à mille cinq cents kilomètres de là. Une fois parmi le Peuple de l'Ours, ils pourraient bâtir un plan de campagne comportant l'utilisation de quelques « portes » secrètes de ce niveau.

Kickaha avait essayé de remonter le moral d'Anania durant leur claustration dans le compartiment clandestin du navire, en plaisantant et en riant, mais doucement afin que les marins ne puissent l'entendre. Maintenant, on aurait dit qu'il explosait tant il parlait et riait. Anania en fit la remarque, disant qu'il était devenu un homme heureux ; il rayonnait littéralement de joie.

« Pourquoi pas ? » répondit-il en montrant d'un geste les Grandes Plaines. « L'air est ivre de soleil, de verdure et de vie. D'immenses prairies onduleuses s'étendent devant nous, qui ressemblent beaucoup à ce qu'étaient les plaines de l'Amérique du Nord avant l'arrivée des Blancs, mais en plus exotique, romantique ou pittoresque, ou quelque adjectif que l'on puisse employer. Il y a des bisons par millions, des chevaux sauvages, des daims, des antilopes et de grands fauves comme le Felis Atrox, le lion rayé des Grandes Plaines, un animal courant qui est une sorte de guépard descendant du puma. Il y a également le loup des Plaines, le coyote et le chien de prairie. Les Plaines grouillent de vie. Il n'y a pas seulement des animaux pré-colombiens mais aussi de nombreuses espèces que Wolff a ramenées de la Terre et qui là-bas se sont éteintes. Par exemple, le mastodonte, le mammouth, le chameau des plaines et beaucoup d'autres.

» Et il y a aussi les tribus nomades d'Amérindia : une fusion d'Indiens d'Amérique, de Scythes, de Sarmates et de nomades blancs des anciennes Russie et Sibérie. Et aussi les Hommes-Chevaux, les centaures créés par Jadawin, dont le langage et les coutumes sont ceux des tribus des Plaines.

» Oh, il y aurait tant de choses à dire — et il y a tant de choses que je ne connais pas mais que je connaîtrai un jour ! Te rends-tu compte que la superficie de cette terre est plus grande que celles des Amériques du Nord et du Sud de ma Terre natale réunies ?

» Ce monde fabuleux ! Mon monde ! Je crois que j'étais né pour lui et je pense qu'il faut voir autre chose qu'une coïncidence dans le fait que j'aie trouvé le moyen d'y pénétrer. C'est un monde dangereux, mais quel monde ne l'est pas, la Terre y compris ? J'ai été le plus fortuné des hommes en réussissant à pénétrer ici, et je ne reviendrais sur la Terre à aucun prix. Ceci est mon monde ! »

Anania eut un léger sourire et dit :

« Tu es enthousiaste parce que tu es jeune. Attends un peu d'avoir dix mille ans. Tu trouveras alors moins de raisons de te réjouir.

— J'attendrai », dit-il. « J'ai cinquante ans, je pense, mais je me sens, au physique comme au moral, comme un jeune homme de vingt-cinq ans. »

Kickaha apprit qu'Anania connaissait un peu la Terre pour y être allée à plusieurs reprises — sa dernière visite remontant à l'an du Christ 1888. Elle y était allée « en vacances », suivant sa propre expression.

Ils atteignirent un bois, et Kickaha suggéra d'y camper pour la nuit. Il partit chasser et revint avec un daim nain. Il le découpa et le fit rôtir au-dessus d'un petit feu. Ensuite, ils coupèrent tous trois des branches et en firent une plate-forme qu'ils posèrent sur deux branches surélevées d'un arbre. Ils convinrent de monter la garde à tour de rôle, une heure chacun. Anania doutait de pouvoir dormir lorsque ce serait le tour de Petotoc d'assurer la veille, mais Kickaha lui affirma qu'ils n'avaient rien à craindre. Le Tishquetmoac était bien trop effrayé à la pensée de demeurer seul dans cette région désertique pour songer à les tuer et à se sauver. C'est alors qu'Anania avoua qu'elle était heureuse que Kickaha soit avec elle.

Il fut surpris, agréablement d'ailleurs, il lui dit :

« Tu es humaine, après tout. Il y a peut-être quelque espoir pour toi. »

Elle se fâcha, lui tourna le dos et fit semblant de s'endormir. Il sourit et prit son tour de veille. La lune était un grand disque vert dans le ciel. La nuit était remplie de bruits mais ils venaient de très loin — le barrissement d'un mammouth ou d'un mastodonte, le rugissement d'un lion, le hennissement d'un cheval sauvage ou le sifflement isolé d'une belette géante. Cela le fit frissonner tandis que les trois chevaux se mettaient à hennir. L'animal qu'il redoutait le plus après l'homme et le centaure était la belette géante. Mais son heure de guet s'écoula sans qu'il en vit ou entendit une autre et les chevaux se calmèrent. Il expliqua à Petotoc ce qu'était la belette. Il lui conseilla de bien scruter toutes les ombres afin de ne pas se laisser surprendre par la grande forme souple et de ne pas hésiter à se servir de son arc s'il voyait quelque chose de suspect. Il voulait être certain que le Tishquetmoac ne s'endormirait pas en montant la garde.

A l'aube, alors que c'était à nouveau au tour de Kickaha d'assurer la veille, il aperçut un bref éclair lumineux produit par quelque chose de blanc dans le ciel. Mais une minute plus tard, le soleil levant illumina à nouveau l'objet mystérieux. Il était très éloigné mais bien visible et perdait rapidement de l'altitude. C'était une sorte d'avion sans ailes, long et effilé. Lorsqu'il fut plus rapproché, Kickaha vit qu'il comportait une protubérance en son milieu, une sorte de carlingue. Le temps d'un éclair, il aperçut les silhouettes des quatre hommes qui le montaient. Puis l'engin traversa la prairie, s'amenuisa et disparut dans le lointain.

Kickaha réveilla Anania et lui dit ce qu'il avait vu. Elle répondit :

« Les Cloches Noires ont dû amener un appareil de mon palais. C'est très ennuyeux, car non seulement l'engin peut parcourir très rapidement une grande partie du territoire, mais il est armé de deux lance-rayons à longue portée. D'autre part, l'équipage doit être équipé de lance-rayons portatifs.

— Nous voyagerons de nuit », dit Kickaha, « mais alors il nous faudra dormir à découvert pendant le jour. Il y a de nombreux endroits boisés dans les Grandes Plaines, mais ils sont presque toujours éloignés de la route que nous suivons.

— Ils ont peut-être plusieurs appareils », dit Anania, « et il se pourrait qu'ils opèrent des patrouilles de nuit. Ils pourront nous voir et aussi nous localiser grâce à des dispositifs qui détectent les radiations émises par nos corps ».

Il n'y avait rien d'autre à faire que de continuer à chevaucher, tantôt à découvert, tantôt à l'abri des arbres, en espérant que la chance voudrait bien tenir les Cloches Noires éloignées de leur route. Le jour suivant, alors que la petite troupe franchissait la crête d'une colline basse, Kickaha aperçut des cavaliers dans le lointain. Ce n'étaient pas des nomades des Plaines comme on aurait pu s'y attendre, ni des Tishquetmoacs. Ils portaient des armures et des casques qui étincelaient au soleil. Kickaha se retourna pour avertir les autres.

« Ce sont sans doute des Teutoniques de Dracheland », dit-il. « Je ne sais pas comment ils ont pu arriver jusqu'ici aussi vite... Oh, attendez!... C'est ça. Ils ont dû franchir une " porte " qui se trouve à quinze kilomètres d'ici. Ses croissants sont enchâssés au sommet de deux rochers enfouis auprès d'un trou d'eau. Je me demande si je ne devrais pas aller faire un tour par là afin d'étudier les choses de près... quoique en définitive cela n'en vaille guère la peine. C'est un passage à sens unique. »

On avait dû envoyer un détachement de Teutoniques à la recherche de Kickaha, afin de lui barrer la route et de l'empêcher de regagner les montagnes où vivaient les Hrowakas.

« Il leur faudrait un million d'hommes pour me découvrir dans les Grandes Plaines, et même s'ils me trouvaient, j'arriverais à m'échapper », affirma Kickaha. « Mais cet engin volant, c'est autre chose. »

Trois jours s'écoulèrent sans incident, si l'on excepte la rencontre qu'ils firent d'une famille de Felis Atrox qui gîtait dans une petite caverne. Le mâle et la femelle sautèrent sur leurs pattes en grondant. Le mâle, dont le poids devait atteindre cinq cents kilos, avait une robe fauve rayée de bandes claires. Sa crinière était courte mais épaisse. La femelle était plus petite et ne devait pas dépasser trois cent cinquante kilos. Les lionceaux avaient la taille d'ocelots à demi adultes.

A voix basse, Kickaha conseilla à ses compagnons de se mettre au pas derrière lui, puis il fit pivoter sa monture tremblante et s'éloigna des fauves. Les deux lions avancèrent de quelques pas puis s'immobilisèrent, se contentant de regarder les humains avec fureur tout en rugissant. Ils ne tentèrent pas de les attaquer. Derrière eux, le corps à demi dévoré d'un zèbre donnait la raison de leur passivité.

Le quatrième jour, ils aperçurent une caravane de marchands tishquetmoacs. Kickaha s'en trouvait à près d'un kilomètre et, à cette distance, il ne risquait pas d'être reconnu. Il était désireux de poser des questions aux marchands mais il se garda de répondre à Anania, qui voulait connaître les raisons de sa curiosité. Son intention était simplement de se tenir au courant des événements afin de n'être pas surpris si la situation venait à évoluer.

Anania redoutait que Petotoc ne profitât d'un relâchement de leur surveillance pour courir vers la caravane. Mais Kickaha gardait son arc prêt à tirer et Petotoc avait suffisamment de preuves de son habileté pour s'abstenir de la moindre manœuvre déloyale.

La caravane était composée de quarante grands équipages. Les chariots étaient du modèle que préféraient les Tishquetmoacs lorsqu'il s'agissait d'acheminer des quantités importantes de marchandises à travers les plaines. C'étaient des véhicules à double étage, montés sur dix roues, et remorqués par quarante mules plus grosses que des percherons. Des chariots plus petits servaient de dortoir et de dépôt de vivres aux marchands et à l'escorte de cavaliers qui protégeait le convoi. Cette escorte comprenait une cinquantaine d'hommes. Le convoi était suivi par une troupe imposante de chevaux et de mules de rechange. Femmes et enfants compris, le nombre de personnes qui accompagnaient le convoi était de l'ordre de trois cent cinquante.

Kickaha poussa sa monture et se mit à chevaucher parallèlement à la caravane afin de l'étudier. Au bout d'un moment, Anania lui demanda : « A quoi penses-tu ? »

Il sourit et répondit : « Ce convoi se dirige vers un point situé à trois cent cinquante kilomètres des montagnes où vivent les Hrowakas. Comme il va lui falloir pas mal de temps pour y arriver, ce à quoi je pense ne serait pas très pratique. C'est trop audacieux, de toute manière. Et puis il faut tenir compte de Petotoc. »

Après qu'elle eut longtemps insisté pour connaître le fond de sa pensée, il lui expliqua ce qu'il avait envisagé de faire. Elle se dit qu'il était fou. Puis, après avoir réfléchi quelque temps, elle dut admettre que l'originalité de son plan et son côté inattendu pouvaient être un facteur de réussite, pour peu qu'ils eussent de la chance, et malgré le danger que cela impliquait. Mais, comme il le disait, il ne fallait pas oublier Petotoc.

A un certain moment, alors que le Tishquetmoac était trop loin pour entendre ce qu'elle disait, elle avait insisté pour qu'ils se débarrassent de lui en le tuant. Elle affirmait qu'il les poignarderait dans le dos s'il avait la certitude de pouvoir ensuite se mettre en sûreté. Kickaha était de son avis, mais il ne pouvait pas le tuer uniquement pour ce motif. Il envisagea un instant de l'abandonner dans la prairie mais il renonça à cette idée en pensant que ses poursuivants pourraient fort bien le capturer et le faire parler.

Ils s'éloignèrent de la caravane mais continuèrent à suivre une route parallèle pendant plusieurs jours, à quelques kilomètres de distance. La nuit, ils s'éloignaient encore plus car Kickaha ne voulait pas se laisser surprendre. Le troisième jour, alors qu'il projetait d'abandonner complètement le convoi pour obliquer vers le sud, il aperçut à nouveau l'étincellement de l'engin volant dans le ciel. Les trois fugitifs galopèrent vers un bosquet assez touffu au milieu duquel ils dissimulèrent leurs chevaux. Puis ils escaladèrent le flanc d'une colline en se frayant un passage à travers les hautes herbes, s'allongèrent et observèrent la caravane.

A cette distance, ils ne pouvaient apercevoir les cavaliers d'escorte que sous la forme de minuscules silhouettes. L'engin volant piqua, redressa à quelques mètres du sol, survola la caravane en rase-mottes, fit demi-tour et vint s'immobiliser devant l'équipage de tête. Le convoi s'arrêta.

Pendant un certain temps, un groupe d'hommes se tint à proximité de l'appareil. Malgré la distance, Kickaha put voir les Tishquetmoacqs agiter furieusement les bras. Puis les marchands firent demi-tour et regagnèrent les chariots.

Ensuite se développa un processus qui dura un jour entier, bien que les Tishquetmoacs travaillassent avec ardeur. Tous les fourgons furent déchargés et fouillés méticuleusement.

« Heureusement que nous n'avons pas mis mon plan en application », dit Kickaha à Anania. « On nous aurait certainement découverts. Ces types » — il voulait parler des Cloches Noires — « font les choses à fond. »

Cette nuit-là, ils s'enfoncèrent profondément dans les bois et n'allumèrent aucun feu. Le matin venu, Kickaha revint à leur poste d'observation et constata que l'engin volant avait disparu. Les Tishquetmoacs, qui avaient dû se lever très tôt, avaient presque achevé de recharger les véhicules. Il regagna le campement et dit à Anania :

« Maintenant que les Cloches Noires ont inspecté ce convoi — je doute qu'ils recommencent une deuxième fois

— rien ne s'oppose à ce que nous fassions ce que j'ai suggéré. Malheureusement, il y a Petotoc. »

Il ne revint pourtant pas à son autre plan qui consistait à obliquer vers le sud. Au contraire, il décida de rester à proximité de la caravane. Il avait l'intuition que les Cloches Noires ne reparaîtraient pas dans les parages avant un certain temps.

Le cinquième jour, il partit seul à la chasse. Il revint avec un petit daim en travers de sa selle. Il avait laissé Anania et Petotoc à l'abri d'un bosquet, sur le versant sud d'une colline. Anania était toujours là mais Petotoc gisait sur le dos, la bouche ouverte et les yeux fixes. Un couteau était planté dans son plexus solaire.

« Il a essayé de me violer, ce *leblabbiy!* » dit Anania. « Il m'a demandé d'être à lui, j'ai refusé, alors il m'a jetée sur le sol et a tenté de me prendre de force. »

Il était vrai que Petotoc avait souvent posé sur Anania des regards pleins de convoitise, mais n'importe quel homme en aurait fait autant. Par contre, il n'avait jamais tenté de la toucher ni fait la moindre remarque suggestive. Cela ne signifiait nullement qu'il n'eût pas eu l'intention de le faire à la moindre occasion propice, mais Kickaha doutait qu'il eût osé faire des avances à Anania. Elle lui inspirait en fait une sorte de crainte respectueuse et il avait bien trop peur d'être abandonné dans la prairie.

Mais, d'un côté, il ne pouvait pas prouver qu'il y avait eu meurtre ou même mensonge de la part d'Anania. Ce qui était fait ne pouvait se défaire, il se contenta de lui dire :

« Reprends ton couteau et nettoie-le. Je me suis souvent demandé ce que tu ferais si je te demandais de coucher avec moi. Maintenant, je le sais. »

Elle le surprit en répondant :

« Tu n'es pas cet homme. Essaie toujours et tu verras bien.

— Non », répondit-il avec rudesse, puis il la regarda avec curiosité. Aux dires de Wolff, les Seigneurs étaient totalement amoraux. En vérité, la plupart d'entre eux l'étaient. Anania était une créature d'une beauté extraordinaire qui, peut-être, était frigide. Pourtant, pour une femme frigide, dix mille ans devaient constituer une période interminable. Et il devait bien exister dans l'arsenal scientifique des Seigneurs un moyen de vaincre la frigidité. Mais, à l'opposé, est-ce qu'une femme passionnée pourrait l'être encore après dix mille ans d'existence ?

En dépit de la durée extraordinaire de leur vie, les Seigneurs vivaient au jour le jour, avait dit Wolff. Tout comme les mortels, ils étaient pris dans le cours du temps. Et leurs mémoires étaient loin d'être parfaites, ce qui était heureux pour eux. De sorte que, bien qu'ils fussent sujets à l'ennui et à la lassitude à un degré plus grand que les simples mortels, ils n'étaient pas pour autant sujets à l'accablement. Le pourcentage de suicides chez les Seigneurs était finalement inférieur à celui d'un groupe humain ordinaire équivalent, mais ceci pouvait être attribué au fait que ceux qui avaient une propension au suicide s'étaient déjà supprimés depuis longtemps.

Quels que pussent être les sentiments d'Anania, elle n'allait pas les lui révéler. Si elle souffrait de frustration sexuelle, comme lui en ce moment, elle ne le laissait pas deviner. Il était même impensable — dans son optique à elle — qu'elle pût avoir envie de faire l'amour avec un humain, être inférieur et même répugnant. Pourtant, il avait entendu parler de l'intérêt que les Seigneurs portaient à leurs sujets humains les plus séduisants. Wolff lui-même avait avoué que, lorsqu'il était Jadawin, il s'était servi à maintes reprises de son pouvoir irrésistible pour obtenir ce qu'il désirait des plus belles femmes de ce monde.

Kickaha haussa les épaules. Il avait pour l'instant à penser à des choses beaucoup plus importantes. Et en premier lieu, à survivre.

9

PENDANT les deux jours qui suivirent, ils durent chevaucher à une certaine distance de la caravane car des groupes de chasseurs s'en écartaient fréquemment, en quête de bisons, de daims et d'antilopes. C'est au moment où ils prenaient du champ afin de se tenir hors de la vue des Tishquetmoacs qu'ils se trouvèrent presque nez à nez avec un petit groupe de chasseurs satwikilaps. Ces Amérindiens, peints de bandes verticales noires et blanches de la tête aux pieds, avaient de longs cheveux noirs noués en chignon sur le sommet de la tête et un os planté en travers de la cloison nasale. Ils portaient des colliers de dents de lion et des mocassins de daim. Ils galopaient derrière un troupeau de bisons en tirant des flèches sur un traînard et n'aperçurent pas les deux fugitifs.

Le hasard voulut que les Tishquetmoacs furent lancés à la poursuite du même troupeau, mais ils galopaient du côté opposé, séparés des Satwikilaps par l'énorme masse mouvante de la harde, large de près d'un kilomètre et demi.

Kickaha prit soudain une décision, et il dit à Anania qu'il comptait agir dès la nuit venue. Elle hésita puis répondit qu'après tout ils pouvaient bien essayer. Il fallait certainement tenter tout ce qui était susceptible de les soustraire à la vue des Cloches Noires.

Ils attendirent que les caravaniers, après avoir mangé de la viande grillée copieusement arrosée de gin et de vodka, fussent partis se coucher en chancelant. Des sentinelles, qui elles n'avaient pas bu, étaient postées à intervalles réguliers de part et d'autre du convoi, qui était prudemment aligné sur la Grande Voie du Négoce, dans les limites balisées par les poteaux surmontés de statuettes sculptées à l'effigie du dieu du commerce et des affaires, si bien que les Tishquet-moacs n'avaient vraiment pas à se préoccuper d'une attaque de la part d'humains ou d'Hommes-Chevaux. Il était possible qu'un animal, belette géante ou lion, tentât de s'aventurer dans le camp afin d'essayer de capturer un cheval ou même un homme, mais c'était improbable et l'atmosphère était détendue.

Kickaha désharnacha leurs chevaux et les fit partir d'une grande claque sur la croupe. Il les plaignit un peu car c'étaient des bêtes domestiques qui ne survivraient sans doute pas longtemps au milieu des dangers multiples qui se dissimulaient dans les Grandes Plaines sauvages. Il leur fallait tenter leur chance comme lui-même tentait la sienne.

Ils confectionnèrent des paquets contenant des gourdes d'eau, de la viande et des légumes secs et se les assujettirent dans le dos. Puis, un poignard entre les dents, ils entreprirent de ramper vers le convoi dans la nuit éclaboussée par la lumière de la lune.

Ils parvinrent sans encombre à proximité de deux gardes postés à quarante mètres l'un de l'autre, se faufilèrent entre eux et continuèrent en direction d'un énorme fourgon à six roues qui était le vingtième dans la file de véhicules. Poursuivant leur reptation silencieuse, ils longèrent des voitures plus petites dans lesquelles ronflaient des hommes, des femmes et des enfants. Il n'y avait pas de chiens dans la caravane, pour une raison bien simple : le puma-guépard et la belette géante étaient particulièrement friands de ces animaux, si bien que les Tishquetmoacs avaient depuis longtemps renoncé à en emmener avec eux à travers les Grandes Plaines.

Il ne leur fut pas facile d'aménager une cachette au sein des ballots de marchandises empilés sur le niveau inférieur d'un chariot. Ils eurent à déplacer un certain nombre de caisses et de pièces de tissu qu'ils replacèrent ensuite au-dessus du trou qui allait leur servir d'abri durant les heures du jour. Kickaha espérait que personne ne remarquerait l'arrangement différent des colis.

Ils disposaient de deux bouteilles vides destinées à des fins hygiéniques, et les couvertures s'avérèrent une couche confortable... jusqu'au matin.

Le chariot, de construction rudimentaire, ne comportait aucune suspension. Bien que la piste parût assez unie à un homme qui la parcourait à pied, elle était parsemée d'inégalités qui se communiquaient intégralement au véhicule rigide.

Anania fit remarquer que si elle avait souffert de claustrophobie pendant leur séjour dans le compartiment secret du navire, elle avait maintenant l'impression d'être étouffée par un glissement de terrain. La température extérieure dépassait rarement quarante degrés à midi mais le manque de ventilation et la promiscuité menaçaient de les étouffer. Ils durent s'accroupir et coller leur visage aux interstices aménagés entre les colis pour éviter l'asphyxie.

Kickaha agrandit ces ouvertures bien que cela l'ennuyât considérablement, car ils risquaient ainsi d'être découverts par les caravaniers. Toutefois, personne ne s'aviserait sans doute d'examiner les chargements pendant que le convoi était en route.

Ils se reposèrent peu le premier jour. La nuit venue, tandis que les Tishquetmoacs dormaient, ils se faufilèrent hors de leur cachette, rampèrent entre deux sentinelles et allèrent jusqu'à un trou d'eau où ils remplirent leurs gourdes et se baignèrent. Puis ils satisfirent leurs besoins naturels, ce qui leur avait été sinon impossible, du moins très incommode à l'intérieur du chariot. Après cela, ils prirent un peu d'exercice afin de chasser les crampes et l'ankylose dues à leur position inconfortable et aux secousses du véhicule. Kickaha en vint à se demander si, après tout, il avait été intelligent d'agir ainsi qu'il l'avait fait. Cela lui avait semblé être la chose la plus audacieuse du monde que de se cacher littéralement sous le nez — pour ne pas dire sous le derrière — des Tishquetmoacs. Seul, il aurait été plus à son aise. Bien qu'Anania ne se plaignît pas excessivement, ses invectives, ses murmures et ses gémissements à demi réprimés l'impatientaient et l'ennuyaient. Il était impossible, dans une cachette aussi exiguë, de ne pas se toucher fréquemment ; pourtant elle réagissait chaque fois avec violence. Elle lui disait de demeurer dans sa moitié de « cercueil », de ne pas faire ainsi étalage de son corps, et autres aménités.

Kickaha commençait à envisager sérieusement de lui dire de s'en aller seule et, si elle refusait, de l'assommer et de l'abandonner quelque part en arrière. Parfois, il pensait aussi à l'égorger ou à l'attacher à un arbre pour que les loups ou les lions la dévorent.

C'était là, pensa-t-il, un bon début pour une histoire d'amour !

Voilà qu'il se prenait lui-même en flagrant délit ! Il avait bien pensé : *histoire d'amour*. Comment pouvait-il être tombé amoureux d'une pareille garce, vicieuse, arrogante et meurtrière ?

Pourtant, c'était ainsi. Pour autant qu'il la haïsse, l'exècre et la méprise, il commençait à l'aimer.

L'amour n'était pas un sentiment nouveau pour Kickaha, ni dans ce monde ni dans l'autre, mais jamais il ne s'était présenté dans de pareilles circonstances.

Sans aucun doute, hormis Podarge dont Anania était la réplique exacte, du moins en ce qui concernait le visage, et l'étrange et surnaturelle Chryséis, sa compagne actuelle haïe et aimée à la fois était la plus belle femme qu'il eût jamais vue.

Ce n'était pas toutefois cette raison qui la lui faisait automatiquement aimer. Il appréciait naturellement la beauté chez une femme mais il était beaucoup plus susceptible de tomber amoureux d'une femme à la personnalité agréable, à l'esprit et au tempérament vifs, que d'une femme désagréable et stupide. Si la femme, sans être belle, était raisonnablement séduisante, il pouvait en tomber amoureux s'il se découvrait certaines affinités avec elle.

Anania était indubitablement désagréable. Pourquoi alors cet amour, allié à l'hostilité qu'il ressentait à son égard ?

Qui le sait ? pensa Kickaha. *Evidemment, moi je n'en sais rien. Et ceci est bon en soi car je n'aimerais pas éprouver le sentiment désagréable de pouvoir toujours prévoir mes réactions à l'avance.*

L'ennui, avec cette histoire d'amour, c'est qu'elle était probablement destinée à demeurer unilatérale. Elle pourrait présenter un certain intérêt sensuel mais il serait éphémère et s'accompagnerait de mépris. Anania ne pourrait sans doute jamais aimer un *leblabbiy*. D'ailleurs, il doutait qu'elle pût jamais aimer quelqu'un. Les Seigneurs étaient au-dessus de l'amour. C'était du moins ce que Wolff lui avait dit.

Le second jour s'écoula plus rapidement que le premier ; ils purent dormir un peu l'un et l'autre. La nuit suivante, ils durent escalader un arbre pour se mettre à l'abri d'une bande de lions qui venaient boire dans un trou d'eau où eux-mêmes s'étaient désaltérés et baignés. Alors que les heures s'écoulaient sans que les fauves aient manifesté le désir de s'éloigner, Kickaha commença à désespérer. L'aube allait bientôt paraître et il leur serait alors impossible de regagner leur cachette. Il dit à Anania qu'il leur fallait descendre et essayer de bluffer les gros chats.

Kickaha, comme d'habitude, avait une idée derrière la tête. Il espérait que si elle avait une arme dissimulée sur elle ou implantée dans son corps, elle la découvrirait mainte-nant. Rien n'apparut dans ses mains. Ou bien elle n'en possédait pas, ou alors elle n'estimait pas que la situation fût suffisamment désespérée pour avoir à s'en servir. Elle lui dit qu'il pouvait tenter d'effrayer les monstres si cela lui chantait ; pour sa part, elle demeurerait à l'abri dans l'arbre jusqu'à ce qu'ils fussent partis.

« En d'autres circonstances, j'épouserais ton avis », rétor-qua-t-il, « mais il est nécessaire que nous regagnions le chariot dans la demi-heure qui va suivre.

— Moi, je reste », dit-elle. « De toute façon, tu n'as encore rien tué que nous puissions manger avant de nous en aller. Passe encore de demeurer un autre jour dans ce cercueil, mais pas avec le ventre vide.

— Et toute cette viande sèche et ces légumes que tu as emportés ?

— J'ai faim à longueur de journée », répliqua-t-elle.

Kickaha entreprit de descendre de l'arbre. La plupart des fauves semblaient ne lui prêter aucune attention. Mais un grand lion bondit soudain en l'air et une énorme patte aux griffes acérées arracha un morceau d'écorce à vingt centimè-tres de son pied. Il remonta précipitamment à la hauteur d'Anania.

« Ils n'ont pas l'air d'humeur à se laisser bluffer », dit-il. « Quelquefois, ça réussit. Mais aujourd'hui... »

De son perchoir, il pouvait apercevoir une partie du convoi, grâce au clair de lune. Cette dernière disparut bientôt derrière le monolithe et le soleil fit son apparition, venant de l'est.

Les caravaniers s'éveillèrent et sortirent de leurs rou-lottes. On alluma des feux de camp et, pendant que le petit déjeuner rôtissait, les Tishquetmoacs se mirent en devoir de lever le camp. Un certain nombre de soldats firent leur apparition et enfourchèrent leurs chevaux. Ils étaient hauts en couleurs avec leurs casques de bois ornés de longues plumes, leurs cuirasses d'étoffe capitonnée écarlate, leurs kilts de plumes vertes et leurs jambières jaunes. Ils se formèrent en un large croissant à l'intérieur duquel se placèrent des hommes et des enfants qui portaient des pots, des bouilloires, des jarres et autres ustensiles. La troupe s'ébranla et prit la direction du point d'eau où les lions s'ébrouaient.

Kickaha maugréa. Il lui arrivait de se prendre au piège lui-même, et il semblait que ce fût le cas ce jour-là.

Il n'y avait pas à hésiter. Il était préférable d'affronter les lions plutôt que de se laisser capturer par les Tishquet-moacs. Il eût évidemment pu essayer de les persuader de ne pas le livrer aux Teutoniques, mais il doutait fort qu'ils se laissent convaincre. De toute manière, il ne pouvait se permettre de compter sur leur mansuétude à son égard. Il se tourna vers Anania.

« Je file vers le nord aussi vite que possible », dit-il. « Tu viens avec moi ? »

Elle baissa son regard vers le vieux mâle qui était tapi au pied de l'arbre et qui la fixait de ses immenses yeux verts. Sa gueule entrouverte découvrait quatre canines, deux en haut et deux en bas, aussi longues que des poignards.

« Je crois que tu es fou », dit-elle.

« Alors, reste. A plus tard — s'il y a un plus tard. »

Il se mit à descendre, mais du côté opposé à celui où se trouvait le lion. L'énorme animal se mit sur ses pattes en rugissant et ses congénères l'imitèrent, prêts à foncer sur les Tishquetmoacs qui approchaient. Le vent leur avait apporté leur odeur.

Pendant un moment, les grands félins semblèrent hésiter sur la conduite à tenir. Puis le mâle qui se tenait au pied de l'arbre rugit, s'éclipsa et les autres le suivirent.

Kickaha se laissa alors glisser sur le sol et courut dans la même direction que les fauves. Il ne regarda pas en arrière mais il espérait qu'Anania aurait assez de présence d'esprit pour le suivre. Si les soldats la capturaient ou même s'ils l'apercevaient, ils se mettraient à explorer les environs dans l'espoir de mettre la main sur les autres fugitifs.

Il entendit le claquement de ses pieds derrière lui. Il se

retourna, non pour la regarder, mais pour voir si les cavaliers les pourchassaient. Apercevant un casque qui pointait derrière le sommet d'une légère éminence, il saisit Anania à bras le corps et l'obligea à s'allonger auprès de lui dans l'herbe haute.

Un cri s'éleva. Comme il fallait s'y attendre, le cavalier les avait vus. Qu'allait-il se passer maintenant ?

Kickaha se releva et regarda. Le cavalier était maintenant entièrement visible. Il était debout sur ses étriers et faisait des gestes avec sa main gauche. D'autres soldats apparurent derrière lui. Il mit alors sa lance à l'horizontale et éperonna son cheval.

Kickaha se retourna. La plaine s'étendait jusqu'à l'horizon, couverte de hautes herbes et parsemée de bouquets d'arbres. Au loin moutonnait une masse grise — un troupeau de mammouths. Les lions se trouvaient quelque part, invisibles dans l'herbe.

Les grands fauves pouvaient être sa sauvegarde. S'il réussissait, au moment voulu, à les dépasser en les évitant, alors il pourrait s'enfuir.

Il cria : « Suis-moi ! » et se mit à courir de toute la vitesse de ses jambes. Derrière lui, les soldats hurlèrent et les sabots des chevaux firent trembler le sol.

Les lions ne s'intéressèrent pas à lui. Ils se mirent à courir dans tous les sens, sans panique, bondissant tranquillement comme s'ils n'éprouvaient aucun désir de se retourner pour l'attaquer. Néanmoins, ils ne lui procurèrent pas l'opportunité de s'enfuir comme il l'avait espéré. Il eut simplement la satisfaction de voir un cavalier et sa monture s'abattre sous l'attaque d'un des fauves qui était demeuré à l'affût et qui se mit à les déchiqueter.

Plusieurs soldats dépassèrent Kickaha, firent pivoter leur monture afin de se trouver face à lui puis s'immobilisèrent, la lance pointée. D'autres cavaliers vinrent se placer derrière lui, formés en croissant. Anania et lui se trouvaient pris entre les deux groupes, sans autre possibilité que celle de se jeter sur le fer des lances.

« Voilà ce qu'il en coûte d'être trop malin », dit Kickaha.

La boutade ne fit pas rire Anania. Il n'avait pas tellement envie de rire lui-même.

Il en eut encore moins envie lorsqu'on les entraîna jusqu'au convoi, entravés et sans défense. Le chef, Clishquat, leur apprit que la récompense pour leur capture avait été triplée. Bien sûr, il avait entendu parler de Kickaha; naturellement, il admirait et respectait le bien-aimé du Seigneur; mais les choses, n'est-ce pas, étaient maintenant différentes.

Kickaha devait bien en convenir. Il demanda à Clishquat si l'empereur était encore en vie. La question surprit le chef du convoi. Bien sûr que le *miklosiml* était vivant. C'était lui qui offrait la récompense, et c'était lui qui avait proclamé l'alliance des Tishquetmoacs avec les sorciers à la Face Pâle qui volaient dans un chariot sans roues.

La tentative que fit Kickaha de persuader les caravaniers de le garder captif, en leur expliquant ce qui se passait vraiment à Talanac, n'eut aucun effet. Le système de propagation des nouvelles au moyen de tambours et de courriers à cheval qui couvrait tout l'empire, avait appris aux villes frontières ce qui se passait dans la métropole. Evidemment, certaines de ces nouvelles étaient fausses mais Kickaha savait qu'il ne réussirait pas à en persuader Clishquat. Il ne pouvait pas l'en blâmer.

On donna aux deux captifs un repas complet; puis des femmes les baignèrent, huilèrent leur corps et leur chevelure, les coiffèrent et les revêtirent d'habits propres. Le chef, les sous-chefs et les soldats qui les avaient capturés se disputaient pendant ce temps-là. Le chef pensait que les soldats devaient partager la récompense avec lui. Les sous-chefs réclamaient également leur part. Puis les représentants du reste des caravaniers s'avancèrent et demandèrent que la récompense fût également partagée entre tous les membres du convoi.

Devant cette exigence, les chefs et les soldats se mirent à invectiver les nouveaux venus. Finalement, le chef les apaisa. Il indiqua qu'il n'y avait qu'un moyen de régler cette affaire, cela consistait à soumettre le cas à l'empereur. Ce qui signifiait en fait l'arbitrage par la haute cour de Talanac.

Les soldats élevèrent des objections. L'affaire traînerait des années avant d'être réglée, et à ce moment-là les frais de justice auraient englouti une grande partie du montant de la récompense.

Clishquat, après avoir effrayé tout le monde avec cette menace, proposa alors un compromis qui, il l'espérait, satisferait tout le monde. Un tiers de la récompense irait aux soldats, un tiers aux chefs civils de la caravane et le dernier tiers serait réparti équitablement entre les hommes qui restaient.

A la suite de cela, il y eut une discussion qui dura du déjeuner jusqu'au dîner. Le convoi, pendant tout ce temps, demeurait immobilisé. Puis, lorsque tout le monde fut plus ou moins d'accord sur les modalités du partage de la récompense, une autre dispute s'éleva. Le convoi devait-il poursuivre sa route en emmenant les deux prisonniers, avec l'espoir que la machine volante magique reviendrait comme l'avaient promis les sorciers ; les prisonniers seraient alors remis aux Faces Pâles. Ou était-il préférable que quelques soldats abandonnent la caravane pour ramener les captifs à Talanac ?

Certains objectèrent qu'il n'était pas sûr que les sorciers reviennent. Et s'ils le faisaient ils n'auraient certainement pas de place dans leur machine pour les prisonniers.

D'autres firent remarquer que les soldats qui seraient choisis pour escorter les captifs étaient fort capables de revendiquer pour eux seuls le montant de la récompense. Lorsque le convoi serait de retour à la civilisation, on pourrait fort bien apprendre que l'escorte avait dépensé l'argent. En l'occurrence, tout procès intenté serait vain.

Kickaha demanda à une femme comment les Faces Pâles s'y étaient pris pour converser avec le chef du convoi.

« Ils étaient quatre et chacun d'eux était assis sur un siège dans la machine magique », répondit-elle. « Mais un prêtre parlait pour eux. Il était assis aux pieds de celui qui était installé à l'avant, à droite. Les Face Pâles parlaient la langue des Seigneurs — je la reconnais quand je l'entends mais je ne la parle pas moi-même comme le font les prêtres — et le prêtre écoutait puis traduisait à mesure dans notre langue. »

Tard dans la nuit, alors que la lune avait parcouru la moitié de sa course dans le ciel, la discussion se poursuivait encore. Kickaha et Anania allèrent se coucher dans les lits de fourrures et de couvertures qu'on avait préparés pour eux à l'étage supérieur d'un chariot.

Lorsqu'ils se réveillèrent le lendemain matin, ils constatèrent que le camp avait été levé. Les Tishquetmoacs avaient pris la décision de poursuivre leur route en emmenant les prisonniers, en espérant que la machine volante magique reviendrait comme l'avaient promis ses occupants.

On permit aux deux captifs de marcher derrière le chariot durant le jour. Six soldats les entouraient, et six autres montaient la garde autour du chariot pendant la nuit.

10

LA troisième nuit, les événements prirent le tour que Kickaha avait espéré leur voir prendre. Les six gardes de service avaient énormément critiqué la décision prise de partager la récompense entre tous les membres de la caravane. Ils passèrent une bonne partie de la nuit à marmonner entre eux et Kickaha, qui était demeuré éveillé afin de tester la solidité des liens qui l'entravaient, surprit une grande partie de leur conversation.

Il avait recommandé à Anania de ne pas crier et de ne pas tenter de se débattre si les sentinelles la réveillaient. On les avertit sans ménagement de ne pas ouvrir la bouche s'ils ne voulaient pas avoir la gorge tranchée. On les fit passer entre deux sentinelles assommées au préalable, puis on les poussa vers un petit bosquet. Là se trouvaient des chevaux sellés et harnachés pour huit personnes, ainsi que des montures de rechange. Le groupe avança au pas pendant plusieurs kilomètres puis prit le galop. Ils chevauchèrent ainsi pendant toute la nuit et la moitié du jour suivant. Ils ne s'arrêtèrent pour camper que lorsqu'ils eurent mis une distance suffisante entre la caravane et eux. Comme ils avaient quitté la Grande Piste du Négoce et obliqué vers le nord, ils étaient à peu près certains de n'être pas suivis.

Le lendemain, ils infléchirent leur course afin de suivre une route parallèle à la piste, et le troisième jour, ils obliquèrent à nouveau afin de s'en rapprocher. Se sentir aussi éloignés de la sécurité qu'elle offrait, rendait les soldats nerveux.

Kickaha et Anania chevauchaient au milieu du groupe.

Leurs poignets étaient entravés mais on n'avait pas trop serré les cordes de manière qu'ils puissent tenir les rênes. À midi, le groupe fit halte. Ils venaient d'achever de manger leur lapin grillé et des légumes cuits dans une petite marmite lorsqu'un soldat posté en sentinelle sur un tertre voisin poussa un cri. Puis il dévala la pente au galop et, lorsqu'il fut proche d'eux, ils purent entendre ce qu'il criait : « Les Hommes-Chevaux ! »

La marmite fut vidée sur le feu et de la poussière répandue sur les cendres humides. A demi pris de panique, les soldats emballèrent n'importe comment leurs ustensiles de cuisine. On fit remonter à cheval les deux captifs et la petite troupe se dirigea vers le nord, dans la direction de la Grande Piste du Négoce.

C'est alors que Kickaha, Anania et les soldats aperçurent l'immense vague de bisons qui déferlait sur les plaines. C'était un troupeau gigantesque qui couvrait plusieurs kilomètres de largeur et qui s'étirait sur une longueur incroyable. Bien que le flanc droit du troupeau se trouvât à cinq kilomètres d'eux, ils sentaient nettement le sol vibrer sous le martèlement de centaines de milliers de sabots.

Pour une raison connue d'eux seuls, les bisons fuyaient. C'était une véritable débandade vers l'ouest et ils avançaient à une telle vitesse que le groupe n'était pas certain de pouvoir atteindre à temps la Grande Piste du Négoce. Ils avaient une chance d'y arriver mais ils ne pourraient en avoir la certitude qu'après s'être rapprochés considérablement du troupeau.

Les Hommes-Chevaux avaient aperçu les humains et ils s'étaient mis au galop. Ils étaient une trentaine environ, conduits par un chef coiffé d'un bonnet de plumes à crinière. Les guerriers avaient le front ceint d'un bandeau orné d'une plume, et la troupe comprenait quelques adolescents sans coiffure.

Kickaha poussa un grognement. Il lui semblait que les centaures appartenaient à la tribu des Shoyshatels, mais ils se trouvaient encore si loin qu'il était difficile de les reconnaître avec certitude. Le chef, pourtant, paraissait être celui qui lui avait crié des menaces lorsqu'il s'était réfugié dans le fort tishquetmoac.

Puis il se mit à rire, car le fait qu'ils appartinssent à une tribu ou à une autre n'avait aucune importance. Toutes les tribus d'Hommes-Chevaux haïssaient Kickaha et elles le traiteraient toutes avec la même cruauté si le malheur voulait qu'il fût capturé.

Il cria à Takwork, le chef des soldats : « Détache nos poignets. Ces cordes nous handicapent. Ne t'inquiète pas, nous n'avons aucune possibilité de vous semer. »

Pendant un moment, Takwok parut décidé à couper les cordes. Mais le danger qu'il courait à chevaucher si près du captif (les chevaux pouvaient se heurter et le prisonnier en profiter pour le désarçonner) le fit changer d'avis. Il secoua la tête.

Kickaha jura et s'allongea sur l'encolure de sa bête, essayant de lui communiquer tout le potentiel d'énergie musculaire que contenait son corps splendide. L'étalon ne répondit pas, car il galopait déjà à sa vitesse maximum.

Le cheval de Kickaha, bien que très rapide, se tenait à une longueur de la bête que montait Anania. Ils avaient probablement la même vitesse de pointe, mais la différence provenait du poids des deux cavaliers. Les autres galopaient à faible distance derrière eux, formés en une sorte de croissant, trois à gauche, trois à droite. Les Hommes-Chevaux atteignaient à ce moment le sommet de la hauteur où s'était tenue la sentinelle qui les avait aperçus. Ils ralentirent un instant, probablement stupéfaits à la vue du colossal troupeau de bisons. Puis ils agitèrent leurs armes et se mirent à dévaler la colline.

L'énorme vague animale continuait sa galopade vers l'ouest. La course des Tishquetmoacs et des deux prisonniers les conduisait vers le flanc droit du troupeau, suivant un angle de quarante-cinq degrés. Les centaures avaient légèrement obliqué vers l'ouest avant d'atteindre la colline et leur vitesse plus grande que celle des proies qu'ils convoitaient leur avait permis de réduire la distance qui les séparait d'elles.

Kickaha, qui étudiait l'angle formé par la ligne frontale du troupeau et son flanc droit — presque un angle droit — vit qu'ils avaient la possibilité de passer juste devant lui. Désormais, il dépendait de leur vitesse et de la chance qu'ils se retrouvent en sécurité de l'autre côté du troupeau. Mais s'ils ne pouvaient pas traverser parallèlement à la ligne frontale : en ce cas ils seraient immanquablement rattrapés, piétinés et déchiquetés. Il leur fallait galoper devant les bisons suivant un certain angle.

On allait savoir incessamment si les chevaux étaient capables de garder cette allure. Si l'un ou l'autre glissait ou bronchait, c'était la catastrophe.

Il cria des encouragements à Anania qui s'était retournée, mais le bruit des centaines de milliers de sabots piétinant le sol de la prairie, pareil au grondement d'un volcan en éruption, étouffa le son de sa voix. Ce grondement soutenu, l'odeur des bêtes et le nuage de poussière qu'elles soulevaient effrayaient Kickaha. Mais en même temps, il était rempli d'une sorte d'exaltation. C'était la première fois qu'il dépassait ainsi sa peur, atteignant une sorte d'extase. Les événements lui semblaient tout à coup prendre de telles proportions, la chevauchée était si belle alors que le prix en était la mort ou la sécurité, qu'il se sentait apparenté aux dieux, pour ne pas dire un dieu lui-même. Paradoxalement, en ce moment où la mort était si proche et si probable, il se sentait immortel.

Ce sentiment s'évanouit rapidement mais, tout le temps qu'il dura, il sut qu'il était en train d'expérimenter un état mystique.

A ce moment, il lui sembla qu'il allait entrer en collision avec l'angle formé par le front et le flanc du troupeau. Il pouvait voir maintenant avec précision les flancs bruns des bisons géants, recouverts de poils raides, le moutonnement des milliers et des milliers de dos qui faisait penser à des marsouins avançant dans la mer ; les fronts massifs baissés ; les mufles noirs dégoulinants de mucosités ; les yeux injectés de sang ; les pattes qui s'agitaient à une telle vitesse qu'il était impossible de les suivre du regard, et les poitrails velus inondés d'écume.

Il n'entendait rien d'autre que le grondement produit par la mer animale. C'était comme un tremblement de terre, si puissant qu'il lui semblait que le sol allait s'entrouvrir sous ses pas.

Il sentait l'odeur puissante qui se dégageait du troupeau composé de bisons qui appartenaient à une espèce qui s'était éteinte sur la Terre dix mille ans auparavant. C'étaient des monstres armés de cornes gigantesques, écartées de trois mètres au sommet, que la panique et les efforts désespérés qu'ils produisaient inondaient de sueur, et qui étaient souillés de matières excrémentielles dues à la peur. Il lui semblait sentir aussi quelque chose qui ressemblait à une odeur d'écume mêlée de sang, mais c'était bien sûr un produit de son imagination.

Il y avait aussi l'odeur fétide dégagée par son cheval, odeur due autant à la sueur et à l'écume qu'à la panique.

« Haiyeeee ! » hurla Kickaha, la tête tournée vers les Hommes-Chevaux. Il eût désiré avoir les mains libres et posséder une arme pour l'agiter en signe de défi. Les centaures ne pouvaient entendre son cri provocant mais il espéra qu'ils verraient sa bouche ouverte et son ricanement et comprendraient qu'il se moquait d'eux.

Les Hommes-Chevaux n'étaient plus maintenant qu'à cent cinquante mètres du groupe des fugitifs. Ils faisaient des efforts frénétiques pour les rattraper et leurs grosses faces sombres aux pommettes larges se tordaient de douleur.

Il leur faudrait un certain temps pour réduire la distance qui les séparait de leurs proies et ils en étaient conscients. Lorsqu'ils atteindraient la hauteur de la ligne frontale du troupeau, les fugitifs se trouveraient encore loin devant eux. Et, lorsqu'ils seraient devant la marée animale, la fatigue leur ferait perdre lentement du terrain ; alors, avant d'avoir atteint l'autre côté, ils tomberaient et périraient sous l'impact des fronts protubérants et des cornes incurvées avant d'être réduits en bouillie sanglante par les sabots acérés.

Malgré cela, les Hommes-Chevaux continuèrent à galoper. Un adolescent à la tête nue s'était arrangé pour prendre la tête du groupe. Il augmenta rapidement la distance qui le séparait de ses compagnons, à une telle vitesse que les yeux de Kickaha s'agrandirent de surprise. Il n'avait jamais vu un centaure galoper à une telle allure auparavant, et pourtant il en avait vu beaucoup. Le jeune continuait à accentuer son avance et l'effort qu'il produisait lui déformait la face à un tel point que Kickaha n'aurait pas été étonné de voir ses muscles se déchirer.

Le jeune centaure balança le bras d'arrière en avant et projeta sa lance. L'arme décrivit une parabole et, soudain, Kickaha se rendit compte que ce qu'il avait cru impossible allait se réaliser.

Le fer de la lance allait se ficher dans la croupe ou dans une des jambes arrière de son étalon. L'arme décrivait un arc de cercle qui la ferait passer au-dessus de la tête des

Tishquetmoacs qui galopaient derrière lui, et elle allait atteindre immanquablement son cheval.

Il tira sur les rênes afin de faire obliquer l'animal vers la gauche, mais le cheval réagit en jetant la tête sur le côté et en ralentissant imperceptiblement. Kickaha sentit alors un léger choc et comprit que l'arme avait atteint son but.

Les jambes de devant du cheval se dérobèrent sous lui et il s'effondra en avant. La vitesse acquise projeta sa croupe en l'air. Kickaha, arraché de sa selle, partit en avant en vol plané.

Il ne sut jamais comment il s'y était pris. Quelque chose se déclencha en lui comme cela s'était déjà produit et il ne tomba ni ne glissa sur le sol. Il atterrit sur ses jarrets repliés, cassa dans un effort surhumain la corde qui lui entravait les poignets, et prit immédiatement sa course. Le mur noir et marron formé par le flanc du troupeau de bisons se trouvait sur sa gauche, et le bruit provoqué par les milliers de sabots frappant le sol était assourdissant. Pourtant, malgré ce vacarme, il pouvait entendre derrière lui le bruit caractéristique des chevaux lancés au galop. Ce bruit se rapprocha, puis le submergea et, emporté par la vitesse, il glissa et tomba dans l'herbe la face contre terre.

Une ombre se profila au-dessus de lui, celle d'un cheval et de son cavalier qui l'enjambaient. Puis les six autres cavaliers le dépassèrent et, le temps d'un éclair, il vit Anania qui regardait dans sa direction par-dessus son épaule. Ensuite, la masse du troupeau qui approchait les dissimula tous à sa vue.

Les autres ne pouvaient rien pour lui. S'attarder même une seconde pouvait signifier la mort sous les sabots des bisons ou sous la lance et les flèches des Hommes-Chevaux. Il aurait agi de la même façon s'il s'était trouvé sur son cheval pendant qu'Anania tombait.

Les Hommes-Chevaux devaient certainement pousser des hurlements de triomphe. L'étalon de Kickaha était mort ; une lance était fichée dans sa croupe et il s'était rompu le cou en tombant. Leur plus mortel ennemi, le Rusé qui leur avait si souvent glissé des mains alors qu'ils croyaient le tenir, ne pourrait plus maintenant s'échapper — à moins qu'il ne se jetât délibérément sous les sabots des titans qui galopaient aveuglément à trois mètres de lui !

Cette pensée dut les effleurer car ils se précipitèrent sur

lui, avec à leur tête l'adolescent qui avait abattu son cheval et qui nourrissait peut-être l'espoir de le décapiter. Certains des autres s'était débarrassés de leurs lances, de leurs tomahawks, de leurs massues et de leurs couteaux et chargeaient les mains nues. Ils voulaient le prendre vivant.

Kickaha n'hésita pas. Il sauta sur ses pieds et bondit vers le troupeau. Les flancs des animaux, hauts de deux mètres à l'épaule, défilaient devant lui comme une muraille vivante. Ils galopaient comme si l'éternité elle-même les poursuivait, menaçant d'éteindre leur race comme elle l'avait fait pour leurs frères de la Terre.

Tout en courant, Kickaha vit du coin de l'œil le jeune Homme-Cheval qui fonçait vers lui. Il poussa un cri sauvage et sauta, les mains étendues devant lui. Son pied heurta une épaule massive et il s'agrippa des deux mains à une touffe de poils rudes. Le bison l'obligea à la lâcher. Il lança une ruade, glissa sur le ventre, tomba en avant et atterrit en travers sur le dos d'un grand mâle !

Dans la position qu'il occupait, il avait sous les yeux la vallée escarpée formée par les flancs de deux bisons. Il était durement balloté de droite et de gauche, commençait à avoir le mal de mer et glissait doucement en arrière.

Il s'agrippa désespérément aux poils de la bête et entreprit de se déplacer afin de pouvoir se jucher sur son dos à califourchon. Bientôt il eut devant lui le renflement de l'énorme nuque du bison et put se tenir à sa crinière.

Si Kickaha ne réalisait qu'à demi ce qui s'était passé, le jeune centaure qui était presque certain de le tenir dans ses mains, lui, n'en croyait pas ses yeux. Il galopait parallèlement au grand mâle que Kickaha chevauchait et le regardait avec des yeux ronds en mâchant à vide. Ses bras étaient étendus devant lui comme s'il croyait pouvoir encore s'emparer de sa proie.

Aussi critique que fût sa position, Kickaha n'avait pas l'intention de lâcher prise, mais il savait que l'Homme-Cheval allait bientôt reprendre ses esprits. Il prendrait alors le couteau ou le tomahawk qui était glissé dans la ceinture qui ceignait son torse humanoïde et le lancerait sur Kickaha. S'il manquait son but, il avait d'autres armes en réserve.

Kickaha leva les jambes et les ramena devant lui, les pieds posés sur l'épine dorsale du bison géant qui lui servait de monture, puis il se souleva et demeura ainsi accroupi, se tenant toujours à la crinière de la bête. Il se retourna lentement en essayant de conserver son équilibre rendu précaire par le mouvement ascendant et descendant de l'énorme dos. Il se jeta alors sur le côté et atterrit sur le dos de l'animal qui courait épaule contre épaule avec celui qu'il venait d'abandonner.

Quelque chose de sombre tournoya au-dessus de son épaule droite. Cela frappa la croupe d'un bison voisin, rebondit et glissa entre deux flancs. C'était un tomahawk.

Cette fois, Kickaha manœuvra plus rapidement. Il s'accroupit à nouveau et recommença l'opération. Un de ses pieds glissa mais il se trouvait si près de l'autre bête qu'il s'agrippa sans peine des deux mains à la crinière. Il demeura suspendu là un instant puis donna un coup de pied contre le sol, fit un saut en avant, leva une jambe et se retrouva à califourchon sur le dos du bison.

Le jeune Homme-Cheval continuait à galoper à sa hauteur. Les autres avaient légèrement ralenti. Ils avaient cru peut-être qu'il avait glissé entre deux bisons et avait été déchiqueté par les sabots des bêtes qui suivaient. S'il en était ainsi, ils avaient dû être secoués en le voyant reparaître, lui, le Rusé, l'astucieux, l'homme aux mille tours dans son sac, lui, l'ennemi mortel qui se moquait d'eux, même aux frontières de la mort !

Soudain, le jeune centaure parut pris de folie furieuse. Il se plaça perpendiculairement au flanc du troupeau, bondit et se retrouva en travers du dos d'un bison qui galopait à l'extérieur. D'un nouveau bond, il atterrit sur le dos de l'animal voisin et continua à progresser ainsi, comme une chèvre de montagne sautant d'un rocher à l'autre.

C'était maintenant au tour de Kickaha d'être ahuri. Le jeune centaure tenait un couteau à la main et il regardait Kickaha en ricanant, comme pour lui dire : « Tu vas enfin mourir, maudit Rusé ! Et moi, on m'honorera en chantant mes louanges dans les salles du Conseil et dans les huttes des tribus des montagnes et de la prairie. Tous célébreront ma gloire, les Hommes aussi bien que les Centaures ! »

Ces pensées et d'autres encore devaient se bousculer dans l'énorme tête du jeune Homme-Cheval. S'il réussissait, il deviendrait le plus fameux guerrier des plaines et des alentours. On l'appellerait Celui-Qui-A-Tué-Le-Rusé.

Celui - Qui - A - Sauté - Par-Dessus - Les - Bisons - Géants Pour - Egorger - Kickaha.

Malheureusement pour lui, au quatrième bond, un de ses sabots glissa et il plongea lourdement entre deux bisons, les jambes de derrière volant en l'air et la queue à la verticale. C'est ainsi que s'acheva sa grande aventure.

Kickaha ne put voir ce que les sabots des bisons faisaient de lui.

Néanmoins, la tentative avait été quelque chose de magnifique et elle avait failli réussir. Kickaha appréciait et il eut une pensée attristée pour le jeune guerrier courageux.

Puis ses pensées revinrent à sa situation immédiate, laquelle était fort critique — c'était le moins qu'on pût en dire.

11

PLUSIEURS centaures s'étaient rapprochés et ils commencèrent à lui décocher des flèches. Mais avant même que le premier trait eût été tiré, il s'était laissé glisser contre le flanc du bison qu'il chevauchait, agrippé des deux mains à sa toison, mais avec une jambe levée et un pied accroché à l'échine de la bête. Sa position était instable car le galop brutal du bison lui faisait lâcher un peu prise à chaque secousse. En outre, la bête voisine était si proche qu'il courait à chaque instant le risque d'être écrasé entre les deux flancs.

Des flèches sifflèrent au-dessus de lui et quelque chose toucha le pied qu'il avait en l'air. Un tomahawk rebondit sur le crâne du bison. L'animal se mit soudain à tousser et Kickaha se demanda si une flèche ne lui avait pas atteint les poumons. Le bison ralentit, fléchit légèrement sur les jarrets puis se remit à galoper.

Kickaha tendit le bras vers le bison voisin, s'agrippa à une touffe de poils et lâcha son autre main qui vint rejoindre la première. Puis il dégagea sa jambe droite et fit balancer son corps. En cavalier émérite qu'il était, il jeta ses deux pieds contre le sol, rebondit, lança la jambe gauche en l'air et enfourcha le bison. Il se retrouva à califourchon juste à l'arrière de sa bosse.

L'animal qu'il venait de quitter, percé de deux flèches, s'arrêta et tomba sur le flanc en ruant. Les bisons qui le suivaient immédiatement sautèrent par-dessus son corps mais l'un des suivants trébucha et il y eut bientôt un amoncellement de dix corps gigantesques ruant et se débattant, que ceux qui galopaient derrière éventrèrent avec leurs cornes et leurs sabots tandis que d'autres encore venaient s'écraser contre eux et sur eux.

Il se passait également quelque chose à l'avant du troupeau. A nouveau suspendu contre le flanc d'un bison, la vue bouchée par des croupes, des pattes et des queues, Kickaha ne pouvait rien voir mais il se rendit compte que la harde ralentissait et obliquait vers la gauche. Le bison qui se trouvait à sa droite mugissait comme s'il était blessé à mort, ce qui était d'ailleurs le cas. La bête chancela, s'écartant heureusement de Kickaha qui eût été écrasé si son mouvement l'avait rapproché de lui. Le bison s'effondra, le sang giclant d'une blessure qu'il avait à la bosse.

Kickaha se rendit compte de deux choses. Tout d'abord, le bruit infernal provoqué par la galopade du troupeau avait considérablement décru, à tel point qu'il pouvait entendre individuellement les bisons qui l'entouraient lorsqu'ils mugissaient. Ensuite, à l'odeur dégagée par les bêtes en sueur s'ajoutait celle de chair et de poils brûlés.

Le bison qui s'était écarté de Kickaha tomba, et la bête qu'il montait se retrouva isolée de ses congénères. Elle se précipita en avant, dépassant les carcasses des bisons morts, et heurta une femelle dont l'énorme tête avait été tranchée. La violence du choc, fit lâcher prise à Kickaha qui tomba sur le sol. Il fit plusieurs tours sur lui-même et se releva, prêt à affronter ce que maintenant il comprenait.

Le monde bascula devant lui, puis redevint normal. Il haletait, tremblant, dégoulinant de sueur, maculé de sang, souillé d'excréments et d'écume. Mais il était néanmoins prêt à agir ainsi que la situation l'exigerait.

Il y avait des bisons morts partout, et çà et là des cadavres d'Hommes-Chevaux. Le troupeau obliquait maintenant franchement vers la gauche et bientôt le grondement produit par le piétinement de dizaines de milliers de sabots et le mugissement des bisons commença à décroître.

Un fracas épouvantable se fit entendre, si inattendu que Kickaha sauta en l'air. Cela ressemblait au bruit qu'eussent produit mille grands navires venant s'écraser tous ensemble contre un récif. En l'espace de six ou sept secondes, quelque chose venait de tuer toutes les bêtes de tête, sur une largeur d'un kilomètre et demi. Celles qui venaient derrière trébuchaient contre les carcasses des bêtes mortes et les rangs qui suivaient venaient les heurter à leur tour.

La fuite éperdue avait brusquement cessé. Les bisons qui avaient eu le réflexe de s'arrêter à temps demeuraient stupidement plantés sur leurs pattes, en respirant bruyamment. Ceux qui étaient enterrés dans des amoncellements de carcasses mais qui vivaient encore mugissaient lamentablement. C'étaient les seuls qui eussent encore des raisons d'exprimer une émotion quelconque. Tous les autres, les sens paralysés, s'efforçaient de reprendre haleine.

Kickaha aperçut ce qui était à l'origine du désastre et de la cessation de la fuite du troupeau. Sur sa gauche, à cinq cents mètres de distance et à six mètres au-dessus du niveau du sol, il y avait un engin volant. Il était de forme allongée et dépourvu d'ailes. Sa partie inférieure, peinte en blanc, était ornée d'arabesques noires. Un habitacle transparent le coiffait sur toute sa longueur. Cinq silhouettes étaient visibles à l'intérieur.

L'engin était en train de traquer un Tishquetmoac qui s'enfuyait à cheval. Traquer n'est pas le mot exact. L'appareil avançait rapidement mais néanmoins avec une certaine nonchalance, et il ne s'efforçait nullement de se placer dans l'axe du cheval. Un éclair blanc et brillant jaillit soudain d'un tube émergeant du nez de l'appareil. L'éclair atteignit la croupe du cheval qui s'effondra. Le Tishquetmoac, qui avait vidé les étriers à temps, tomba lourdement sur le sol et fit plusieurs tours sur lui-même. Néanmoins, il réussit à se remettre sur ses pieds.

Kickaha jeta un coup d'œil de tous côtés. Anania se trouvait à quatre cents mètres de là, dans la direction opposée. Plusieurs Tishquetmoacs se tenaient à ses côtés. Deux soldats gisaient sur le sol, apparemment morts. Un autre était pris sous son cheval. Tous les chevaux gisaient sur le sol, probablement abattus par le rayon de l'appareil. Et il ne semblait pas qu'il y eût un seul survivant parmi les Hommes-Chevaux.

Les Cloches Noires avaient probablement tué tous les chevaux afin d'empêcher le groupe de s'échapper. Peut-être ignoraient-ils que l'homme et la femme qu'ils recherchaient se trouvaient à quelques pas d'eux. Ils avaient dû apercevoir les deux groupes qui se poursuivaient et s'étaient rapprochés afin de se faire une juste idée de la chose. Puis ils avaient décidé de sauver ceux qui étaient pourchassés afin d'essayer d'obtenir d'eux quelque information.

D'un autre côté, Kickaha et Anania avaient la peau plus claire que les Tishquetmoacs, mais la coloration sombre de ces derniers variait quelque peu d'un individu à l'autre et une petite minorité avait même une pigmentation assez claire. Il était possible que les Cloches Noires eussent décidé de vérifier cela de près, ou alors... mais il y avait de nombreuses possibilités. Aucune d'ailleurs qui eût de l'importance au point où l'on en était. Ce qui était important — et grave — c'était qu'Anania et lui paraissaient être maintenant absolument sans défense. Ils n'avaient aucune possibilité de s'échapper et les armes des Cloches Noires étaient sans parades.

Kickaha ne capitula pourtant pas, bien qu'il fût épuisé au point d'avoir envie de tout abandonner. Pendant qu'il réfléchissait, il entendit derrière lui le martèlement de sabots lancés au galop et le bruit d'une respiration sifflante. Il se jeta sur le côté sous un certain angle, manœuvre qui, en théorie, devait le protéger de n'importe quelle attaque venue de l'arrière — s'il était attaqué. Une lance siffla à son oreille et se ficha dans le sol devant lui. Il entendit un mugissement et, faisant volte-face, il aperçut un Homme-Cheval qui fonçait sur lui. Le centaure était grièvement blessé ; son arrière-train était brûlé, sa queue à demi calcinée et il boitait fortement de l'arrière. Mais il semblait bien décidé à tuer Kickaha avant de mourir. Il tenait un long et lourd couteau dans la main gauche.

Kickaha sauta sur la lance, l'arracha du sol et la projeta à son tour. L'Homme-Cheval hurla de rage en essayant d'esquiver mais, handicapé par ses jambes mutilées, il ne s'écarta pas suffisamment vite. La lance s'enfonça sous son torse humanïde — Kickaha avait visé son soufflet protubérant — et le centaure tomba. Il réussit à se redresser sur ses jambes de devant, arracha la lance et, sans prêter attention au flot de sang qui jaillissait de sa blessure, la leva. Le mouvement surprit Kickaha qui s'approchait de lui pour peser sur la lance et l'achever.

Mais la force avait quitté le bras de l'Homme-Cheval agonisant. Il lâcha l'arme qui tomba sur le sol aux pieds de Kickaha. Le centaure poussa un long cri de détresse et de désolation profonde. Il avait peut-être espéré lui aussi se couvrir de gloire de son vivant et obtenir un haut rang dans les Conseils. Il savait maintenant que si un Homme-Cheval devait un jour tuer Kickaha, ce ne serait pas lui.

Il se coucha sur le flanc, lâchant son couteau. Ses jambes de devant eurent plusieurs mouvements saccadés. Son énorme visage farouche perdit toute expression et il contempla son ennemi de ses yeux dont la vie lentement disparaissait.

Kickaha regarda rapidement autour de lui. Il aperçut, à environ quatre cents mètres de lui, l'engin volant qui se déplaçait lentement à cinquante centimètres du sol. Il semblait traquer plusieurs Tishquetmoacs qui couraient devant lui. Anania gisait sur le sol, et il se demanda ce qui avait bien pu lui arriver. Peut-être faisait-elle la morte — c'était ce qu'il avait lui-même l'intention de faire. Il se barbouilla avec le sang du centaure et s'étendit devant lui. Il plaça le couteau sous sa hanche et coinça la lance sous son bras, la hampe en l'air, de telle façon qu'elle donnait l'impression d'être fichée dans sa poitrine.

C'était une ruse désespérée qui n'avait guère de chances de réussir. Mais c'était la seule à laquelle il pût recourir en l'occurrence. Il devait tabler sur le fait que les Cloches Noires, n'étant pas des humains, ne connaissaient pas forcément toutes les ruses humaines. De toute manière il allait tenter le coup et, si ça ne réussissait pas... eh bien, il ne s'était jamais attendu à vivre éternellement.

Ce qui était un mensonge, se dit-il à lui-même, car comme la plupart des hommes il s'attendait à avoir une existence éternelle. Et s'il avait réussi à survivre jusqu'à cet instant, c'était parce qu'il avait combattu avec plus d'énergie et d'astuce que la plupart des autres humains.

Pendant ce qui lui sembla durer une éternité, rien ne se passa. Le vent qui soufflait séchait le sang qui le maculait et sa propre sueur. La sueur s'évapora et le sang se coagula. Le soleil, lentement, glissait du ciel vert jusqu'à l'horizon. Kickaha eût désiré que ce fût la nuit, ce qui eût augmenté ses chances, mais on n'était malheureusement que dans le milieu de l'après-midi.

Une ombre fugitive glissa sur ses yeux. Il se raidit en pensant qu'il s'agissait de l'engin volant mais un cri strident lui apprit que c'était un corbeau ou une corneille qui venait se repaître de la chair des bisons morts. Bientôt, les charognards allaient s'abattre sur les cadavres en nuées aussi épaisses que du poivre sur de la viande bouillie : buses, vautours géants, condors et faucons encore plus gigantesques, et aigles dont certains seraient des aigles verts hauts de trois mètres — les familiers de Podarge. Il y aurait aussi des coyotes, des renards des plaines et des loups féroces qui, en bandes innombrables, accourraient vers le savoureux festin.

D'autres aussi viendraient, des monstres qui ne dédaignaient pas les proies qu'ils n'avaient pas abattues eux-mêmes. Ils émergeraient à pas feutrés des hautes herbes et rugiraient pour effrayer les bêtes plus petites. Les lions des plaines pesant cinq cents kilos, au pelage zébré de bandes claires, qui ne cesseraient de rugir et de se chamailler entre eux malgré l'abondance de la nourriture.

Pensant à tout cela, Kickala se mit à nouveau à transpirer. Il chassa de la main une corneille trop pressée de goûter à sa chair et jura du coin de la bouche. Au loin, un loup hurlait. Un condor, qui planait au-dessus de lui, vira lentement sur l'aile et piqua, probablement pour aller se jucher sur un bison mort.

Puis une autre ombre passa sur son visage. Sous ses paupières mi-closes, il vit l'engin volant qui glissait lentement au-dessus de lui. L'appareil s'inclina vers le sol et perdit de l'altitude, mais il ne put le suivre du regard car pour cela il lui aurait fallu tourner la tête. L'appareil survolait le sol à une quinzaine de mètres lorsqu'il était passé au-dessus de lui — ce qui était suffisant, espéra-t-il, pour que ses occupants ne pussent se rendre compte que la lance n'était pas effectivement fichée dans son corps.

Quelqu'un cria quelque chose dans la langue des Seigneurs. La voix parlait dans la direction du vent, aussi ne put-il distinguer que quelques mots.

Après un silence, plusieurs voix lui parvinrent. Cette fois, on parlait contre le vent. Il espérait qu'une Cloche Noire descendrait de l'appareil et s'approcherait de lui pour l'examiner. Mais s'ils décidaient au contraire de venir s'immobiliser au-dessus de lui et de se pencher pour regarder, alors c'en serait fait de lui. Il savait qu'ils étaient armés de lance-rayons portatifs et qu'ils n'hésiteraient pas à s'en servir.

Il n'entendit pas les pas de celui qui s'approchait de lui. La Cloche Noire tenait probablement son arme à la main, prêt à tirer à la moindre alerte. Kickaha n'avait apparemment aucune chance de s'en tirer.

Mais la chance était de nouveau de son côté — sous l'apparence d'un bison mâle qui n'était pas tout à fait mort. L'animal réussit à se mettre debout derrière la Cloche Noire et, poussant un mugissement, il tenta de le charger. L'envahisseur fit volte-face. Kickaha roula sur lui-même et se plaça derrière le cadavre de l'Homme-Cheval, se servant de lui comme d'un rempart, puis il jeta un regard pardessus. Le bison agonisant retomba sur le flanc avant d'avoir pu faire trois pas. La Cloche Noire n'eut même pas besoin de se servir de son arme pour l'achever.

L'envahisseur tournait momentanément le dos à Kickaha. Quant à ceux qui se trouvaient dans l'engin volant, ils semblaient concentrer leur attention sur une autre Cloche Noire qui marchait vers l'amoncellement de bisons morts derrière lequel se dissimulait Anania.

En entendant le mugissement de l'animal blessé, l'un de ceux qui se trouvaient dans l'appareil tourna la tête, puis il fit pivoter le canon du lance-rayons qui coiffait l'habitacle. La Cloche Noire qui se tenait près de Kickaha fit un geste rassurant et montra le cadavre du bison. L'autre retourna alors son attention dans l'autre direction.

Kickaha banda ses muscles puis il bondit, le couteau à la main. L'envahisseur, qui se retournait lentement, fut complètement pris par surprise et n'eut même pas le temps de lever son bras armé.

Le couteau n'était pas familier à Kickaha, et il n'était probablement pas équilibré pour servir comme arme de jet. Néanmoins, il le lança de toutes ses forces.

Il avait littéralement passé des milliers d'heures à s'exercer au lancement du couteau. Il avait utilisé des douzaines d'armes différentes et varié cent fois les distances et l'angle de tir. Il avait même corsé la difficulté en tirant la tête en bas. Il s'était astreint à une discipline si sévère qu'il avait eu parfois l'appétit coupé à la seule vue d'un couteau posé près de son assiette.

Les heures interminables d'entraînement, la transpiration et la discipline obtinrent leur récompense. La gorge traversée par la lame, la Cloche Noire tomba à la renverse en lâchant son arme.

Kickaha se précipita sur le lance-rayons, le ramassa et

l'examina rapidement. Bien qu'il fût d'une forme peu familière, il fonctionnait comme toutes les armes du même type. Il fallait manœuvrer un petit levier placé sur le côté de la crosse pour l'activer, et il suffisait ensuite d'appuyer sur la détente. Cette dernière consistait en une plaque qui faisait légèrement saillie sous la crosse, à la naissance du fût.

La Cloche Noire placée à l'arrière de l'engin volant faisait pivoter le lance-rayons afin de le braquer sur Kickaha. Un éclair blanc aveuglant en jaillit mais l'arme, manœuvrée trop rapidement, creusa un petit sillon fumant dans l'herbe. La deuxième décharge enflamma les corps de bisons empilés les uns sur les autres. Le lance-rayons ne disposait pas encore de son énergie maximale.

Kickaha n'eut pas à tirer sur la Cloche Noire. Un rayon l'atteignit au flanc et il s'affaissa. Puis un autre rayon jaillit, coupant en deux la machine volante. Ses autres occupants avaient été abattus auparavant.

Kickaha se releva précautionneusement et cria :

« Anania ! C'est moi, Kickaha ! Ne tire pas ! »

Le visage blanc d'Anania apparut au-dessus du rempart de carcasses velues qui l'avait protégée. Elle sourit et cria en retour :

« Tout va bien ! Je les ai tous eus ! »

Il voyait dépasser la main de la Cloche Noire qui s'était approchée d'elle. Kickaha marcha dans sa direction, en éprouvant une certaine appréhension.

Maintenant qu'elle disposait d'un lance-rayons et d'un engin volant — en deux morceaux, il est vrai — aurait-elle encore besoin de lui ?

Avant d'avoir fait quatre pas, il sut que la réponse serait oui. Il pressa le pas et sourit. Elle ne connaissait pas ce monde aussi bien que lui et les forces qui la menaçaient étaient extrêmement puissantes. Elle n'allait pas se retourner contre un allié aussi précieux.

« Par Shambarimen, comment as-tu réussi à survivre à tout cela ? » s'exclama Anania. « J'aurais juré que tu avais été déchiqueté par les sabots des bisons ou capturé par les Hommes-Chevaux.

— Les uns et les autres ne faisaient pas le poids », répondit-il en lui faisant la grimace. Il lui raconta ce qui s'était passé. Elle garda le silence pendant un moment puis demanda : « Tu es sûr de ne pas être un Seigneur ?

« — Oui. Je ne suis qu'un humain, un simple humain originaire de l'Indiana. Pas si simple que cela, si on y réfléchit bien.

— Tu trembles », fit-elle remarquer.

« Je suis d'une nature impressionnable », répondit-il, toujours avec la même grimace. « Tu trembles toi-même comme une feuille. »

Elle jeta un regard à sa main qui tenait le lance-rayons et grimaça à son tour.

« Nous en avons vu de dures, tous les deux.

— Bonté divine, Anania, ce n'est pas la peine de t'excuser. Maintenant, voyons voir un peu où nous en sommes. »

Les Tishquetmoacs apparaissaient comme de petites silhouettes dans le lointain. Ils avaient détalé lorsque Anania s'était mise à actionner le lance-rayons, et ils n'avaient manifestement pas l'intention de revenir. Kickaha s'en trouvait satisfait. Il n'avait aucun plan qui les englobait et il ne désirait pas leur aide.

« J'ai fait la morte », dit Anania, « et quand la Cloche Noire a été à proximité, je l'ai tuée d'un coup de lance. Ceux qui étaient dans l'appareil ont été si surpris qu'ils sont restés cloués sur place. Je n'ai eu ensuite qu'à ramasser le lance-rayons et à tirer. »

L'histoire était trop belle et trop simple, et Kickaha n'en crut pas un mot. Elle n'avait bénéficié d'aucune circonstance favorable, comme ç'avait été le cas pour lui, et il ne voyait pas comment elle eût pu se lever et jeter une lance avant que le lance-rayons n'ait craché sa décharge. La Cloche Noire avait eu la gorge traversée par le fer de l'arme mais très peu de sang s'était écoulé de la blessure. D'autre part, aucune trace de la décharge d'un lance-rayons n'était visible sur son corps. Kickaha avait la certitude qu'un examen approfondi lui aurait fait découvrir un trou minuscule sur le cadavre. Il y avait probablement aussi un trou dans sa cuirasse, car la Cloche Noire portait un justaucorps et un kilt faits de mailles métalliques, ainsi qu'un casque conique.

Toutefois, agir ainsi ne pourrait que lui faire comprendre qu'il avait des soupçons. Sans insister, il la suivit vers l'appareil dont les deux sections stationnaient toujours à cinquante centimètres du sol. Deux envahisseurs morts gisaient dans l'habitacle et devant eux, réduit en un petit tas de chairs calcinées, il y avait le cadavre du prêtre tishquetmoac qui avait servi d'interprète aux Cloches Noires. Kickaha retira les trois corps de la cabine et examina l'intérieur de l'appareil. Il comprenait quatre rangées de deux sièges séparées par un couloir étroit. Les deux sièges avant étaient destinés, l'un au pilote, l'autre au co-pilote ou au navigateur. Le tableau de bord comportait de nombreux cadrans et des instruments de toutes sortes. Sous chacun d'eux était fixée une plaque gravée de hiéroglyphes. Anania lui expliqua qu'il s'agissait de la langue classique des Seigneurs, dont on se servait rarement.

« Cet appareil vient de mon palais », dit-elle. « J'en possédais quatre. Je suppose que les Cloches Noires les ont tous démontés et emportés. »

Elle lui expliqua qu'au moment où l'appareil s'était immobilisé, sa plaque de quille était chargée avec des gravitons statiques, et c'était la raison pour laquelle il ne s'était pas abîmé sur le sol. Toutes les commandes se trouvaient rassemblées dans la partie avant de l'engin, et il était encore capable de manœuvrer comme s'il était intact. L'arrière continuerait à se maintenir en l'air pendant un certain temps puis, quand le champ gravitationnel commencerait à s'affaiblir, il tomberait doucement sur le sol.

« Il serait dommage d'abandonner le lance-rayons qui se trouve sur la partie arrière », dit Kickaha. « D'ailleurs, il vaut mieux qu'il ne tombe pas dans les mains de quelqu'un d'autre. Nous ne possédons que deux armes portatives ; les autres ont été détruites quand tu as tiré sur l'appareil. Emportons-le avec nous.

— Où allons-nous ? » demanda-t-elle.

« Chez Podarge, la Reine-Harpie des aigles verts », répondit-il. « C'est le seul allié possible à qui je pense en ce moment. Si je puis l'empêcher d'essayer de nous tuer jusqu'à ce que nous ayons pu lui parler, il se peut qu'elle consente à nous aider. »

Il grimpa dans la section arrière de l'appareil et prit quelques outils dans un compartiment. Il entreprit de dégager le gros lance-rayons de son pivot mais il s'arrêta soudain, grimaça et dit à Anania : « Il me tarde de voir la tête que vous allez faire, Podarge et toi, lorsque vous vous rencontrerez. Vous êtes la réplique exacte l'une de l'autre. »

Elle ne répondit pas. S'aidant de son lance-rayons et d'un couteau, elle était occupée à détacher des quartiers de viande de la carcasse d'un jeune bison. Ils avaient tous deux si faim qu'il leur semblait que leurs estomacs étaient des animaux voraces en train de se dévorer eux-mêmes.

Ils firent cuire la viande sur un petit feu et la dévorèrent. Bien qu'ils fussent fatigués au point de ne plus pouvoir remuer bras et jambes, Kichaha insista pour qu'ils décollent aussitôt après avoir mangé. Il voulait atteindre rapidement la chaîne de montagnes la plus proche. Une fois là, ils pourraient cacher l'engin dans une grotte ou sous une corniche et ensuite dormir. Il était trop dangereux de demeurer dans la prairie. Si les Cloches Noires avaient d'autres engins volants dans les parages, ils risquaient d'être repérés.

Anania convint qu'il avait raison. Après avoir expliqué à Kickaha comment manœuvrer l'appareil, elle s'assit sur un siège et s'endormit immédiatement. Kickaha démarra et se lança en direction des montagnes à la vitesse maximum. Le vent ne venait pas directement sur lui mais il s'engouffrait en tourbillonnant dans la déchirure béante de l'arrière. Au moins, son hurlement incessant avait-il l'avantage de le tenir éveillé.

12

ILS atteignirent les montagnes au moment précis où le soleil disparaissait derrière le monolithe. Kickaha explora les environs pendant un quart d'heure avant de trouver exactement ce qu'il voulait. C'était une grotte peu profonde avec une ouverture d'environ six mètres de haut ; elle s'ouvrait au sommet d'une falaise abrupte haute de trois cents mètres. Kickaha pénétra dans la grotte en marche arrière, désactiva les commandes, s'allongea dans le passage aménagé entre les sièges et sombra dans le sommeil.

Malgré la terrible fatigue qui le terrassait et le sentiment de sécurité que lui procurait la cachette, il dormit mal. Il nageait simplement à la surface de l'inconscience. Il rêva beaucoup et se réveilla en sursaut au moins une douzaine de fois. Il dormit néanmoins mieux qu'il ne l'aurait espéré car le soleil avait parcouru toute la largeur du ciel lorsqu'il se réveilla complètement.

Il dévora de bon appétit une tranche de bison et quelques biscuits ronds qu'il avait dénichés dans un compartiment aménagé sous l'un des sièges de l'engin volant. Ce fut la seule nourriture qu'il trouva à bord et il en déduisit que les Cloches Noires avaient opéré à partir d'un camp qui n'était pas très éloigné de l'endroit où la fuite éperdue des bisons avait eu lieu. Mais il était également possible que les Cloches Noires, en mission depuis plusieurs jours, se soient trouvées à court de vivres. A moins qu'il n'y eût une autre explication.

S'il était une chose dont on pût être certain dans l'un et l'autre mondes, c'était bien l'incertitude !

Lorsqu'Anania se réveilla, Kickaha avait déjeuné, s'était livré à des exercices vigoureux pour désankyloser ses muscles et s'était aspergé d'eau les mains et le visage. Comme il s'était baigné dans le ruisseau le soir précédent, il était assez présentable. Il n'avait pas à se préoccuper de se raser car il utilisait un produit chimique qui arrêtait la pousse de la barbe pendant des mois ; c'était un cadeau de Wolff et il s'en était passé sur le menton et les joues juste avant de quitter le village des Hrowakas. Il pouvait en neutraliser l'effet à n'importe quel moment grâce à un autre produit chimique s'il désirait laisser pousser sa barbe, mais il n'en avait pas emporté avec lui.

Anania avait la faculté de pouvoir se réveiller dans un état de fraîcheur total, comme si elle était prête à assister à une soirée. Elle se plaignit toutefois d'avoir un goût amer dans la bouche, et éleva quelques récriminations au sujet du manque d'intimité, situation fort pénible pour une femme. Kickaha haussa les épaules et fit remarquer qu'il était anormal qu'une femme âgée de dix mille ans ait encore de telles inhibitions, tout juste bonnes pour des humains. Elle ne se fâcha pas et ajouta simplement : « Partons-nous maintenant, ou bien passons-nous une journée à nous reposer ? »

Il fut surpris qu'elle parût se soumettre à son autorité. Il ne s'attendait pas à cela de la part d'un Seigneur. Il fallait admettre qu'elle possédait une certaine souplesse de caractère, une attitude réaliste. Elle reconnaissait implicitement qu'elle se trouvait dans son monde à lui, et qu'il le connaissait bien mieux qu'elle. Il était également évident qu'elle avait une énorme capacité de survie. Les véritables sentiments qu'elle éprouvait à son égard ne se manifestaient pas. Elle demeurait probablement son alliée par pur intérêt et n'hésiterait certainement pas à le laisser choir si, d'atout dans son jeu, il se muait en une charge pour elle — attitude qu'il approuvait d'ailleurs, d'un certain point de vue. Leur alliance temporaire fonctionnait pratiquement sans heurts — et même sans heurts du tout puisqu'elle lui avait nettement laissé entendre qu'elle n'avait aucunement l'intention de le laisser parler d'amour.

« Je suis tout à fait d'accord pour que nous nous reposions », dit-il, « mais je pense qu'il est préférable que nous allions le faire chez les Hrowakas. Nous pourrons cacher l'appareil dans une grotte près du village. Là-bas, nous expliquerons la situation à ceux de mon peuple. Je mûris le plan de les utiliser pour combattre les Cloches Noires, s'ils sont d'accord — et ils le seront. Ils adorent se battre ».

Un peu plus tard, Anania remarqua qu'un voyant s'était éclairé sur le tableau de bord de l'engin volant.

« Quelqu'un essaie d'entrer en contact », dit-elle. « C'est sans doute un autre appareil, à moins qu'il ne s'agisse d'un appel du Q.G. qui se trouve dans le palais de Jadawin. Ils doivent s'étonner de ne pas avoir reçu de rapport.

— J'essaierais bien de les bluffer », dit Kickaha, « mais je ne possède pas suffisamment la langue des Seigneurs pour que ça réussisse. Tu pourrais essayer, mais je pense qu'une voix de femme leur paraîtra suspecte. Laissons-les donc appeler. Toutefois, il y a quelque chose qui m'inquiète. Est-ce que les Cloches Noires disposent d'un moyen quelconque qui leur permette de localiser cet appareil ?

— Seulement si nous transmettons un long message », répondit Anania, « ou si l'appareil se trouve dans leur champ d'observation. Ces engins m'appartiennent et je les ai fait équiper avec des dispositifs de protection, mais il n'y en a que quelques-uns.

— Oui, mais les Cloches Noires disposent des installations des quatre palais : celui de Wolff, le tien, et ceux de Nimstowl et de Judubra. Il est possible qu'ils aient démonté certains des dispositifs pour en équiper leurs appareils. »

Elle lui fit remarquer que si c'était le cas, ils ne l'avaient toutefois pas fait pour celui dont eux-mêmes se servaient.

Elle bâilla et se prépara à faire une sieste. Kickaha cria qu'elle avait dormi plus de douze heures d'affilée et la pria de décoller du sol son beau postérieur. S'ils voulaient survivre, il valait mieux qu'ils lèvent le camp et se hâtent. Il utilisa encore d'autres expressions plus imagées et plus personnelles pour lui faire comprendre qu'il ne fallait pas s'attarder en cet endroit.

Elle admit qu'il avait raison. Cela le surprit mais ne l'empêcha pas de demeurer sur ses gardes. Elle s'installa dans le siège du pilote, manœuvra quelques boutons de commande et se déclara prête à partir.

L'engin volant glissa parallèlement au flanc de la montagne, survolant le bord de la falaise. Il leur fallut deux heures pour quitter les montagnes et atteindre l'étage du monolithe où se trouvait le niveau Amérindia. La falaise de pierre plus ou moins abrupte culminait à dix mille mètres. A sa base s'étendait Okeanos, qui n'était pas un océan mais une mer annulaire entourant le monolithe, et dont la largeur ne dépassait jamais quatre cent cinquante kilomètres.

De l'altitude à laquelle ils se trouvaient, ils apercevaient nettement, au-delà d'Okeanos, la bande de terre qui constituait la limite extrême de la base de la planète. Elle avait en fait quatre-vingts kilomètres de large mais, vue de cette distance, elle paraissait ténue comme un fil. Sur sa surface relativement lisse et très boisée vivaient des humains, des créatures semi-humaines et des animaux fabuleux. La plupart de ces derniers étaient des produits des laboratoires de biologie de Jadawin; ils lui devaient tous leur longévité et leur éternelle jeunesse. Il y avait des tritons et des sirènes, des satyres aux sabots et aux cornes de chèvre, des faunes cornus et velus, de petits centaures et d'autres créatures encore que Jadawin avait créées à la ressemblance des personnages de la mythologie grecque. Ce territoire était une sorte de Paradeisos et d'Eden assortie d'un certain nombre de retouches extra-terrestres et extra-universelles.

De l'autre côté de cette bande de terre paradisiaque se trouvait une falaise verticale et, sous cette falaise, il n'y avait rien. Kickaha était allé plusieurs fois dans cette contrée, « en vacances » selon sa propre expression, et il avait été poursuivi une fois par l'horrible *gworl*, qui voulait le tuer pour lui prendre la Trompe de Shambarimen (1). Perché sur le bord du précipice, à la fois effrayé et rempli d'exaltation, il avait pour la première fois contemplé l'abîme vert qui prolongeait le fond du monde. Il n'y avait rien d'autre sous la planète que cette immensité verte et il avait eu l'impression que s'il y tombait, sa chute durerait éternellement.

Kickaha en parla à Anania :

« Nous pourrions nous cacher là-bas pendant longtemps. C'est un endroit extraordinaire, où la guerre n'existe pas et où, hormis quelques saignements de nez de temps en temps, le sang ne coule pas. Tout y a été créé pour le plaisir des sens; il n'y a aucune activité intellectuelle et cela devient un

(1) Voir *le Faiseur d'univers*, dans la même collection.

peu lassant au bout de quelques semaines, à moins que l'on ne devienne alcoolique ou que l'on ne s'adonne à la drogue. Mais il se pourrait que les Cloches Noires s'y rendent. Et à ce moment-là, ils seront beaucoup plus forts que maintenant.

— Tu peux en être sûr », dit-elle. « Ils ont commencé à créer de nouvelles Cloches. Je suppose que l'un des palais offrait des facilités pour cela. Ce n'est pas le cas du mien mais...

— Celui de Wolff », coupa-t-il. « Il doit bien falloir dix ans à une Cloche Noire pour arriver à maturité et prendre sa place parmi ses congénères, non ? En attendant, ils en sont réduits aux cinquante exemplaires originaux. Je veux dire quarante-six.

— Qu'ils soient quarante-six ou seulement six, ils n'auront de cesse de nous avoir capturés et tués tous les cinq, toi, moi, et les trois Seigneurs. Je doute qu'ils envahissent d'autres univers avant d'y être parvenus. Ils ont réussi à nous coincer tous les cinq dans ce monde et ils n'arrêteront la chasse que lorsqu'ils nous auront pris.

— Ou lorsque *nous*, nous les aurons capturés », corrigea Kickaha.

« Voilà ce que j'apprécie en toi », fit Anania en souriant. « J'aimerais que tu sois un Seigneur. Alors... »

Il ne lui demanda pas de compléter sa phrase. Il lui donna pour instructions de laisser glisser l'engin volant le long de la paroi du monolithe. Tandis qu'ils perdaient de l'altitude, il observa que la muraille, qui lui avait paru plus ou moins lisse, était rugueuse, fissurée et déprimée en plusieurs endroits. Il y avait des corniches et des saillies qui permettaient le cheminement de créatures familières et d'autres, étranges. Il y avait des fissures qui s'élargissaient parfois au point de former des vallées dans lesquelles serpentaient des rivières, et des parois desquelles jaillissaient par endroits des cataractes d'eau. Il vit aussi une rivière, large de près d'un kilomètre, qui sortait en grondant d'une immense caverne pour se précipiter dans la mer, quinze cents mètres plus bas, en une monstrueuse cascade.

Kickaha expliqua que le total des surfaces de chacun des niveaux horizontaux de la planète — autrement dit des couronnes entourant la base de chacun des monolithes superposés — égalait celle des masses liquides de la Terre. Il en résultait que chacune de ces surfaces était à elle seule plus vaste que la totalité des parties émergées de la Terre. En outre, les parties habitables situées sur les côtés des monolithes étaient considérables. Elles égalaient probablement la surface totale de l'Afrique. De plus, il y avait d'immenses territoires souterrains, des cavernes gigantesques et des réseaux horizontaux qui trouaient la montagne en tous sens et à une multitude de niveaux. Là vivaient diverses peuplades, animaux et plantes adaptés à la vie souterraine.

« Si l'on considère tout cela », ajouta Kickaha, « et si l'on tient compte du fait qu'il n'existe pas d'endroits arides ou recouverts par la neige ou la glace, on arrive à la conclusion que la surface habitable de cette planète est quatre fois plus importante que celle de la Terre. »

Anania répondit qu'elle n'avait séjourné que peu de temps sur la Terre et qu'elle ne se rappelait pas sa taille exacte. Toutefois, si elle avait bonne mémoire, la planète qui constituait son propre monde avait environ la dimension de la Terre.

« Tu peux me croire, c'est fichtrement grand », reprit Kickaha. « J'ai beaucoup voyagé pendant les vingt-trois ans où j'y ai vécu, et pourtant je n'en ai vu qu'une partie. J'ai encore beaucoup à voir — s'il m'est accordé de vivre, bien entendu. »

L'appareil était descendu rapidement et il évoluait maintenant à trois mètres au-dessus des vagues agitées d'Okeanos. Le ressac grondant frangé d'écume se brisait directement contre les récifs formant l'assise du monolithe. Kickaha, voulant s'assurer de la profondeur de l'eau, demanda à Anania de se diriger vers le large, à trois kilomètres environ. Lorsqu'elle eut immobilisé l'engin volant au-dessus de la mer, il lança par-dessus bord les quatre coffrets que contenait l'habitacle, et qui recelaient les structures en forme de cloche ayant appartenu aux Cloches Noires abattues. L'eau était claire et l'angle d'incidence du soleil propice. Il put suivre longtemps les coffrets des yeux avant que l'obscurité des profondeurs les engloutisse. Ils traversèrent un banc de poissons multicolores et glissèrent à proximité d'une pieuvre géante rayée de blanc et de violet. Le monstre marin étendit nonchalamment un de ses tentacules pour toucher un des coffrets au passage.

Laisser tomber les cloches à l'eau n'était pas tellement

nécessaire, étant donné qu'elles étaient vides et par conséquent inoffensives. Mais Anania ne se sentit pas à l'aise tant qu'elles ne furent pas englouties et hors d'atteinte.

« Cinquante moins six, reste quarante-quatre », dit Kickaha. « Et maintenant, en route pour le village des Hrowakas, le peuple de l'Ours. Mon peuple. »

L'appareil fonça parallèlement à la base du monolithe pendant environ mille deux cents kilomètres, puis Kickaha changea de place avec Anania et se mit aux commandes. Il prit de l'altitude et en dix minutes il se trouva à une hauteur de vingt mille mètres, surplombant le vertigineux versant abrupt du niveau Amérindia. Pendant une heure, il se faufila précautionneusement dans les vallées encaissées entre des chaînes de montagnes. Il lui fallut encore une demi-heure pour reconnaître les lieux, et ils atteignirent enfin la petite colline au sommet de laquelle était perché le village des Hrowakas.

Kickaha eut l'impression qu'une lance lui transperçait le crâne. Le mur de rondins taillés en pointe qui formait l'enceinte du village avait disparu. Çà et là une souche noircie apparaissait au milieu de monticules de cendres. La grande Salle du Conseil bâtie en V, les quartiers des guerriers célibataires, l'entrepôt de céréales, les fumoirs à viande, les huttes où logeaient les familles — tout avait été réduit en cendres. Il ne restait de tout cela que de petits tas de poussière grise.

Bien qu'il eût plu la nuit précédente, un peu de fumée s'élevait encore en quelques endroits. Sur le flanc du coteau une douzaine de cadavres gisaient épars : des cadavres de femmes et d'enfants. Il y avait aussi des carcasses d'ours et de chiens. Ils avaient été surpris par l'éclair des lance-rayons au moment où ils tentaient de s'échapper.

C'était là l'œuvre des Claches Noires, Kickaha en avait la certitude. Mais comment avaient-ils fait le rapprochement entre lui-même et les Hrowakas ?

Son esprit déchiré fonctionnait avec lenteur. Il se rappela finalement que les Tishquetmoacs savaient qu'il venait de chez les Hrowakas. Pourtant, ils ne connaissaient pas la situation géographique du village, même approximativement. Les Hrowakas avaient au moins trois cents kilomètres à parcourir avant d'atteindre la Grande Piste du Négoce et, une fois là, ils attendaient le passage d'une caravane tishquetmoac. Et bien que ceux du Peuple de l'Ours soient d'un naturel bavard, il ne leur serait jamais venu à l'idée de révéler l'emplacement de leur village.

Bien sûr, le Peuple de l'Ours avait de vieux ennemis, et les Cloches Noires avaient peut-être obtenu des renseignements de ces derniers. Et il existait d'autre part des films du village des Hrowakas et de Kickaha, tournés par Wolff, et qui étaient conservés dans son palais. Les Cloches Noires les avaient peut-être trouvés et découvert ainsi l'endroit où vivaient les Hrowakas, car l'un des films comportait une carte.

Pourquoi avaient-ils détruit le village et tué tous ceux qui s'y trouvaient ? En quoi cette acte barbare pouvait-il leur être utile ?

D'une voix oppressée et chevrotante, il posa la question à Anania. Elle répondit d'une voix compatissante et, s'il n'avait pas été frappé de stupeur, il aurait certainement été surpris par sa réponse :

« Les Cloches Noires n'ont pas fait cela par vengeance », dit-elle. « Leur façon de penser est totalement étrangère à la nôtre. Tu dois te rappeler que, bien que leurs créateurs soient des êtres humains » — Kickaha n'était pas assez abasourdi pour ne pas remarquer qu'elle identifiait maintenant les Seigneurs à des êtres humains — « et bien qu'ils aient été élevés et éduqués par des humains, ils ont par essence une vie mécanique. Naturellement, ils ont une conscience qui les rend supérieurs à de simples machines, mais ils sont du métal et ils demeurent du métal. Ils sont aussi cruels que n'importe quel humain, mais leur cruauté est froide et mécanique et ils ne l'emploient que lorsqu'elle peut leur procurer quelque chose qu'ils désirent. Ils peuvent connaître la passion, c'est-à-dire le désir sexuel, lorsqu'ils sont dans le corps d'un homme ou d'une femme, tout comme ils peuvent avoir faim lorsque leur hôte a lui-même faim.

» Mais ils ne se livrent pas à la vengeance aveugle et illogique comme le feraient des humains. J'entends par là qu'il ne leur viendrait pas à l'idée de détruire une tribu uniquement pour la raison que tu y es attaché. Non, ils devaient avoir un bon motif — bon pour eux, en tout cas — pour se livrer à cette destruction.

— Peut-être voulaient-ils s'assurer que je ne m'étais pas

réfugié ici », dit Kickaha. « Pourtant, il aurait été plus logique de leur part d'attendre mon arrivée. »

Il était possible qu'ils fussent cachés quelque part dans la montagne, à un endroit d'où ils pouvaient tout observer. Kickaha insista pour qu'ils explorent les environs avant d'approcher de ce qui avait été le village. Si effectivement les Cloches Noires les épiaient, alors ils étaient vraiment bien cachés car le détecteur de chaleur et de masse dont était équipé l'appareil ne signala que de petits mammifères et des oiseaux. Si Cloches Noires il y avait, ils se tenaient à l'abri d'un écran ayant des proportions importantes. Mais dans ce cas ils ne pouvaient apercevoir leur proie.

Il était plus probable que l'engin volant des Cloches Noires, après avoir détruit le village, avait exploré les environs puis, n'ayant rien trouvé, était reparti ailleurs.

« Je vais reprendre les commandes », dit doucement Anania. « Tu me diras quel chemin il faut prendre pour aller chez Podarge. »

Il était encore trop secoué pour réagir à cette sollicitude inhabituelle. Il réfléchirait plus tard. Il lui dit de se diriger vers le bord du niveau et, une fois là, de descendre d'environ quinze mille mètres. Ensuite, elle devrait se diriger vers l'ouest à la vitesse de deux cent cinquante kilomètres à l'heure jusqu'à ce qu'il lui dise de s'arrêter.

L'appareil fonctionnait silencieusement et le seul bruit qu'ils entendaient était celui du vent qui tourbillonnait à l'arrière. Ce ne fut que lorsque l'engin s'immobilisa sous un énorme rocher noir en surplomb qu'il parla.

« J'aurais pu enterrer les corps », dit-il, « mais cela aurait pris trop de temps. Les Cloches Noires auraient pu revenir.

— Tu penses encore à tes amis ? » dit-elle avec un soupçon d'incrédulité dans la voix. « Je veux dire, tu t'inquiètes parce que tu n'as pas pu protéger leurs corps des charognards ? N'y pense plus. Ils sont morts et tu ne peux plus rien pour eux.

— Tu ne comprends pas », dit-il. « Quand je parlais d'eux en disant « mon peuple », je pensais vraiment qu'ils étaient des miens. Je les aimais, et ils m'aimaient. C'étaient des êtres étranges — c'est du moins l'impression qu'ils me firent lorsque je les rencontrai pour la première fois. J'étais un jeune citoyen américain du Middle West, vivant au milieu du XXe siècle dans un autre univers. Eux, c'étaient les descendants des Amérindiens qui avaient été amenés dans l'univers où nous nous trouvons vingt mille ans auparavant. Les mœurs d'un Indien d'Amérique sont étranges et presque incompréhensibles même pour un Américain blanc, mais je suis très souple et m'adapte très facilement. J'ai étudié leurs mœurs et je suis arrivé à avoir le même mode de pensée qu'eux. J'étais à l'aise avec eux et ils l'étaient avec moi. J'étais Kickaha, le Rusé, l'homme aux mille tours dans son sac. *Leur* Kickaha, la terreur des ennemis du Peuple de l'Ours.

» Ce village était mon village ; j'y avais ma demeure, mes amis, les meilleurs que j'aie jamais eus, et deux femmes belles et aimantes. Pas d'enfants, bien qu'Awiwisha se soit crue enceinte. C'est vrai que je m'étais établi sous d'autres identités à deux autres niveaux, particulièrement sous celle du baron Horst von Horstmann, le hors-la-loi. Mais tout cela s'est évanoui — il y a si longtemps que j'ai quitté le Dracheland. Les Hrowakas étaient les gens de mon peuple. Je les aimais, et ils m'aimaient. »

Il se mit à pleurer avec des sanglots rauques qui lui déchiraient la gorge comme des éperons. Même quand il eut cessé de pleurer, il en sentit la brûlure. Il demeurait immobile de crainte de souffrir encore plus.

Au bout d'un moment, Anania se racla la gorge et remua d'un air gêné.

« D'accord, ça va mieux », dit-il. « Pose-toi sur cette corniche. L'entrée de la caverne de Podarge se trouve à environ quinze kilomètres à l'ouest. L'approche en est dangereuse à n'importe quel moment, mais plus particulièrement la nuit. Je n'y suis allé qu'une fois, il y a deux ou trois ans. Podarge nous avait enfermés dans une cage, Wolff et moi, et nous l'avons persuadée de nous en laisser sortir. »

Il eut un sourire sarcastique et ajouta :

« Pour prix de ma liberté, je devais faire l'amour avec elle. La même chose avait été demandée à de nombreux autres captifs mais nombre d'entre eux ne purent pas car ils étaient trop épouvantés, ou trop écœurés, ou les deux à la fois. Pendant l'acte, elle les déchiquetait comme du papier avec ses grandes serres acérées.

» En somme, Anania », poursuivit-il, « j'ai fait l'amour avec toi. Du moins, avec une femme — un être mi-humain mi-oiseau — qui avait ton visage.

— Tu dois te sentir mieux », dit-elle, « pour parler de la sorte.

— Il faut que je plaisante un peu, que je parle de choses qui sont éloignées de la mort. Tu ne peux pas comprendre cela ? »

Elle hocha la tête mais ne dit rien. Il garda lui-même le silence pendant un long moment. Ils mangèrent de la viande froide et des biscuits, car il eût été imprudent de faire du feu. La lueur aurait pu attirer les Cloches Noires ou les aigles verts. Ou d'autres créatures qu'ils devinaient en train de ramper le long des falaises.

13

La nuit s'écoula sans incident, bien qu'ils aient été réveillés à plusieurs reprises par des rugissements, des cris, des hululements, des mugissements, des barrissements et des sifflements, tous lointains.

Après le petit déjeuner, ils démarrèrent lentement le long de la paroi de la falaise. Kickaha aperçut un aigle qui volait à proximité, au-dessus de la mer. Il dirigea l'engin dans sa direction, en espérant qu'il ne tenterait pas de s'échapper ou d'attaquer. La curiosité l'emporta chez l'oiseau géant qui s'approcha de l'appareil et se mit à décrire des cercles tout autour en planant. Soudain, il bondit par-dessus l'engin et plongea dans le vide en criant : « Kickaha-a-a-a ! » Kickaha s'attendait à ce qu'il regagne la caverne de Podarge à tire d'ailes mais, au lieu de cela, se comportant d'une manière inattendue comme il fallait s'y attendre de la part d'une femelle (ainsi que Kickaha le fit remarquer à Anania), il remonta d'un battement d'ailes. Kickaha cria à l'aigle qu'il allait atterrir sur une corniche et qu'une fois là, il aimerait s'entretenir avec l'oiseau.

Peut-être l'animal pensa-t-il que cela lui procurerait une chance d'attaquer. Il se posa à côté de l'engin volant et ses ailes claquèrent en se rabattant de part et d'autre de son corps. Il surplombait l'appareil de toute sa tête et de son bec crochu, et il l'examina avec ses yeux noirs bordés de rouge. L'habitacle s'ouvrit et Kickaha se leva, tenant un lance-rayons à la main. Voyant cela, l'aigle géant recula d'un pas. Il croassa « Podarge » en voyant le visage d'Anania mais n'ajouta aucun commentaire.

Aux yeux de Kickaha, tous les aigles se ressemblaient. L'animal, lui, se souvenait du jour où le Rusé avait été enfermé dans la cage avec Wolff, et de celui où les aigles s'étaient déchaînés dans le palais situé au sommet du monolithe le plus élevé, point culminant de la planète.

« Je suis Thyweste », dit l'aigle vert avec la voix de perroquet géant qui était celle de l'espèce. « Que fais-tu ici, Rusé ? Ne sais-tu pas que Podarge t'a condamné à mort ? Et à être torturé avant de mourir, si cela est possible ?

— Dans ce cas, pourquoi ne tentes-tu pas ta chance ? répliqua Kickaha.

« Parce que Podarge a appris par Dewiwanira que tu avais ouvert la cage dans laquelle les Tishquetmoacs les retenaient prisonnières, elle et Antiope. Elle sait aussi qu'il se passe quelque chose de grave à Talanac, mais elle n'a pas encore pu découvrir ce que c'était. Elle a temporairement suspendu la sentence de mort qui te frappe — mais pas celle qui concerne Jadawin-Wolff — jusqu'à ce qu'elle ait découvert la vérité. J'ai reçu l'ordre de t'escorter jusqu'à elle si tu venais solliciter une audience. Mais je serai franche avec toi, Kickaha. Je t'avertis que tu risques de ne jamais ressortir de la caverne une fois que tu y seras entré.

— Je ne *sollicite* pas une audience », répondit-il. « Et si j'entre, ce sera dans cet engin volant, et armé. Veux-tu dire cela à Podarge ? Dis-lui également que si elle veut se venger des Tishquetmoacs qui ont emprisonné ou tué nombre de ses familiers, j'ai la possibilité de l'aider. Et dis-lui encore qu'un grand fléau menace. Il ne la menace pas encore, elle, mais cela viendra. Il refermera ses doigts glacés sur elle, sur ses aigles et sur leurs oisillons. Je lui expliquerai tout cela quand je la verrai — si je réussis à la voir. »

Thyweste promit de répéter ses paroles à Podarge, puis elle s'éleva en battant des ailes et s'éloigna. Plusieurs heures s'écoulèrent. Kickaha devenait de plus en plus nerveux. Il dit à Anania que Podarge était folle au point d'être capable d'agir à l'encontre de ses propres intérêts, et qu'il ne serait pas surpris de voir toute une horde d'aigles géants surgir du ciel vert et fondre sur eux.

Mais ce fut un aigle unique qui apparut. Thyweste invita Kickaha à le suivre, ainsi que la femelle humaine. Il pouvait amener avec lui toutes les armes qu'il voulait. S'il essayait de mentir à Podarge ou de lui jouer un tour, ce serait à ses risques et périls. Kickaha traduisit à l'intention d'Anania car l'aigle s'exprimait dans une langue dégénérée, dérivée du grec mycénien — la langue de l'*Odyssée* que parlaient Agamemnon et Hélène de Troie.

Anania, d'abord surprise, répondit d'une voix chargée de mépris :

« *Femelle humaine !* Cet oiseau infect n'est donc pas capable de reconnaître un Seigneur lorsqu'il en voit un ?

— Apparemment non », répondit Kickaha. « Après tout, rien ne te distingue d'un être humain ordinaire. En fait, tu peux avoir des enfants avec les humains ; c'est donc que tu es humaine, bien que d'origine différente. D'ailleurs, est-elle différente ? Wolff a des théories tout à fait intéressantes à ce sujet. »

Elle lança quelques épithètes et invectives malsonnantes dans le langage des Seigneurs. Kickaha démarra l'engin volant et suivit Thyweste jusqu'à l'entrée de la caverne où Podarge avait installé sa demeure et sa cour quelque cinq cents ans auparavant. Elle avait bien choisi le site. La falaise au sommet de laquelle s'ouvrait la caverne était presque verticale et, sur plusieurs centaines de mètres, elle était aussi lisse qu'un miroir. Devant l'entrée de la caverne se trouvait une large corniche qui n'était accessible que de face et, sous cette corniche, la falaise présentait une dépression. Aucune créature n'avait la possibilité d'accéder à la caverne en escaladant la falaise ou en descendant des sommets supérieurs. Si des hommes déterminés placés en surplomb avaient tenté d'y accéder en se laissant descendre au moyen de cordes, ils auraient été très facilement réduits à l'impuissance.

L'entrée consistait en une ouverture circulaire d'environ trois mètres de diamètre. Elle donnait accès à un long couloir sinueux de roc poli par les corps emplumés qui s'y frottaient depuis cinq siècles.

Kickaha engagea l'engin volant dans le passage, et avança avec force crissements, grincements et cognements contre les parois. Après avoir parcouru une cinquantaine de mètres, il déboucha dans une immense caverne. Elle était éclairée au moyen de torches et de plantes énormes dont les feuilles, qui ressemblaient à des plumes, brillaient d'un éclat blanc. Il y en avait partout, à la voûte et le long des murailles, émergeant du roc dans lequel leurs racines étaient fixées.

Un souffle d'air venu on ne sait d'où effleura doucement la joue de Kickaha.

La vaste salle était tout à fait conforme à ses souvenirs, mis à part le fait qu'elle semblait plus ordonnée. Podarge s'était visiblement livrée à quelques travaux ménagers. On avait enlevé les ordures qui s'amoncelaient sur le sol ; les centaines de grands coffres qui contenaient des bijoux, des objets d'art, des pièces d'or et d'argent et d'autres trésors avaient été alignés contre les parois ou emportés ailleurs.

L'engin volant se déplaçait entre une double rangée d'aigles géants. Il atteignit ainsi une plate-forme de roc. Elle avait trois mètres de haut et on y accédait par des marches faites de blocs de quartz. Le vieux fauteuil de roc sculpté qui était placé au centre de la plate-forme avait disparu. A sa place se trouvait un trône en or serti de diamants ayant la forme d'un phénix aux ailes étendues. Il avait appartenu au Rhadamanthe d'Atlantis, maître du second niveau le plus élevé de la planète. Podarge s'était emparée du trône au cours d'un raid opéré sur la capitale quelque quatre cents ans auparavant. Maintenant, il n'y avait plus de Rhadamanthe ; les habitants du niveau atlantéen avaient presque tous disparu et la grande cité avait été détruite. Les plans que Wolff avait établis pour recoloniser le pays avaient été interrompus par l'arrivée des Cloches Noires et sa propre disparition.

Podarge était assise sur le bord du trône. Son corps, conçu trois mille deux cents ans auparavant par Wolff, alors Jadawin, était celui d'une harpie. Les pattes qui soutenaient son corps humain étaient plus épaisses que celles d'une autruche. La partie inférieure de son corps était ornée de plumes vertes et comportait une longue queue. La partie supérieure était humaine, avec une splendide poitrine laiteuse, un long cou blanc et un visage d'une beauté stupéfiante. Les cheveux étaient longs et noirs, et les yeux avaient une expression égarée. La créature n'avait pas de bras mais des ailes, très longues et très larges, faites de plumes vertes et cramoisies.

Podarge s'adressa à Kickaha d'une voix à la fois ample et rauque :

« Arrête ta machine volante ! Elle ne doit pas approcher plus près. »

Kickaha demanda la permission de descendre de l'engin et de s'approcher jusqu'au pied des marches. Podarge la lui accorda. Il dit à Anania de le suivre et avança vers la plate-forme en se rengorgeant légèrement. Les yeux de Podarge s'agrandirent lorsqu'elle aperçut Anania.

« Femelle à deux jambes, es-tu une création de Jadawin ? » s'exclama-t-elle. « Il t'a donné un visage qui est modelé sur le mien ! »

Anania savait que c'était exactement l'inverse, et son orgueil dut être passablement froissé. Mais quoique arrogante elle n'était pas stupide et elle répondit :

« Je crois. Je ne connais pas mon origine. J'existe, c'est tout. Depuis cinquante ans, je pense.

— Pauvre nouveau-né ! Ainsi, tu as été le jouet de ce monstre de Jadawin ? Comment as-tu réussi à lui échapper ? S'est-il fatigué de toi et t'a-t-il lâchée dans ce monde mauvais pour vivre ou pour mourir, selon ce que les événements auront décidé ?

— Je ne sais pas », dit Anania. « Ce que tu dis est possible. Kickaha pense que Jadawin a eu la bonté de m'ôter une partie de ma mémoire ; aussi je ne me souviens ni de lui, ni de ma vie dans son palais, dans la mesure où j'y ai vécu. »

Kickaha approuvait mentalement son affabulation. Elle était aussi douée pour le mensonge que lui-même. Mais soudain une pensée fulgura dans son esprit : *elle a gaffé !* Cinquante ans auparavant, Jadawin n'était pas au palais, ni même dans cet univers. C'était un jeune amnésique vivant en Amérique, et qui avait été adopté par un homme appelé Wolff. Le Seigneur vivant au palais était alors Arwoor.

Mais il se rassura aussitôt. Cela n'avait aucune importance. Puisque Anania prétendait n'avoir aucun souvenir de son origine ou du palais, elle ne pouvait évidemment se rappeler qui était le Seigneur à ce moment-là.

Podarge, apparemment, pensait à tout autre chose. Elle dit à Kickaha :

« Dewiwanira m'a raconté comment tu les avais libérées, elle et Antiope, de la cage dans laquelle les Tishquetmoacs les retenaient prisonnières.

— T'a-t-elle dit aussi comment elle avait essayé de me

tuer pour me récompenser de lui avoir rendu sa liberté ? »
demanda Kickaha.

La harpie souleva un peu ses ailes et son regard brilla de
colère.

« Elle avait des ordres. La gratitude n'a rien à voir là-
dedans. Tu étais la main droite de Jadawin, qui se fait
maintenant appeler Wolff. »

Elle replia ses ailes et parut se détendre, mais Kickaha ne
s'y laissa pas prendre.

« Au fait, où est Jadawin ? » demanda-t-elle. « Que s'est-il
passé à Talanac ? Et qui sont ces Drachelanders ? »

Kickaha lui raconta tout. Il omit toutefois de parler des
deux Seigneurs, Nimstowl et Judubra, et prétendit qu'Anania avait été amenée longtemps auparavant du niveau
d'Amérindia et qu'elle avait été esclave à Talanac. Podarge
était d'une hostilité maladive vis-à-vis des Seigneurs. Si elle
découvrait la vérité au sujet d'Anania et plus particulièrement qu'elle était une sœur de Wolff, elle ordonnerait de la
tuer. Cela placerait Kickaha dans une position difficile et il
ne disposerait que d'une ou deux secondes pour faire face à
la situation. Il lui faudrait choisir entre vivre pour combattre
les Cloches Noires — et en ce cas laisser mourir Anania — et
mourir lui-même en la soutenant. Le fait qu'ils puissent tuer
tous deux de nombreux aigles avant d'être écrasés était une
piètre consolation.

Mais peut-être y aurait-il une chance de nous en sortir, pensa-
t-il. *A supposer que je puisse tuer Podarge, je créerais une
certaine panique chez les aigles et cela nous donnerait le temps de
sauter dans l'appareil. Il ne resterait plus alors qu'à braquer le
grand lance-rayons.*

Kickaha se rendit alors compte qu'il avait opté pour
Anania.

« Peut-être Jadawin est-il mort ? » dit Podarge. « Cela ne
me plairait pas tellement car il y a longtemps que j'ai projeté
de le capturer. Je veux qu'il paie en souffrant longtemps
avant de mourir. Qu'il paie ! Qu'il paie ! »

Podarge se dressa sur ses pattes d'oiseau, les serres
écartées, et elle se mit à pousser des cris de fureur. Du coin
de la bouche, Kickaha dit à Anania :

« Elle est folle à lier. Tiens-toi prête à tirer. »

Mais Podarge se tut subitement et se mit à faire les cent

pas comme un grand oiseau de cauchemar dans une cage. Finalement, elle s'arrêta et dit :

« *Rusé !* Pourquoi t'aiderais-je dans ton combat contre les ennemis de Jadawin, mis à part le fait qu'ils m'ont volé ma vengeance ?

— Parce qu'ils sont également tes ennemis », répondit-il. « Jusqu'à présent ils se sont contentés de se faire héberger par des humains, mais ne penses-tu pas que le tour des aigles viendra un jour ? Les hommes sont des créatures que le sol retient. Les grands aigles verts, par contre, planent dans le soleil bien au-dessus de la surface de la planète, survolant comme des dieux les animaux de la terre et les maisons et les villes créées par l'homme. Ils voient tout et savent tout, embrassant d'un seul coup d'œil des milliers de kilomètres d'étendue terrestre, et sont inaccessibles.

» Crois-tu que les Cloches Noires n'ont pas conscience de cela ? Et le jour où ils l'auront décidé, ils captureront tes aigles et toi-même, Podarge, placeront les cloches sur vos têtes, videront vos cerveaux de vos pensées et de vos mémoires et, quand ces derniers seront redevenus vierges, ils deviendront les maîtres absolus de vos corps.

» Les corps de chair et de sang sont pour les Cloches Noires ce que les vêtements sont pour nous autres humains. Quand les vêtements sont usés, on les jette. Vous aussi serez jetés aux ordures. Naturellement, cela vous sera totalement indifférent car vous serez morts depuis longtemps, bien avant que votre corps ne meure. »

Il se tut. Les aigles, créatures vertes monstrueuses hautes de trois mètres, paraissaient mal à l'aise et se raclaient bruyamment la gorge. L'expression de Podarge était indéchiffrable mais Kickaha savait qu'elle réfléchissait intensément.

« Il ne reste plus actuellement que quarante-quatre Cloches Noires en vie », poursuivit-il. « Ils ont un immense pouvoir, d'accord, mais ils sont peu nombreux. Le moment est venu de les empêcher de constituer une menace encore plus grande car, tu peux en être sûre, ils créeront d'autres bébés Cloches dans les laboratoires des palais des Seigneurs. Un jour viendra, si on les laisse faire, où ils seront des milliers, voire des millions, car ils voudront assurer la survivance de leur espèce. Et c'est le nombre qui permet de sauvegarder l'espèce.

» Le temps viendra où les Cloches Noires seront en si grand nombre et si puissants que personne ne pourra leur résister. Ils pourront faire ce qui leur plaira. Et s'ils veulent utiliser le corps des aigles verts pour réaliser leurs desseins, sois persuadée qu'ils ne t'en demanderont pas la permission. »

Après un long silence, Podarge répondit :

« Tu as bien parlé, Rusé. Je suis un peu au courant de ce qui se passe à Talanac car plusieurs de mes familiers ont capturé des Tishquetmoacs et les ont forcés à parler. Ils n'ont pas révélé grand-chose. Par exemple, ils n'ont jamais entendu parler des Cloches Noires. Mais ils ont dit que les prêtres de Talanac affirmaient que leur maître était possédé par un démon. Et la présence de machines volantes que mes familiers ont vues confirme ton histoire. Il est vraiment regrettable que tu aies jeté à la mer les cloches capturées, au lieu de les amener ici afin que nous puissions les voir.

— Je ne suis pas toujours aussi intelligent que tu peux le penser », répondit Kickaha.

« Que ton histoire soit à moitié vraie ou entièrement fabriquée, il y a autre chose à considérer », dit Podarge. « Voici ce dont il s'agit. Il y a longtemps que j'ai décidé de me venger des Tishquetmoacs, car ils ont tué certains de mes familiers et en ont mis d'autres en cage comme s'il s'agissait d'oiseaux ordinaires. Ils ont commencé à agir ainsi lorsque le souverain actuel, Quotshaml, est monté sur le trône. Cela se passait il y a seulement trois ans et depuis lors, il n'a tenu aucun compte de l'ancien accord qui existait entre son peuple et le mien. Dans son ardeur insensée à ajouter des spécimens nouveaux à son zoo et à créer une collection d'animaux naturalisés au palais, il se lança dans une guerre contre nous. Je lui ai fait dire de cesser immédiatement, mais il a emprisonné mes messagers. Il est fou, il est condamné. »

Podarge continua à parler. Apparemment, elle était fatiguée de la conversation des aigles et était avide d'entendre des nouvelles intéressantes de la bouche d'étrangers. Maintenant que Kickaha lui avait apporté les nouvelles probablement les plus extraordinaires qu'elle eût jamais entendues, elle voulait parler et parler encore. Et elle le faisait sans aucunement se soucier de ses invités — avec l'attitude que seul un monarque absolu peut adopter. Elle fit apporter de la nourriture et des boissons et s'installa entre les deux humains à une grande table. Kickaha et Anania étaient ravis de pouvoir se réconforter mais, au bout d'un moment, Anania se mit à dodeliner de la tête comme si elle allait s'endormir. Kickaha, qui se sentait de plus en plus ragaillardi, lui fit comprendre qu'il serait peut-être plus sage pour elle d'aller dormir. Elle devina ce qu'il sous-entendait mais ne fit aucun commentaire. Elle prit une couverture fournie par Podarge, l'installa sur le plancher de l'engin volant et s'y allongea.

14

LORSQU'ELLE se réveilla, elle aperçut Kickaha qui dormait auprès d'elle. Il ressemblait à un bébé avec son nez court et sa longue lèvre supérieure, mais son haleine était chargée de vin et de quelque parfum exotique. Il cessa soudain de ronfler et ouvrit un œil. Son iris d'un vert de feuille était strié de petites veines rouges. Il sourit et dit :

« Bonjour — quoiqu'il semble que nous soyons plus près de l'après-midi que du matin. »

Puis il s'assit et lui tapota l'épaule. Elle se dégagea avec brusquerie, et le sourire de Kickaha s'accentua.

« Se pourrait-il que l'arrogante super-femme Seigneur Anania la Splendide soit légèrement jalouse ? Non. C'est impensable.

— Impensable est le mot juste », rétorqua-t-elle. « Comment pourrais-je être jalouse ? Pour quelle raison ? »

Il s'étira et bâilla.

« C'est à toi de l'expliquer. Après tout, tu es une femme, même si tu nies être humaine, et nous avons tous deux des rapports étroits, presque trop intimes, dirais-je. Je suis un beau garçon un peu casse-cou, un valeureux guerrier — j'ose le dire car je ne fais que répéter ce que des milliers de gens ont dit de moi. Tu n'as pu éviter de te sentir attirée par moi, tout en te méprisant de trouver un *leblabbiy* attirant.

— Est-ce que des femmes ont déjà essayé de te tuer ? » gronda-t-elle.

« Oui. Une bonne douzaine. Pour dire le vrai, j'ai vu la mort de plus près lorsque j'ai été blessé par des femmes que lorsqu'il s'est agi de tous les grands guerriers que j'ai rencontrés. »

Il montra deux cicatrices au niveau de ses côtes.

« Par deux fois, elles ont été à deux doigts de réussir là où mes ennemis les plus obstinés avaient échoué. Et elles prétendaient toutes deux m'aimer. Je préfère cent fois la haine. Anania, hais-moi ouvertement et franchement !

— Je ne t'aime ni ne te hais », dit-elle avec hauteur. « J'appartiens à la race des Seigneurs et... »

Elle fut interrompue par un aigle. L'animal était envoyé par Podarge qui désirait leur parler pendant qu'ils prendraient leur petit déjeuner. L'aigle parut suffoqué lorsque Anania lui répondit qu'elle voulait d'abord prendre un bain, et demanda si, parmi les trésors amoncelés dans la caverne, il n'y avait pas des produits de beauté et des parfums. Kickaha sourit et dit qu'il irait seul trouver Podarge. L'aigle prit un air pincé et conduisit Anania dans un coin de la caverne où se trouvait une coiffeuse en filigrane très ouvragée qui contenait tout ce qu'elle désirait.

Podarge ne manifesta pas de mécontentement de ne pas voir Anania, car d'autres choses occupaient son esprit. Elle salua Kickaha comme si elle éprouvait beaucoup d'estime envers lui et lui annonça qu'elle avait appris d'intéressantes nouvelles. Un aigle, arrivé à l'aube, avait aperçu sur le fleuve que les Tishquetmoacs appelaient Petchotakl (il s'agissait du cours d'eau qui serpentait en lisière du pays des Arbres aux Ombres Nombreuses), une flotte d'une centaine de chaloupes portant chacune une cinquantaine de Barbes Rouges, des guerriers qui se nommaient eux-mêmes les Thyudas, c'est-à-dire le Peuple (Kickaha en avait entendu parler par les Tishquetmoacs, qui se plaignaient de la recrudescence des raids opérés par les Barbes Rouges contre les postes et villes frontières). Quel était le but d'une opération d'une telle envergure, sinon un raid contre Talanac ou même le siège de la ville ?

Podarge lui apprit que les Thyudas venaient des rives d'une vaste mer située à l'ouest, au-delà des Montagnes Scintillantes. Kickaha répondit qu'il n'avait encore jamais visité cette région, bien qu'il en ait eu l'intention depuis longtemps. Il savait que la mer mesurait environ mille cinq cents kilomètres de long sur cinq cents de large, et il avait toujours pensé que ses rivages étaient peuplés d'Amérindiens, de la même race que ceux qui vivaient dans les Plaines.

« Non », dit Podarge, très fière d'elle-même en raison de l'étendue de ses connaissances et de son pouvoir. Ses aigles lui avaient rapporté que longtemps, très longtemps auparavant, des bonnets à plumes (des Amérindiens) vivaient là. Mais Jadawin avait alors transféré de la Terre une tribu d'hommes de haute taille, à la peau claire et à la longue barbe. Ils s'étaient installés sur le rivage oriental de la mer et avaient bâti des villes fortifiées et construit des navires. Avec le temps, ils avaient conquis et absorbé les tribus d'hommes à la peau sombre. Ces derniers avaient commencé par être leurs esclaves ; mais par la suite ils étaient devenus leurs égaux et, les croisements aidant, ils étaient devenus eux-mêmes des Thyudas. Le langage thyuda avait dégénéré et était devenu une sorte de pidgin comportant de nombreux mots empruntés à la langue des aborigènes.

Les peuples qui vivaient en bordure de la partie orientale de la mer s'étaient fédérés et avaient vécu sous le co-gouvernement de Brakya (nom signifiant Lutte) et de Saurga (qui veut dire Tristesse). Mais la communauté avait bientôt été ensanglantée par une guerre civile longue et dure, à la suite de laquelle Brakya avait été contraint de s'enfuir avec un groupe de guerriers et de femmes. Ils avaient traversé les Montagnes Scintillantes et s'étaient fixés en amont du fleuve. Avec les années, ils avaient grandi en nombre et en force, et avaient commencé à opérer des raids contre les postes tishquetmoacs et les navires passant sur le fleuve, allant même jusqu'à attaquer les caravanes. Il leur arrivait parfois de se heurter aux Hommes-Chevaux et ils ne sortaient pas toujours du combat à leur avantage (alors qu'ils étaient toujours vainqueurs lorsqu'ils rencontraient d'autres ennemis).

Les Tishquetmoacs avaient lancé contre eux plusieurs expéditions punitives, dont une avait détruit un port fluvial ; les autres avaient échoué et leurs membres avaient été massacrés.

Et maintenant, il semblait que les Barbes Rouges fussent en train de préparer une opération d'envergure contre les habitants de Talanac. C'étaient de grands et farouches guerriers bien disciplinés, mais ils n'avaient visiblement pas idée de la dimension et des moyens de défense de la ville contre laquelle ils marchaient.

« Lorsqu'ils arriveront à Talanac, ils trouveront des défenses considérablement affaiblies », dit Kickaha. « Mais d'ici là peut-être aurons-nous attaqué et conquis la cité de jade. »

Podarge perdit sa bonne humeur.

« Nous attaquerons d'abord les Barbes Rouges et ils s'éparpilleront comme des moineaux devant un faucon.

— Pourquoi ne nous en ferions-nous pas des alliés ? » rétorqua Kickaha. « La bataille contre les Cloches Noires, les Tishquetmoacs et les Drachelanders ne va pas être facile, particulièrement si l'on considère le nombre d'engins volants et de lance-rayons dont ils disposent. Nous avons besoin de toute l'aide qu'il nous sera possible de trouver. Je suggère que nous mettions les Barbes Rouges de notre côté. »

Podarge se leva de son siège et, avec une aile, balaya tout ce qui se trouvait sur la table. Sa poitrine magnifique se soulevait et s'abaissait sous l'effet de la colère. Elle jeta à Kickaha un regard plein de fureur, d'où toute raison s'était évanouie. Kickaha se sentait rapetisser intérieurement mais il lui fit néanmoins face avec assurance.

« Laissons les Barbes Rouges tuer nos ennemis et mourir pour nous », insista-t-il. « Tu prétends aimer tes aigles ; tu les appelles tes familiers. Pourquoi ne pas contribuer à sauver la vie de nombre d'entre eux en renforçant nos positions avec l'aide des Barbes Rouges ? »

Podarge hurla, puis elle se mit à délirer. Il savait qu'il avait commis une grave faute en ne l'approuvant pas en tous points, mais il était maintenant trop tard pour revenir en arrière. En outre, il sentait sa propre raison submergée par une haine féroce envers cet être arrogant et d'une cruauté inhumaine.

Il maîtrisa sa colère avant qu'elle ne l'entraîna dans ces limbes d'où aucun homme ne ressurgit.

« Je m'incline devant ta sagesse supérieure, sans parler de ta force et de ton pouvoir. Que ta volonté soit faite, Podarge ! »

Mais après cela il demeura songeur, bien décidé à aborder à nouveau le sujet lorsqu'elle semblerait plus raisonnable.

la première chose qu'il entreprit après le petit déjeuner fut de se mettre aux commandes de l'engin volant. Il sortit de la caverne et monta vers le sommet du monolithe jusqu'à une altitude de seize mille mètres. Il se posa sur le sommet d'un pic qui faisait partie d'une chaîne de montagnes élevée et qui se dressait à proximité de l'arête du monolithe. Une fois là, il s'assit près d'Anania afin de discuter à haute voix des récents événements, puis leur conversation dévia et ils entreprirent de décrire l'entrée de la caverne de Podarge. Il avait branché la radio de manière que leur conversation fût retransmise, et Anania avait mis en circuit les différents appareils permettant le repérage. Après plusieurs heures de discussion, Anania feignit de s'apercevoir que la radio était branchée. Elle réprimanda Kickaha pour sa maladresse et sa stupidité et coupa brusquement le contact.

Un indicateur signalait l'écho de deux appareils qui approchaient du monolithe s'élevant au centre du niveau Amérindia. Ils venaient tous deux du palais seigneurial couronnant le monolithe de la planète.

Les deux engins les ayant sans aucun doute repérés grâce à leurs instruments de détection, ils n'allaient pas manquer de repérer également la zone dans laquelle leurs proies allaient disparaître. Kickaha poussa l'engin à sa vitesse maximum pour rejoindre le bord du niveau, puis il plongea. Il le redressa lorsqu'il fut à la hauteur de la caverne et tournoya en attendant que le premier des poursuivants fasse son apparition. Dès qu'il fut sûr d'avoir été aperçu, il pénétra dans l'entrée de la caverne et longea le couloir de roc sans se préoccuper des raclements de l'engin contre les parois.

Après cela, il n'y avait plus qu'à attendre. Le grand lance-rayons et les engins portatifs étaient entre les griffes des aigles qui planaient au-dessus de l'entrée de la caverne. Lorsque les deux appareils des Cloches Noires seraient à proximité du repaire de Podarge, les oiseaux géants se laisseraient tomber sur eux comme des pierres. Naturellement, les Cloches Noires les détecteraient au-dessus d'eux, mais ils n'y prêteraient pas attention. Après les avoir identifiés, ils se concentreraient sur la caverne qu'ils arroseraient de leurs rayons mortels.

Les occupants du repaire n'eurent pas à attendre très

longtemps. Un aigle qui tenait un lance-rayons dans son bec entra pour faire son rapport. Les Cloches Noires, trois dans chaque appareil, avaient été complètement pris par surprise. Ils avaient été réduits en cendres et leurs engins flottaient dans l'air. Ils n'étaient pas endommagés, mis à part quelques sièges calcinés et des parties métalliques légèrement fondues çà et là.

Kickaha suggéra à Podarge de faire amener les deux appareils dans la caverne. Les Cloches Noires devaient avoir encore au moins un engin volant en leur possession et il se pouvait qu'ils l'envoient pour enquêter sur la disparition des deux autres. Il était d'ailleurs possible qu'il y en eût plus d'un, car Nimstowl et Judubra pouvaient en avoir possédé.

« Douze Cloches Noires éliminés, reste trente-huit », dit Kickaha. « Et nous possédons maintenant une certaine force ainsi qu'un moyen de transport. »

Avec Anania, il sortit l'appareil coupé en deux, puis il passa aux commandes de l'un des deux engins capturés et le fit pénétrer dans la caverne. Il ressortit et fit de même pour le second. Lorsque les trois appareils se trouvèrent alignés dans l'immense grotte, Podarge insista pour qu'ils lui apprennent, ainsi qu'à certains aigles, à les piloter. Kickaha demanda qu'on leur rendît d'abord les lance-rayons qui faisaient partie de l'équipement du demi-appareil. L'hésitation de Podarge dura si longtemps qu'il se demanda si elle n'allait pas se retourner contre lui séance tenante. Anania et lui se trouvaient sans défense car ils avaient prêté leurs armes pour assurer le succès de leur plan. Il ne possédait que son couteau, qu'il était déterminé à lancer dans le plexus solaire de la harpie si elle faisait le moindre signe à ses aigles en vue de s'emparer d'eux. Cela ne les sauverait pas, mais il aurait du moins la satisfaction d'entraîner Podarge avec lui dans la mort.

Finalement, la harpie donna à ses sujets l'ordre de restituer les armes. Les lance-rayons portatifs leur furent rendus et le gros tube pivotant réintégra son emplacement sur le demi-appareil. Kickaha se sentait néanmoins mal à l'aise : en dépit des services qu'il pouvait lui rendre, Podarge ne lui pardonnerait jamais d'être l'ami de Wolff. Lorsqu'il ne lui serait plus d'aucune utilité, ce serait la fin pour lui. Cela pouvait arriver aussi bien dans trente minutes que dans trente jours.

148

Dès qu'il eut l'occasion de parler seul à seule à Anania, il lui dit ce à quoi il fallait s'attendre.

« C'est ce que je prévoyais moi-même », lui répondit-elle. « Même si tu n'étais pas l'ami de Jadawin, tu serais en danger car tu as été l'amant de Podarge. Elle doit savoir que, malgré son beau visage et sa superbe poitrine, elle n'est qu'un monstre hybride, qui répugne aux hommes qu'elle contraint à faire l'amour avec elle. Cela, elle ne peut le pardonner et elle doit donc faire disparaître l'homme qui la méprise secrètement. Et je suis moi-même en danger parce que, primo, j'ai un corps de femme, et elle doit haïr toutes les femmes puisqu'elle est condamnée à demeurer dans son corps monstrueux ; secundo, j'ai son visage et elle ne peut pas laisser vivre une femme possédant mon corps et son visage. Tertio, elle est folle. Elle me terrifie.

— Toi, un Seigneur, tu admets avoir peur ? » dit Kickaha.

« Même après dix mille ans d'existence, il y a encore certaines choses qui me font peur. La torture en est une, et je suis sûre qu'elle me torturera horriblement si elle en a l'occasion. De plus, je m'inquiète pour toi.

— Pour moi, un *leblabbiy ?* » s'exclama Kickaha, stupéfait.

« Tu n'es pas un humain ordinaire », dit-elle. « Es-tu certain de ne pas être au moins un demi-Seigneur ? Peut-être le fils de Wolff ?

— Je suis sûr que non », dit-il avec un sourire. « Est-ce que tu ne ressentirais pas par hasard les émotions d'une femme humaine ? Peut-être es-tu légèrement attirée vers moi. Peut-être — ô pensée horrible ! — me désires-tu ? Peut-être — ô pensée encore plus abominable ! — es-tu un peu amoureuse de moi ? Bien sûr, dans la mesure où un Seigneur est capable d'aimer !

— Tu es aussi fou que la harpie ! » dit-elle avec fureur. « Le fait que j'admire tes talents et ton courage ne signifie pas que la pensée me soit venue de te considérer un jour comme mon compagnon, mon égal !

— Bien sûr que non », dit-il. « Si ce n'avait été moi, tu serais déjà morte une douzaine de fois ou en train de hurler dans une chambre de torture. Je vais te dire quelque chose. Lorsque tu seras prête à avouer que tu as tort, je t'épargnerai l'embarras de le faire. Tu n'auras qu'à me dire que tu

149

m'aimes. Pas besoin d'excuses ou de larmes de contrition. Dis-moi que tu m'aimes, c'est tout. Je ne peux pas promettre de t'aimer en retour, mais j'envisagerai — j'ai bien dit " j'envisagerai " et rien de plus — l'idée d'être ton amant. Tu es terriblement attirante, du moins physiquement. Et je ne voudrais pas offenser Wolff en repoussant sa sœur, bien qu'à la réflexion il ne m'ait pas parlé de toi en des termes très affectueux. »

Il s'attendait à un accès de rage, mais au lieu de cela elle se mit à rire. Il n'aurait pas juré toutefois que ce rire n'était pas destiné à masquer ses véritables sentiments.

Ils eurent peu de temps pour parler après cela. Podarge les employa à enseigner aux aigles comment se servir des engins volants et des armes. Puis elle les questionna sur la topographie de Talanac, sur les endroits où elle rencontrerait le plus de résistance, sur les points faibles de la ville, etc. Elle dut s'interrompre à plusieurs reprises pour écouter des renseignements apportés par ses aigles et donner des ordres. Des centaines de messagers avaient été envoyés à la recherche d'autres aigles susceptibles de participer à la campagne. Les premières recrues reçurent pour mission de se rassembler au confluent du Petchotakl et de la petite rivière Kwakoyoml. Une fois là, les aigles devaient se ranger et attendre la flotte des Barbes Rouges. Podarge avait de nombreux problèmes à résoudre. Le ravitaillement de l'armée qui allait être ainsi réunie nécessitait une sérieuse organisation logistique. Les aigles avaient constitué à une époque une armée aussi bien organisée et hiérarchisée que n'importe quelle formation humaine équivalente. Mais l'attaque du palais plusieurs années auparavant, avait entraîné la mort d'un grand nombre d'officiers et Podarge ne s'était jamais préoccupée de réorganiser son armée. De ce fait, elle se trouvait maintenant confrontée à un problème d'une importance capitale qu'il lui fallait résoudre immédiatement.

Elle désigna un certain nombre de chasseurs. Comme le gibier foisonnait dans les régions avoisinant les rivières des Grandes Plaines, le problème de la nourriture se trouvait ainsi résolu. Mais cette mesure avait le désavantage d'entraîner l'indisponibilité presque permanente de deux aigles sur dix.

Le matin du quatrième jour, Kickaha osa reprendre la

discussion. Il fit remarquer à Podarge qu'il n'était pas intelligent de diminuer le potentiel offensif des armes en les déchargeant sur les Barbes Rouges, et qu'il fallait les économiser pour les utiliser là où ils en auraient vraiment besoin — c'est-à-dire à Talanac, où les Cloches Noires possédaient des armes qu'on ne pouvait neutraliser qu'en utilisant contre elles des engins similaires.

En outre, elle disposait maintenant d'un nombre suffisant d'aigles sous ses ordres pour lancer une attaque contre les Tishquetmoacs. Les nourrir était un problème suffisamment ardu pour que l'on n'attendît pas qu'il vînt s'en ajouter d'autres. Il y avait également...

Il n'alla pas plus loin. La harpie lui hurla de se taire, s'il ne voulait pas qu'on lui arrachât les yeux. Elle en avait assez de son arrogance et de sa présomption. Il y avait trop longtemps qu'il vivait, trop longtemps qu'il se vantait de ses ruses. De plus, elle ne pouvait souffrir Anania, cette créature répugnante. Qu'attendait-il pour trouver une ruse qui lui permît de sortir de la caverne ? Et la femelle humaine, pourquoi ne se jetait-elle pas dans la mer du haut de la falaise ? L'idéal étant bien sûr qu'ils s'y jettent tous les deux !

Kickaha se taisait, mais elle ne s'apaisa pas pour autant. Elle continua à l'invectiver pendant une bonne demi-heure, puis soudain elle s'arrêta et lui sourit. Il se sentit glacé jusqu'à la moelle ; il lui semblait que sa peau se décollait et se formait en plis qui se recouvraient l'un l'autre.

Il y avait dans l'existence des moments où il fallait attendre la suite des événements, et d'autres où il ne fallait pas hésiter à les anticiper. Il se leva de sa chaise, empoigna le bord de la table et, malgré son poids, la renversa sur Podarge. La harpie, comprimée entre le plateau de la table et sa propre chaise, hurla. Sa tête apparut au-dessus du bord de la table et elle se mit à battre des ailes.

Il aurait pu lui brûler la tête à ce moment-là, mais elle ne présentait pas un danger immédiat. Par contre, les deux aigles verts qui lui servaient de gardes du corps en représentaient un car ils tenaient chacun un lance-rayons dans leur bec. Toutefois, il leur fallait les laisser tomber pour les rattraper avec leurs serres et, avant qu'ils y aient réussi, Kickaha avait tiré sur l'un d'eux. Son lance-rayons, réglé à mi-puissance, mit le feu aux plumes de l'animal.

Anania avait également braqué son arme. Son rayon se croisa avec celui que projetait l'arme de Kickaha et atteignit le deuxième aigle.

Kickaha cria à Anania de le suivre puis il courut vers l'appareil le plus proche. Elle atteignit l'engin volant sur ses pas et, sans qu'il eût rien dit, elle s'installa derrière le gros tube lance-rayons et l'activa. Kickaha s'assit aux commandes et démarra. L'appareil s'éleva de cinquante centimètres et fonça le long du tunnel. Des aigles tentèrent de s'interposer mais il les renversa. L'engin continua de progresser en raclant le roc et en s'y cognant, secouant Kickaha à chaque heurt. Comme il n'avait pas eu le temps de boucler son harnais, une secousse plus violente le projeta contre le tableau de bord, et il eut de la peine à reprendre sa place dans le siège. Il augmenta la puissance du moteur et l'appareil accéléra vers l'entrée de la caverne, en continuant de se cogner contre les parois, pareil à un écouvillon sortant de l'âme d'un canon.

L'espace d'une seconde, l'ouverture circulaire de l'entrée fut occultée par un aigle. Il y eut un choc sourd ; l'oiseau géant disparut et l'appareil émergea dans le ciel vert, sous le lumineux soleil jaune, avec sous lui, quinze mille mètres en contrebas, le ressac blanc bleuté de la mer contre les rochers.

Kickaha réfréna l'envie incoercible qu'il avait de fuir. Il demeura à proximité de l'entrée de la caverne, montant et descendant lentement. Comme il l'avait prévu, le second appareil intact apparut, suivi bientôt par l'engin endommagé. Anania lâcha deux rafales à la puissance maximum, les partageant chacun en deux moitiés suivant l'axe longitudinal. Les épaves piquèrent vers la mer, accompagnées de débris de chair emplumée à demi calcinés. Ils purent les suivre longtemps du regard avant qu'ils ne s'amenuisent puis disparaissent à leurs yeux dans l'immensité du ciel vert et s'engloutissent dans le bleu de la mer.

Kickaha fit perdre de l'altitude à l'appareil, et manœuvra de manière à se placer face à l'entrée de la caverne. Puis il s'immobilisa et tira dans l'ouverture une rafale à pleine puissance avec le tube lance-rayons axial de l'appareil. Des hurlements lui indiquèrent qu'il avait, sinon tué certains aigles, du moins semé la panique dans la caverne pour un certain temps. L'idée lui vint de faire sauter une partie du rocher surplombant l'entrée afin de la bloquer, mais cela aurait demandé trop d'efforts. D'ailleurs, les aigles qui patrouillaient contre la face du monolithe revenaient accompagnés d'un grand nombre de nouveaux arrivants. Il se fraya un passage au milieu d'eux en en écrasant certains contre la paroi du monolithe, tandis qu'Anania en brûlait d'autres avec son canon pivotant. Ils se trouvèrent bientôt loin des oiseaux géants, survolant à grande vitesse la chaîne de montagnes qui séparait le bord du niveau des Grandes Plaines.

PERDANT de l'altitude, il atteignit la plaine qu'il entreprit de survoler en rase-mottes afin de ne pas courir le risque d'être repéré par un appareil des Cloches Noires. Il franchit des étendues couvertes d'herbe haute, des collines basses et des bouquets d'arbres, dispersant des troupeaux de grands mammouths gris, des mastodontes des plaines, d'énormes bisons velus, des bandes de chevaux sauvages et de chameaux des plaines dégingandés, efflanqués et à la tête craintive. Il épouvanta le Felis Atrox, le terrible lion de cinq cents kilos, le lion-guépard aux longues pattes et au facies canin, le tigre aux dents de sabre, le mégathérium à poil long et à l'expression stupide, le loup féroce dont la hauteur atteignait deux mètres à l'épaule, l'archaïque baluchithérium haut de sept mètres et à la tête d'âne et le mégacéros, sorte de daim aux andouillers de quatre mètres. Il fit fuir des milliers d'antilopes de toutes espèces, dont l'une, fort étrange, possédait une longue corne fourchue plantée entre les yeux et le nez. Il sema la panique parmi une harde de cochons géants, hauts de deux mètres à l'épaulé, et força à la fuite un monstre recréé dans les laboratoires de biologie de Wolff, un brontothérium, un être de cauchemar gris, long de cinq mètres et haut de trois à l'épaule, avec une grande corne plate au bout de son mufle, qui faisait trembler le sol sous sa course. Il sema la débandade parmi les coyotes, les renards, des oiseaux coureurs pareils à des autruches; il dispersa des vols de canards, d'oies, de cygnes, de hérons, de cigognes, de pigeons, de vautours, de buses et de faucons. Il survola à toute vitesse des milliers d'espèces de carnassiers et de mammifères et des milions de formes de vie différentes, contemplant en trois heures ce qu'il n'aurait pu voir en cinq ans de chevauchées à terre.

Il survola des camps appartenant à plusieurs nations des Plaines, les tentes ou les huttes rondes des Wingashutahs, des Khaikhovas, des Takotitas. A un certain moment, il aperçut une troupe d'Hommes-Chevaux en marche. De fiers guerriers montaient la garde de tous côtés, escortant les femelles qui portaient sur des perches les biens de la tribu et les jeunes qui sautaient et gambadaient comme des poulains.

Kickaha était fasciné par ces spectacles. Seul de tous les hommes qui peuplaient la Terre, il avait eu le privilège de pouvoir vivre dans ce monde. Jusqu'alors, il avait eu beaucoup de chance et, eût-il dû mourir à l'instant même, il n'aurait pas pu dire que son existence avait été gâchée. Au contraire, il lui avait été accordé ce que peu d'hommes avaient obtenu, et il en était reconnaissant. Mais en dépit de cela, il entendait bien continuer à vivre. Il avait encore beaucoup à voir, à explorer, à admirer ; beaucoup de choses à dire, et beaucoup de belles femmes à aimer. Et des ennuis à combattre jusqu'à la mort.

Cette dernière pensée venait de l'effleurer lorsqu'il aperçut un étrange groupe dans la prairie. Il ralentit et remonta jusqu'à quinze mètres d'altitude. C'étaient des Drachelanders à cheval, accompagnés par une petite troupe de Tishquetmoacs également à cheval... et par trois Cloches Noires. Il voyait distinctement les coffrets d'argent suspendus à leur selle.

Le groupe, qui s'était arrêté à la vue de l'engin volant, se remit en marche. Ils pensaient sans doute qu'il s'agissait d'autres Cloches Noires en patrouille aérienne. Kickaha ne leur laissa pas le temps de se convaincre de leur erreur. Il se posa brusquement. Anania braqua son lance-rayons et coupa en deux les trois Cloches Noires. Le reste du groupe, pris de panique, s'égailla au galop dans tous les sens. Kickaha descendit et s'empara des coffrets, avec l'intention de les jeter un peu plus tard dans le fleuve Petchotakl. Il n'arrivait pas à comprendre comment cette expédition, partie de Talanac, avait pu arriver aussi loin, même en chevauchant jour et nuit. En outre, elle venait de la direction opposée à la ville de jade.

Il lui vint à l'idée qu'ils avaient dû emprunter une

« porte » pour parvenir jusqu'à cette région. Il se souvint d'une « porte » cachée dans une caverne, au milieu d'une chaîne de collines rocheuses de peu d'altitude mais escarpée, à environ quatre-vingts kilomètres à l'intérieur du pays. Il s'y rendit avec l'engin volant et découvrit ce à quoi il s'attendait. Les Cloches Noires y avaient laissé une garde importante afin de s'assurer que Kickaha n'emprunterait pas ce passage. Prenant les soldats par surprise, il les grilla jusqu'au dernier et se faufila avec l'appareil dans la caverne. Une Cloche Noire se tenait à quelques mètres de la grande porte circulaire massive. D'une décharge, Kickaha lui transperça la poitrine.

« Seize d'abattus. Reste trente-quatre », dit-il à Anania. « Et peut-être un grand nombre de ceux qui restent vont-ils être éliminés dans les minutes qui vont suivre.

— Est-ce que tu as l'intention de franchir cette " porte " ? » demanda-t-elle.

« Elle doit communiquer avec la grille du Temple de Talanac », répondit-il. « Mais peut-être devrions-nous la garder pour plus tard, lorsque nous disposerons de renforts. »

Il ne lui donna pas d'explications, et lui demanda simplement de l'aider à se débarrasser des corps.

« Nous allons disparaître pendant quelque temps », dit-il. « Si d'autres Cloches Noires viennent jusqu'à cette porte, ils ne sauront pas ce qui s'est passé. Ils ne soupçonneront rien. »

Le plan de Kickaha avait de bonnes chances de réussir, mais seulement dans l'éventualité où il pourrait réaliser effectivement la suite de son projet.

Ils survolèrent la rivière et aperçurent tout à coup une flotte d'embarcations, dont deux naviguaient en tête, qui descendaient le courant. Elles rappelaient les barques des Vikings avec leur proue sculptée en forme de dragon. Les hommes qui les montaient, vus de loin, ressemblaient à des Nordiques. Ils étaient grands et athlétiques, portaient des casques ailés ou à cornes, et étaient vêtus de culottes en peaux de bêtes. Ils étaient armés de haches à deux tranchants, de sabres et de lourdes lances et avaient des boucliers ronds. La plupart d'entre eux avaient des barbes teintes en rouge, mais certains étaient imberbes.

Une volée de flèches le salua alors qu'il piquait vers la

rivière. Il continua néanmoins à se rapprocher de la barque de tête à l'avant de laquelle se tenait un homme vêtu de la longue robe à col rouge des prêtres. Quand l'équipage eut utilisé toutes ses flèches, Kickaha s'approcha tout près de la barque. Des lances volèrent et certaines d'entre elles atteignirent l'appareil. Mais Kickaha manœuvra de manière à ce qu'aucun projectile ne pénètre dans l'habitacle. Il s'adressa au prêtre dans la langue des Seigneurs et le roi, Brakya, consentit à parler à Kickaha par son intermédiaire. Tous deux se rencontrèrent sur une des rives du fleuve.

Les Barbes Rouges avaient de bonnes raisons pour manifester leur hostilité. Une semaine auparavant, un engin volant avait mis le feu à plusieurs de leurs villes et tué un certain nombre de jeunes hommes. Les agresseurs présentaient tous une ressemblance superficielle avec Kickaha. Ce dernier entreprit d'expliquer au roi ce qui se passait, ce qui lui demanda deux jours. Il fut retardé par la nécessité de parler par l'intermédiaire de l'*alkhsguma*, nom que l'on donnait aux prêtres en langue thyuda. Kickaha monta haut dans l'estime de Brakya lorsque Withrus, le prêtre, expliqua qu'il était la main droite d'*Allwaldands*, le Tout-Puissant.

On remit au lendemain le départ de toute la flotte, qui devait continuer à descendre la rivière. Les chefs et Withrus prirent place dans l'engin volant et Kickaha les conduisit jusqu'à la caverne où se trouvait la « porte ». Une fois là, il expliqua une nouvelle fois son plan. Brakya aurait désiré une démonstration pratique mais Kickaha lui dit que cela ne manquerait pas de signaler aux Cloches Noires qui se trouvaient à Talanac que la grille était ouverte aux envahisseurs.

Plusieurs jours s'écoulèrent pendant lesquels Kickaha conçut des plans, qu'il expliqua ensuite en détail, pour faire transiter cinq mille guerriers par la « porte ». Il serait indispensable de respecter le minutage si l'on voulait faire pénétrer un grand nombre d'hommes par la « porte » en même temps, car dans l'éventualité contraire certains soldats risqueraient fort de se voir coupés en deux au moment de son activation. Il fit remarquer que, du moment que les Cloches Noires et les Drachelanders étaient venus en très grand nombre, il n'y avait pas de raison pour que les Barbes Rouges ne réussissent pas à en faire autant.

En même temps qu'il donnait ces explications et ces

consignes, il était exaspéré, impatient et mal à l'aise, mais il n'osait pas le montrer. Podarge devait avoir envoyé son immense armada ailée à l'attaque de Talanac. Si elle avait eu l'intention de détruire les Barbes Rouges au préalable, ses aigles se seraient déjà manifestés depuis longtemps.

Brakya et les chefs étaient maintenant pressés de partir. Les descriptions enthousiastes et pittoresques que Kickaha avait données des trésors de Talanac avaient fait d'eux ses partisans fanatiques.

Kickaha fit exécuter une maquette grandeur nature de la « porte » et, avec l'aide des chefs, il fit faire aux hommes des exercices d'entraînement qui durèrent trois jours et une bonne partie des nuits. Lorsque les hommes eurent parfaitement compris ce que l'on attendait d'eux, tout le monde était exténué et d'humeur irritable.

Brakya décida qu'il était nécessaire de se reposer un jour entier avant de s'embarquer. Se reposer, cela signifiait pour lui amener dans le camp de grands barils de bière et des tonnelets d'alcool entreposés dans les cales des navires et les vider pendant que l'on ferait rôtir des daims, des bisons et des chevaux sauvages. Il y eut beaucoup de cris, de chants, de rires, de vantardises, et de nombreuses querelles qui dégénérèrent en rixes, à la suite desquelles il y eut pas mal de blessés et même des morts.

Kickaha obligea Anania à demeurer sous sa tente, en partie parce que Brakya n'avait fait aucune effort pour cacher l'envie qu'il avait d'elle. Si jusqu'alors il n'avait pas dépassé le stade des compliments grivois voisins de l'obscénité (tout à fait acceptables chez les Thyudas, expliqua le prêtre), il se pouvait fort bien qu'il passât à l'action si l'alcool le libérait de ses inhibitions. Kickaha serait alors contraint de se battre avec lui car chacun était persuadé qu'Anania était sa femme. En fait, ils durent partager la même tente pour sauver les apparences.

Cette nuit-là, Kickaha dut accepter le défi que lui lançait Brakya (il s'agissait de savoir lequel d'entre eux résisterait le mieux à la boisson), car refuser eût été perdre la face. Brakya avait naturellement l'intention de le faire sombrer dans l'inconscience, ce dont il profiterait pour se rendre dans la tente d'Anania. Il pesait environ vingt kilos de plus que Kickaha et il était fort capable de gagner son pari. Néanmoins, ce fut lui qui s'endormit le premier à l'aube, au grand amusement de ceux qui ne s'étaient pas écroulés avant lui.

L'après-midi, Kickaha sortit de la tente d'un pas mal assuré, le crâne aussi douloureux que s'il avait essayé d'assommer un bison à coups de tête. Brakya se réveilla un peu plus tard et il faillit se faire éclater la rate tant il rit de ce qui était arrivé. Il n'était aucunement en colère contre Kickaha et, lorsque Anania sortit à son tour de la tente, il la salua avec respect. Kickaha était heureux que l'affaire se soit réglée sans anicroches, mais il ne voulait pas que l'attaque soit lancée ce jour-là ainsi qu'il avait été prévu. L'armée aux jambes flageolantes n'était même pas en état de se battre contre des femmes.

A un certain moment, un corbeau de la taille d'un aigle de la Terre, un des Yeux de Wolff, se posa sur une branche au-dessus de Kickaha. Il s'adressa à lui d'une voix rauque et croassante :

« Salut Kickaha ! Il y a longtemps que je te cherche. Wolff, le Seigneur, m'envoie te dire qu'il doit quitter le palais pour un autre univers. Quelqu'un lui a volé sa Chryséis. Il part à la recherche du ravisseur pour le tuer. Ensuite, il reviendra avec sa compagne (1). »

L'Œil du Seigneur lui décrivit alors les pièges qui étaient demeurés activés au palais, puis il lui indiqua les « portes » qui étaient ouvertes et la manière d'entrer au palais et d'en sortir en toute sécurité, s'il le désirait.

Kickaha expliqua à l'oiseau que la situation avait changé et que les Cloches Noires occupaient le palais. Le corbeau n'eut pas l'air très étonné en entendant ces nouvelles. Il avait appris que Kickaha se trouvait à Talanac et il s'y était rendu. Il avait vu les Cloches Noires, bien qu'il ne sût pas alors de qui il s'agissait. Il avait également vu les aigles verts de Podarge au moment où ils partaient à l'attaque de la ville de jade. Ils projetaient une ombre immense qui marquait le sol d'un signe funeste, et le battement de leurs ailes ressemblait au bruit des tambours du jugement dernier.

Kickaha posa plusieurs questions à l'Œil du Seigneur, et il déduisit de ses réponses que l'armada ailée s'était abattue sur Talanac le jour précédent.

(1) Voir *les Portes de la création*, dans la même collection.

Il alla à la recherche de Brakya, qui dans l'intervalle avait fait renouveler la provision de bière et d'alcool, et lui apprit la nouvelle. Des cris et des rires d'ivrognes avaient recommencé à s'élever partout dans le camp. Brakya donna des ordres. On souffla dans de longues trompes, et l'on fit battre les tambours de guerre. L'armée se rangea en bataillons passablement désordonnés mais néanmoins reconnaissables.

Brakya et les chefs prirent la tête, suivis de Kickaha et Anania qui portaient un des gros lance-rayons de l'engin volant. Les guerriers chevronnés se placèrent derrière eux, deux d'entre eux portant le second lance-rayons. En queue de colonne venaient les soldats imberbes, qui ne seraient autorisés à laisser pousser leur barbe et à la teindre en rouge que lorsqu'ils auraient tué un ennemi au combat.

L'armée s'ébranla. Parvenus à la caverne, Kickaha, Anania, Brakya et six chefs pénétrèrent vivement à l'intérieur du cercle de métal gris. Le chef du groupe qui suivait se mit à compter pour vérifier le temps d'activation.

Sans transition, le groupe de neuf se retrouva dans une salle au plafond en dôme. Ce n'était pas l'immense pièce du temple dans laquelle Kickaha avait cru aboutir, mais une salle plus petite, toutes proportions gardées. Il la reconnut immédiatement. La salle était située à proximité du centre de la ville, emplacement qu'il n'avait pu atteindre lorsqu'il était poursuivi par les Cloches Noires. Il fit sortir du cercle les Thyudas, qui demeuraient sans parole devant ce tour de magie.

Les événements évoluèrent ensuite rapidement, mais au prix de nombreux efforts et aussi de nombreuses vies. La vieille ville était en flammes. Des incendies se déchaînaient partout, provoqués par des aigles qui avaient laissé tomber des torches enflammées. La ville de jade elle-même paraissait intacte, mais des milliers d'aigles se consumaient lentement en grésillant, abattus et brûlés par les lance-rayons des Cloches Noires. Des centaines de cadavres d'oiseaux géants, de Tishquetmoacs et de Drachelanders gisaient dans les rues et sur les toits des habitations. Des combats étaient en cours, la plupart au sommet de la ville, à proximité du temple et du palais de l'empereur.

Les défenseurs de la ville et les aigles verts étaient tellement pris par le combat que trois mille Barbes Rouges avaient réussi à franchir les portes lorsqu'ils s'aperçurent de leur présence. A ce moment-là, il était trop tard pour s'opposer à l'entrée du reste de l'armée. Des centaines d'aigles abandonnèrent le champ de bataille pour fondre sur les nouveaux venus, et de ce moment Kickaha ne se préoccupa plus que de lâcher rafale sur rafale avec son lance-rayons tout en passant d'une rue à l'autre au milieu du sang, de la fumée et des flammes. Quand les batteries d'alimentation de l'arme furent épuisées, il la jeta et empoigna son lance-rayons portatif.

Avant que l'avant-garde des Barbes Rouges eût atteint le sommet de la ville, tous les lance-rayons étaient déchargés et inutilisables, et les combats se poursuivirent uniquement à l'arme blanche.

Dans le temple, Kickaha découvrit un groupe de corps carbonisés que seuls les coffrets d'argent qu'ils portaient en bandoulière permettaient d'identifier comme étant des Cloches Noires. Il en dénombra six, que des aigles avaient abattus à l'aide de lance-rayons. Cela avait dû se passer dans les premières heures de la bataille, peut-être même dans les premières minutes de cette attaque surprise. Les aigles avaient été tués à leur tour mais ils avaient causé un nombre de morts catastrophique parmi les Cloches Noires.

Il découvrit successivement quatre autres cadavres de Cloches Noires avant de se retrouver abruptement en compagnie d'Anania, de Brakya et d'autres Thyudas dans une immense salle où les Cloches Noires avaient installé une grande « porte » permanente. Podarge et ses aigles, ou du moins ce qu'il en restait, avaient réussi à cerner un certain nombre de Tishquetmoacs et de Drachelanders, plus deux — non, trois Cloches Noires : von Turbat, von Swindebarn et l'empereur des Tishquetmoacs, Quotshaml. Ils étaient entourés de soldats dont le nombre diminuait rapidement sous les coups assenés par la harpie qui se déchaînait en compagnie de ses oiseaux géants.

Kickaha, Anania et les Barbes Rouges entrèrent alors en action, Kickaha attaqua les aigles par derrière et bientôt des plumes, du sang et des débris de chair volèrent de toute part. Kickaha exultait et poussait des cris de joie en faisant des moulinets avec son épée. La fin était proche pour ses ennemis.

Mais, dans la mêlée qui suivit, il aperçut les trois Cloches Noires qui, désertant le combat et abandonnant leurs

161

troupes, se mettaient à courir dans la direction du grand cercle de métal gris qui constituait la « porte ». Podarge et plusieurs de ses aigles se lancèrent à leur poursuite, et Kickaha les suivit. Les Cloches Noires disparurent, puis Podarge, et les aigles s'évanouirent à leur tour dans le passage.

Kickaha était tellement déçu qu'il en aurait pleuré, mais il n'avait pas l'intention de les poursuivre. Les Cloches Noires avaient certainement pris la précaution de disposer un certain nombre de pièges et Podarge et ses aigles avaient dû s'y laisser prendre. Bien qu'il brûlât de l'envie de s'emparer des Cloches Noires, il n'allait pas se laisser piéger à son tour.

Il entreprit de rebrousser chemin, mais il dut se défendre contre l'attaque de deux oiseaux géants. Il réussit à les blesser assez sérieusement pour leur ôter l'envie de s'approcher trop près de lui, mais ils s'obstinèrent et le contraignirent à reculer lentement vers le grand cercle de métal gris. L'un des deux aigles s'avança courageusement en donnant de grands coups de bec et Kickaha dut feinter du corps pour éviter d'être atteint. L'autre oiseau s'avança à son tour et attaqua, le contraignant également à feinter puis à rompre.

Il ne pouvait pas appeler à l'aide, car chacun des autres combattants avait ses propres problèmes à résoudre. Il se rendit soudain compte qu'il allait être obligé d'emprunter le passage car il reculait constamment sous la pression de ses deux adversaires et n'allait pas tarder à être déchiqueté par les énormes becs crochus. Changeant de tactique, les deux oiseaux géants se séparèrent et l'un d'eux manœuvra pour venir se placer derrière lui. Il para la manœuvre mais pensa que si l'idée leur venait de se placer de part et d'autre, il ne pourrait en attaquer un sans se mettre automatiquement à la portée du bec de l'autre.

Il lança un regard désespéré autour de lui, et vit qu'Anania et les Barbes Rouges étaient pour l'instant incapables de venir à la rescousse. Il fit donc la seule chose qu'il pouvait faire en l'occurrence : il recula jusqu'à la « porte » et fit tourbillonner son épée à toute vitesse pour s'octroyer les quelques secondes nécessaires à son activation. Quelque chose alors le frappa — le bout d'une aile, peut-être — et il sombra dans une demi-inconscience.

16

IL ouvrit les yeux sur un paysage inconnu et très étrange.

Il se trouvait dans une vallée large et peu profonde. Le sol sur lequel il était assis et les collines qui l'entouraient étaient recouverts d'une sorte de mousse jaune.

Le ciel n'était pas vert comme celui du monde qu'il venait de quitter. Il était d'un bleu si sombre qu'il en paraissait presque noir. Il aurait pu croire que c'était le crépuscule si le soleil ne s'était pas trouvé au zénith. A sa gauche, une forme gigantesque ayant l'apparence d'une tour était suspendue dans le ciel. Elle était verte, avec de-ci de-là des taches bleu foncé et bleu clair, et quelque chose qui ressemblait à des touffes laineuses blanches recouvrait de grandes surfaces. Elle était inclinée, comme la Tour de Pise de sa Terre natale.

Ce spectacle fit émerger Kickaha du brouillard dans lequel il se trouvait. Il était déjà venu en cet endroit auparavant et seul le coup qu'il avait reçu sur la tête l'avait empêché de le reconnaître. Il était sur la lune, le satellite sphérique de la planète à étages de cet univers.

Oubliant ses expériences d'un passé récent, il se mit d'un bond sur ses pieds. L'élan le projeta en l'air et il plana un moment, bras et jambes étendus, avant d'atterrir sur le visage puis sur les coudes et les genoux. Sa chute fut adoucie par la mousse jaune mais il fut néanmoins durement ébranlé.

Prudemment, il se redressa d'abord sur les mains, puis s'agenouilla et secoua la tête. C'est alors qu'il aperçut von Turbat, von Swindebarn et Quotshaml. Les Trois Cloches Noires couraient, Podarge et ses horribles aigles sur les talons.

Le mot « courir » définissait leur intention mais non la manifestation de cette intention. En fait, ils faisaient des bonds d'une longueur incroyable qui se terminaient fréquemment par des glissades et des chutes dans la mousse. Parfois, ils perdaient l'équilibre pour s'être projetés à une trop grande hauteur. Leur désespoir ne faisait qu'augmenter leur maladresse et, en d'autres circonstances, leur situation leur eût paru du plus haut comique.

Pour sa part Kickaha, qui ne courait aucun danger immédiat, la trouvait hilarante. Il rit de bon cœur mais se calma bientôt en pensant que sa propre situation n'allait certainement pas tarder à devenir tout aussi critique. Peut-être plus car les trois Cloches Noires semblaient chercher à atteindre un but qui pourrait les mettre à l'abri de ceux qui les poursuivaient.

De l'endroit où il se trouvait, il apercevait la partie supérieure d'une pierre circulaire enfouie dans la mousse jaune. Il s'agissait certainement d'une sorte de « porte ». Ils savaient qu'en empruntant la « porte » de la salle du temple, ils seraient transportés jusqu'à cet endroit de la lune et ils l'avaient placée là délibérément de manière à pouvoir échapper à leurs poursuivants éventuels. Cette « porte » devait leur permettre de rejoindre Talanac ou, plus vraisemblablement, le palais du Seigneur.

Cette porte devait être du modèle à franchissement unique. Elle recevrait et transmettrait la ou les premières personnes qui réussiraient à l'atteindre. Après quoi elle se refermerait jusqu'à ce qu'elle soit réactivée. Or il n'y avait apparemment aucun moyen de procéder sur place à cette réactivation.

Le piège était du genre de ceux que Kickaha appréciait, car il aimait en poser lui-même et il l'avait souvent fait. Mais tel pouvait être pris qui croyait prendre. Avec des poursuivants tels que Podarge et ses aigles, il fallait s'attendre à tout. S'ils étaient handicapés par la faible pesanteur et le choc provoqué par le dépaysement, ils avaient la faculté de pouvoir se servir de leurs ailes pour contrôler leur vitesse et freiner à l'atterrissage.

Von Turbat et von Swindebarn, qui bondissaient ensemble en se tenant par la main, atterrirent ensemble sur la pierre. Aussitôt, ils disparurent. Quotshaml sauta sur le rocher cinq secondes après eux mais il demeura là, comme une statue sur son socle. Le cri de désespoir qu'il poussa résonna dans l'air calme qu'aucun vent n'agitait.

Podarge, étendant les ailes pour contrôler sa descente, atterrit sur le dos de Quotshaml qui s'effondra sous son poids. La harpie arracha de gros morceaux de chair à son dos en poussant, non des cris de triomphe, mais des gémissements qui ressemblaient à ceux d'un grand oiseau à l'agonie. Puis les autres aigles atterrirent à leur tour, entourèrent Podarge et sa victime et abaissèrent leur bec pour l'aider à la déchiqueter.

Le coffret que Quotshaml portait en bandoulière avait été arraché et il gisait à proximité du rocher. Il ne restait plus maintenant que vingt-trois Cloches Noires en vie.

Kickaha se remit lentement sur ses pieds. Dès que Podarge et ses familiers auraient achevé leur travail, ils regarderaient autour d'eux. S'il ne disparaissait pas rapidement, ils ne manqueraient pas de le voir.

Les perspectives n'étaient guère brillantes. La ville abandonnée de Korad s'étalait à un kilomètre et demi de là. Les grands bâtiments blancs étincelaient sous le soleil comme un espoir lointain. Mais même s'il les atteignait à temps, il découvrirait que ce n'était pas un refuge mais une prison. La seule « porte » utilisable dans les environs ne se trouvait pas dans la ville mais était dissimulée à l'intérieur d'une caverne située dans les collines. Or, Podarge et ses aigles se tenaient entre lui et la caverne.

Kickaha profita du fait que les aigles ne pensaient qu'à se divertir pour réapprendre à courir. Il avait fait plusieurs séjours sur la lune. S'y réadapter était presque comme réapprendre à nager après des années de vie passées dans le désert. Une fois qu'on a appris à nager, on sait toujours le faire. Mais ce n'était qu'une analogie, rien de plus. Car si un homme qu'on jette à l'eau se met immédiatement à nager, il fallut à Kickaha plusieurs minutes pour réussir à coordonner convenablement ses mouvements.

Il avait parcouru ainsi quatre cents mètres lorsqu'il entendit des cris qui exprimaient autre chose que la joie de la vengeance satisfaite. Il jeta un coup d'œil par-dessus son épaule. Podarge et les quatre aigles l'avaient vu et ils se précipitaient dans sa direction. Ils se lançaient en avant et avançaient très efficacement en glissant tels des poissons-

165

volants au-dessus de la surface de la mer. Apparemment, ils n'osaient pas encore se hasarder à voler.

Comme s'ils devinaient les pensées de Kickaha, ils cessèrent de bondir et de glisser et prirent leur essor. Ils s'élevèrent bien plus rapidement que s'ils s'étaient trouvés sur la planète et ils se mirent à crier. Cette fois, ils poussaient des cris de frustration car, en volant, ils perdaient du terrain sur leur proie.

Kickaha ne s'en rendait compte qu'en jetant de fréquents coups d'œil en arrière tout en continuant à bondir. Puis il perdit lui-même du terrain car, à un certain moment, il glissa à l'atterrissage, fut projeté en avant, chuta et roula plusieurs fois sur lui-même. Il essaya de se remettre sur les pieds et les mains, mais il s'effondra à nouveau. La respiration coupée, il se contraignit à se remettre debout avant même d'avoir recouvré complètement ses esprits.

Tout en bondissant, il tira son épée du fourreau. Il sentait qu'il en aurait besoin avant d'atteindre la ville abandonnée. Podarge et un aigle l'**avaient** dépassé et se trouvaient maintenant devant lui, à une certaine altitude. Ils virèrent sur l'aile, se laissèrent tomber puis se dirigèrent vers lui à l'horizontale, à une allure régulière. Les trois autres aigles, qui se trouvaient au-dessus de lui, replièrent presque entièrement leurs ailes et plongèrent.

Sans aucun doute la harpie et ses oiseaux géants s'étaient arrangés pour que la fin de leur vol coïncidât avec le point le plus élevé de sa trajectoire lors d'un de ses bonds en avant. Kickaha continua à avancer. Un regard jeté vers le ciel lui montra les aigles, au-dessus de sa tête, qui grossissaient à vue d'œil. Leurs serres jaunes étaient écartées et leurs pattes raidies comme de grands amortisseurs destinés à adoucir leur chute lorsqu'ils l'atteindraient. Podarge et l'autre aigle fonçaient maintenant à deux mètres du sol, avec d'imperceptibles coups d'ailes destinés à corriger leur direction. Ils allaient l'intercepter au moment où son bond l'amènerait à la même hauteur qu'eux.

Anticipant sur son triomphe, Podarge grimaçait en découvrant presque toutes ses dents. Du sang dégouttait de sa bouche et de ses serres, et sa poitrine était maculée de taches rouges.

« Kickaha-a-a-a ! » hurla-t-elle. « Enfin ! »

Kickaha se demanda si elle avait vu son épée, ou si elle

était démente au point de ne pas s'en soucier. Mais cela n'avait pas d'importance. Il atterrit et se lança dans un nouveau bond qui aurait dû le jeter dans les serres de Podarge. Mais au lieu de cela, il se projeta en l'air de toutes ses forces, en un bond prodigieux qui le fit passer au-dessus de la harpie et de l'aigle éberlués. Leur cri de rage retentit comme le sifflement d'une locomotive.

Puis il y eut d'autres cris, de panique et de terreur cette fois, accompagnés de chocs sourds et du claquement des ailes des aigles qui essayaient de contrôler leur chute vertigineuse.

Kickaha toucha le sol et fit un nouveau bond, aussi puissant que le précédent. Cette fois, il se risqua à regarder par-dessus son épaule. Podarge et ses familiers gisaient sur le sol. Des plumes vertes arrachées au cours de la collision entre les cinq monstres voletaient en l'air. La harpie gisait sur le dos, les pattes en l'air. Un aigle était couché immobile auprès d'elle. Deux autres aigles étaient sur leurs pattes, chancelants, jetant autour d'eux des regards stupéfaits. Le quatrième tentait de se relever mais retombait à chaque tentative, en battant des ailes et en criant.

Profitant du répit qui lui était accordé, Kickaha atteignit en quelques bonds la sécurité du porche de la première des habitations désertes de Korad. La harpie, qui s'était remise sur ses pattes, bondit vers lui. Il se retourna et la frappa de son épée. Elle se mit à reculer en sautillant et en battant des ailes. Sa bouche ouverte était pleine de sang et la folie flambait dans ses yeux écarquillés. Elle perdait du sang par une longue estafilade qu'elle avait au côté, juste sous le sein droit. Pendant la mêlée confuse qui avait suivi le heurt des aigles, elle avait été déchirée par une serre.

Kickaha, voyant que seuls trois aigles assez mal en point suivaient Podarge à une dizaine de mètres, sortit de l'entrée, l'épée à la main. La harpie fut tellement surprise qu'un semblant de raison lui revint. Elle tourbillonna et bondit en battant des ailes. Kickaha se trouvait tout près d'elle ; son épée s'abattit et trancha plusieurs longues plumes de sa queue. Mais l'assaut de Podarge le déséquilibra et le fit choir sur le sol, et il dut à nouveau se réfugier dans l'entrée de l'habitation.

Les aigles attaquèrent à leur tour. Il en blessa légèrement

deux et ils reculèrent. Podarge se joignit à eux et ils revinrent à l'attaque.

Faisant demi-tour, Kickaha s'élança le long d'un corridor immense puis pénétra dans une pièce aux proportions gigantesques qui comportait de nombreuses pièces de mobilier scupltées. Il la traversa en courant, longea un autre corridor et aboutit dans une cour intérieure. Il la traversa en trois bonds et plongea juste à temps à l'intérieur d'une autre construction. Un aigle le talonnait. La harpie et l'autre aigle, qui avaient fait le tour de l'habitation principale, apparaissaient à l'angle du bâtiment. Comme il s'y attendait, il aurait été pris à revers s'il était demeuré dans l'entrée de la première habitation.

Il pénétra dans une pièce ne comportant pas d'autre issue que l'entrée et hésita. Devait-il demeurer là, ou était-il préférable de rejoindre les souterrains ? Peut-être pourrait-il semer ses ennemis dans ces sombres labyrinthes. Mais d'un autre côté, les aigles le dépisteraient sans doute à l'odeur là où il se cacherait. Et dans les souterrains vivaient des créatures aussi féroces que les aigles et encore plus répugnantes. C'était lui qui en avait eu l'idée et Wolff les avait créées à sa demande.

Un cri s'éleva. Il franchit la porte d'un bond et se retourna pour défendre l'entrée, l'épée haute. La décision avait été prise hors de sa volonté. Il ne pouvait plus se rendre dans les souterrains. Maintenant qu'il n'avait plus le choix, il regrettait de s'être arrêté au lieu de continuer à avancer. Tant qu'il avait la possibilité de se déplacer, il pouvait déjouer les manœuvres de ses poursuivants et, avec de la chance, remporter la victoire. Mais maintenant, il était pris au piège et il ne voyait vraiment pas comment il allait pouvoir se sortir de cette situation fâcheuse. Et Podarge, tout comme lui, était prise au piège. Elle ne connaissait pas le moyen de quitter la lune, alors que lui savait. Peut-être pourraient-ils conclure un marché, s'il était contraint de traiter avec elle. Entre-temps, il allait attendre la suite des événements.

La pièce, de dimensions respectables, était entièrement en marbre. Elle contenait un lit sculpté et orné d'incrustations en or et en argent, suspendu par des chaînes d'or au plafond. Les murs étaient recouverts de peintures aux couleurs vives représentant des êtres à la peau claire, aux corps et aux traits harmonieux, vêtus de robes somptueuses et portant des bijoux de métal ornés de pierres précieuses. Les hommes étaient imberbes et, comme les femmes, ils avaient de beaux et longs cheveux jaunes ou couleur de bronze. Ils jouaient à divers jeux. A travers les fenêtres peintes sur les tableaux, on apercevait une mer bleue.

Ces peintures murales avaient été exécutées par Wolff, car il avait du talent et peut-être même du génie. Elles lui avaient toutefois été inspirées par Kickaha qui d'ailleurs, mise à part la structure même du satellite, avait eu l'idée de tout ce qui existait sur la lune.

Peu après la reprise du palais et après que Wolff eut été rétabli dans ses prérogatives de Seigneur, il avait fait remarquer, à l'occasion d'une des conversations qu'il avait eues avec Kickaha, que depuis longtemps, il n'était pas allé sur la lune. Intrigué, Kickaha avait insisté pour qu'ils s'y rendissent. Bien que Wolff eût assuré que c'était sans grand intérêt — la lune ne comportait que des plaines herbeuses entourées de collines et de montagnes de peu d'altitude — ils y étaient allés pique-niquer en utilisant une des « portes ». Chryséis, la compagne de Wolff, la dryade aux yeux immenses et à la chevelure tigrée, avait préparé un panier rempli de bonnes choses, exactement comme l'aurait fait une maîtresse de maison américaine de la planète Terre désireuse d'aller excursionner dans le parc à l'extrémité de la ville. Ils avaient toutefois emporté des armes et s'étaient faits accompagner par plusieurs talos, ces robots mi-métal mi-protéines qui ressemblaient à des chevaliers en armure. Même sur la lune, un Seigneur ne pouvait être totalement détendu. Il devait toujours se tenir sur ses gardes, dans l'éventualité où un autre Seigneur l'attaquerait.

Ils avaient passé une journée très agréable. Kickaha avait fait remarquer qu'il y avait plus de choses à voir que Wolff ne l'avait laissé entendre. Il y avait le spectacle à la fois splendide et effrayant de la planète à étages suspendue dans le ciel, et cela seul justifiait le déplacement. Et il y avait aussi la joie enfantine de pouvoir bondir comme une sauterelle.

Vers la fin du jour, à demi ivre pour avoir bu immodérément d'un vin que la Terre n'avait jamais eu la chance de connaître, Kickaha eut l'idée de ce qu'il baptisa le *Projet Barsoom*. Wolff et lui avaient parlé de la Terre et de quelques livres qui leur avaient particulièrement plu.

Kickaha dit qu'à l'époque où il n'était encore que le jeune Paul Janus Finnegan, qui vivait dans une ferme aux environs de Terre-Haute, dans l'Indiana, il s'était pris de passion pour les œuvres d'Edgar Rice Burroughs. Il raffolait particulièrement de Tarzan, de David Innes et de John Carter. Il les aimait autant l'un que l'autre, avec peut-être une très légère prédilection pour John Carter.

C'est alors qu'il s'était redressé brusquement, renversant son verre de vin. Il s'était exclamé : « J'y suis ! Barsoom ! Tu m'as bien dit que cette lune avait la dimension de Mars ? Et tu disposes encore d'énormes possibilités dans tes laboratoires pour réaliser des " miracles " biologiques, n'est-ce pas ? Pourquoi ne pas créer Barsoom ? »

Il était tellement excité et ravi qu'il avait fait un grand bond en l'air. Mais, incapable de coordonner ses mouvements avec précision, il avait atterri sur le panier à provisions, heureusement aux trois quarts vide. Kickaha était souillé d'aliments et de vin mais, dans son allégresse, il ne le remarqua même pas.

Wolff écoutait patiemment et souriait souvent, mais sa réponse dégrisa Kickaha : « Je pourrais aisément réaliser un fac-similé acceptable de Barsoom. Quant à ton idée d'être John Carter, elle est amusante. Mais je me refuse dorénavant à jouer le rôle de Dieu avec des créatures douées de raison et de sens. »

Kickaha insista un moment, mais Wolff était, parmi tous les hommes qu'il avait rencontrés, celui qui avait la plus grande force de caractère. Kickaha était têtu, mais discuter avec Wolff lorsque ce dernier avait pris une décision équivalait à tenter d'éroder du granit en l'aspergeant d'eau avec le bout des doigts.

Wolff dit cependant qu'il allait semer sur la lune une herbe à croissance rapide, semblable à de la mousse jaune. Elle refoulerait vite l'herbe verte et recouvrirait le satellite depuis son pôle nord, couvert de glaciers, jusqu'à son pôle sud, également enfoui sous la glace.

Il ferait même autre chose, afin de ne pas décevoir entièrement Kickaha. Il créerait dans ses laboratoires de biologie des *thoats*, des *banths* et autres animaux barsoomiens. Il fallait cependant que Kickaha se rendît compte que cela prendrait du temps et que les résultats pourraient être légèrement différents de ce à quoi il s'attendait.

Il essaierait même de créer un Arbre de Vie, et il bâtirait plusieurs villes abandonnées. Mais il se refusait absolument à donner la vie à des *tharks* verts, ou à des *Barsoomiens* rouges, noirs, jaunes ou blancs. En tant que Jadawin, il n'aurait pas hésité une seconde. Etant Wolff, il ne pouvait le faire.

Si l'on faisait abstraction du fait qu'il refusait de jouer le rôle de Dieu, la résolution des problèmes scientifiques et techniques qu'impliquait la création, à partir d'éléments disparates, de nations et de civilisations entières, suffisait à donner le vertige. Les études préliminaires auraient demandé à elles seules l'équivalent d'une centaine d'années terrestres.

Est-ce que Kickaha avait idée, par exemple, de la complexité des œufs martiens ? Ils étaient petits au moment de la ponte, naturellement, de la taille d'un ballon de rugby ou même d'une grosseur moindre — Burroughs avait omis de préciser leur dimension au moment où ils étaient pondus par la femelle. Ils étaient censés être placés dans des incubateurs, à la lumière solaire, et cinq ans plus tard, ils éclosaient. Entre-temps, ils avaient atteint une longueur de quatre-vingts centimètres. C'était du moins le cas des œufs de Martiens verts, dont on supposait qu'ils étaient plus grands que ceux des Martiens de type humain normalement constitués.

Où les œufs puisaient-ils l'énergie nécessaire à leur développement ? Si elle provenait du jaune, l'embryon n'avait pas la possibilité de se développer. L'œuf constituait un système autonome ; contrairement à l'embryon alimenté par le cordon ombilical, il ne recevait aucune nourriture de la part de la mère durant une longue période. On eût pu en déduire que l'œuf tirait son énergie des rayons solaires. Mais si cela était possible en théorie, dans la réalité l'énergie captée était insignifiante eu égard à la petitesse de la surface réceptive de l'œuf.

Wolff, pour l'instant, ne pouvait imaginer de quelle manière les mécanismes biologiques pouvaient agir sur ce taux de croissance phénoménal. Il fallait qu'il y eût quelque part une source d'énergie ; étant donné que Burroughs restait muet sur ce sujet, c'eût été à Wolff et aux ordinateurs protéiques géants de son palais de la découvrir.

— Heureusement », dit Wolff en souriant, « je n'ai pas à

résoudre ce problème car il n'y aura pas de Martiens doués de sens, ni verts ni d'une autre couleur. Mais je pourrais m'y attaquer tout de même — uniquement pour voir si je serais capable de le résoudre. »

Si l'on voulait que la lune ressemblât à Mars, il y avait bien d'autres obstacles à surmonter. L'air était aussi dense que celui de la planète, et bien que Wolff eût la possibilité de réduire sa densité, il ne pensait pas que Kickaha pût se satisfaire de ce procédé. Il était à présumer que la densité atmosphérique régnant à Barsoom équivalait à celle que l'on trouve sur la Terre à trois mille mètres d'altitude. En outre, il y avait les caractères spécifiques des deux lunes de Mars, Deimos et Phobos. Si deux astéroïdes de taille comparable étaient placés sur des orbites similaires à celles des deux petites lunes, ils se consumeraient au bout de peu de temps car l'atmosphère de la lune s'étendait à la trame gravifique séparant le satellite de la planète à étages. Wolff résoudrait le problème en créant deux configurations énergétiques aussi brillantes que Deimos et Phobos, qui graviteraient autour de la lune à la même vitesse et dans les mêmes directions.

Plus tard, après avoir réfléchi plus calmement, Kickaha admit que Wolff avait raison. Même s'il avait été possible d'amener ici des créations biologiques de laboratoire et de les éduquer en fonction des suggestions émises par Burroughs dans ses livres sur Mars, ce n'aurait pas été une bonne chose que de le faire. Il ne fallait pas jouer à être Dieu. Wolff l'avait fait alors qu'il était Jadawin et il avait été la cause de beaucoup de malheur et de souffrances.

Mais finalement, ne devrait-on vraiment pas le faire ? Kickaha pensait qu'après tout, on donnerait ainsi la vie aux Martiens et ils auraient autant de chances que des êtres doués de raison et de sens dans toute autre partie de ce monde ou de l'autre, d'aimer et d'espérer. Il était vrai qu'ils souffriraient et connaîtraient la douleur, la folie et l'angoisse spirituelle, mais n'était-il pas préférable d'avoir une chance de vivre que de demeurer à jamais enfermé dans l'irréalisable ? Tout cela parce que quelqu'un pensait qu'il était préférable qu'ils ne connussent jamais la souffrance ? Et n'était-ce pas l'avis de Wolff que de penser qu'il était mieux d'avoir vécu, en dépit de ce qu'il avait enduré et de ce qui lui restait peut-être à souffrir, que de ne jamais avoir existé ?

Wolff admit que c'était vrai. Mais il objecta que Kickaha

était en train de rationaliser le problème. Kickaha voulait jouer les John Carter comme il le faisait quand il était enfant dans une ferme de l'Indiana. Wolff n'allait pas se lancer dans la création d'un Martien vert ou d'un *Zodangan* rouge vivant, respirant et pensant, avec tout ce que cela impliquait de temps et de peine, uniquement pour que Kickaha puisse les transpercer de son épée. Ou inversement.

Kickaha avait alors soupiré, puis souri et remercié Wolff de ce qu'il avait fait. Plus tard, il avait franchi une « porte » menant à la lune sur laquelle il avait passé une semaine très agréable. Il avait chassé le *banth* et capturé un jeune *thoat* qu'il avait apprivoisé. Il avait erré dans Korad et dans Thark, nom qu'il avait donné aux villes abandonnées construites par les talos de Wolff. Mais à la fin de la semaine il avait éprouvé une sensation de solitude et il avait regagné la planète.

Il était revenu plusieurs fois sur la lune, en vacances, une fois en compagnie de son épouse drachelander et de plusieurs chevaliers teutoniques, et une autre fois avec un groupe de Hrowakas. Tous, sauf lui, s'étaient senti mal à l'aise sur le satellite et presque pris de panique, et ces vacances collectives avaient été un échec.

17

TROIS ans s'étaient écoulés depuis son dernier séjour sur la lune. Il y revenait maintenant dans des circonstances qu'il n'aurait jamais imaginées. La harpie et ses aigles se tenaient à l'extérieur de la pièce dans laquelle il se trouvait et il était pris au piège. Mais s'il ne pouvait sortir, Podarge et ses familiers ne pouvaient attaquer sans prendre le risque de subir de graves pertes, et peut-être même une destruction totale.

Cependant, ils avaient un avantage sur lui : ils pouvaient se procurer de la nourriture et de l'eau. S'ils avaient la patience d'attendre jusqu'à ce qu'il soit vaincu par la faim et la soif, ou qu'il ne puisse plus résister au sommeil, ils l'auraient sans coup férir. Il n'y avait aucune raison pour qu'ils ne prennent pas le temps nécessaire. Rien ne les pressait.

Du moins pour l'instant, car il paraissait vraisemblable que les Cloches Noires surgiraient à un certain moment, après avoir emprunté d'autres « portes ». Et cette fois ils arriveraient en force.

Si Podarge s'imaginait qu'il allait demeurer là à attendre jusqu'à ce qu'il meure d'inanition, elle se trompait. Il allait puiser dans sa réserve de ruses et, si cela ne marchait pas, il sortirait pour se battre. Il avait une toute petite chance de les vaincre ou d'arriver grâce à eux jusqu'aux souterrains. C'était toutefois peu probable : les becs et les serres étaient rapides et terribles. Mais il n'allait quand même pas permettre qu'on se moquât de lui.

Il décida de leur rendre les choses encore plus difficiles. Il

174

fit rouler la porte circulaire devant l'entrée, ne laissant subsister qu'une étroite ouverture. Par la fente, il cria à Podarge :

« Tu t'imagines peut-être que je suis à ta merci ! Mais même si c'est le cas, que va-t-il se passer ? Comptes-tu finir ta vie dans cet endroit désert ? Il n'y a ici aucune montagne digne de ce nom où pourraient s'installer tes aigles. C'est un endroit d'une platitude déprimante ! Il ne leur sera pas non plus facile de se procurer de la nourriture. Tous les animaux qui vivent ici sont de farouches combattants, d'une taille monstrueuse !

» Quant à toi, Podarge, tu ne pourras plus régner sur tes centaines de milliers de sujets. Si tes aigles femelles pondent des œufs pour que leur nombre s'accroisse, ils seront dévorés par les petits animaux qui pullulent ici. Sans parler des grands singes blancs, qui raffolent des œufs ! Et de la viande, y compris celle des aigles !

» Et puisque je parle des grands singes blancs... Tu n'en as encore jamais rencontré, n'est-ce pas ?

Il s'interrompit un moment pour bien choisir ses mots, puis il poursuivit :

« Tu es bloquée jusqu'à ta mort, à moins que tu n'acceptes de conclure une trêve avec moi. Je puis t'aider à retourner sur la planète. Je sais où se trouvent les " portes ". »

Il y eut un silence, puis le bruit d'une conversation engagée à voix basse entre la harpie et ses aigles. Finalement, Podarge répondit :

« Tes paroles sont tentantes, Rusé ! Mais tu ne réussiras pas à m'abuser. Tout ce que nous avons à faire, c'est d'attendre que tu te sois endormi ou que tu ne puisses plus résister à la faim et à la soif. Alors nous te prendrons vivant et nous te torturerons jusqu'à ce que tu nous apprennes ce que nous avons besoin de savoir. Ensuite, nous te tuerons. Que dis-tu de cela ?

— Pas grand-chose », murmura Kickaha. Puis il hurla : « Je te tuerai le premier. Que penses-tu toi-même de cela, Podarge, reine grotesque de sujets à la grosse tête mais à la cervelle de moineau ? »

Son hurlement et le battement de ses ailes montrèrent qu'elle faisait aussi peu de cas de ses paroles que lui des siennes. Il cria : « Je sais où se trouvent les "portes " mais toi, tu ne les découvriras jamais sans mon aide. Fais fonctionner ce qui te sert de méninges et décide-toi, Podarge. Je te donne une demi-heure. Ensuite, j'agirai. »

Il poussa la porte et la ferma complètement, puis il s'assit contre elle, s'appuyant au dos contre le bois brun-roux, dur et luisant. S'ils tentaient de l'ouvrir, il aurait le temps de se relever et de se tenir prêt.

Il était bon de se reposer un moment. La longue et dure bataille de Talanac, puis le choc de se retrouver sur la lune et la poursuite qui avait suivi l'avaient épuisé. Et il mourait de soif.

Il dut légèrement s'assoupir. Il émergea soudain d'un lac d'eaux sombres et huileuses. Sa bouche était sèche et pleine de poussière, et il lui semblait qu'on avait fait entrer de force des œufs durs dans ses orbites. La porte n'ayant pas bougé, il ignorait ce qui l'avait réveillé. Peut-être son sens de la vigilance agissant subconsciemment.

Il laissa sa tête retomber contre la porte. Des cris et des rugissements lui parvenaient faiblement à travers le panneau et il sut alors ce qui l'avait tiré du sommeil. Il sauta sur ses pieds et fit rouler la porte, la repoussant dans la cavité du mur. L'épaisse barrière ainsi ôtée, il put entendre dans toute leur ampleur les bruits de la bataille qui se déroulait dans le corridor.

Podarge et les trois aigles affrontaient trois énormes félins à la robe fauve et à cinq paires de pattes. Deux d'entre eux étaient des mâles à crinière, et le troisième une femelle à la nuque lisse. C'étaient des *banths*, les lions martiens imaginés par Burroughs et créés par Wolff dans ses laboratoires de biologie. Ils se nourrissaient de la chair des petits *thoats* et des *zitidars*, les grands singes blancs, et de tout ce qui leur tombait sous la griffe. Normalement, ils chassaient de nuit mais la faim devait les avoir poussés à errer dans la ville abandonnée pendant le jour. A moins qu'ils n'eussent été stimulés par le bruit et attirés par l'odeur du sang.

Quelles qu'eussent été leurs raisons, ceux qui acculaient Kickaha se trouvaient acculés à leur tour. Les *banths* avaient tué un aigle, probablement à l'occasion de la surprise provoquée par la première attaque. Les aigles verts étaient de terribles combattants, capables de venir à bout d'un ou deux tigres sans perdre une seule plume. Or, les *banths* en avaient tué un et infligé aux autres assez de blessures pour les couvrir de sang. Toutefois, les félins, n'étaient pas sortis indemnes du combat et ils étaient couverts d'entailles et d'estafilades.

Pour l'instant, se tenant un peu à l'écart des proies qu'ils convoitaient, ils marchaient de long en large dans le corridor en rugissant. Par moments, l'un d'eux bondissait sur un aigle. Ce n'était qu'une feinte et le fauve s'immobilisait à quelques mètres des becs menaçants, aussi meurtriers que des haches d'armes. A d'autres moments, il lançait vers un des aigles survivants une énorme patte armée de griffes semblables à des lames de faux. Il y avait alors un déchaînement de canines longues comme des sabres et de becs et de serres jaunes et des morceaux de peau fauve volaient en l'air au milieu de plumes vertes tourbillonnantes. Des pupilles dilatées étincelaient, vertes, jaunes ou rouges, et le sang jaillissait au milieu de cris et de rugissements. Puis le lion se dégageait de la mêlée et rejoignait ses congénères en bondissant.

Podarge demeurait à l'abri des deux tours vertes jumelles formées par ses aigles. Kickaha, quant à lui, observait et attendait. Soudain, les trois lions attaquèrent simultanément. Un mâle et un aigle roulèrent sur le sol et allèrent heurter la porte avec violence. Kickaha sauta en arrière, puis il fit trois pas en avant et frappa avec son épée dans la mêlée confuse. Il se souciait peu de savoir ce qu'il frappait, espérant toutefois que ce serait l'aigle que ses coups atteindraient. Les oiseaux géants étaient plus intelligents et plus capables de concentrer leurs efforts sur un but à atteindre — le but étant lui-même en l'occurrence.

Mais, en roulant, les deux créatures s'éloignèrent de lui et seule la pointe de son épée en atteignit une. Ils faisaient un tel vacarme et étaient si sauvagement emmêlés qu'il n'aurait pu dire celui qui avait été blessé.

Pendant un bref instant, la partie centrale du corridor se trouva complètement dégagée. Les deux aigles se tenaient d'un côté, occupés à combattre les lions. Podarge était acculée au mur opposé, tenant en respect avec ses serres la femelle enragée. La femelle saignait des yeux et du mufle, lequel était à moitié arraché. Aveuglée par le sang, elle hésitait à s'élancer sur la harpie.

Kickaha bondit dans le corridor et sauta sur deux corps qui roulaient, et qui n'allaient pas tarder à obstruer le passage. Son pied prit appui sur un dos fauve et musclé et il se lança en avant. Il avait malheureusement déployé un tel effort pour bondir qu'il se cogna la tête contre le plafond, se déchirant la tempe contre un gros diamant serti dans le marbre.

A demi assommé, il tituba. A ce moment-là, il était vulnérable. Si un lion ou un aigle l'avait attaqué, il l'aurait tué comme un loup tue un lapin malade. Mais ils étaient trop occupés à s'entre-tuer et il sortit sans difficulté du bâtiment. Quelques minutes plus tard, il se trouvait loin de la ville abandonnée, faisant de grands bonds en direction des collines.

Il dépassa en bondissant le corps déchiqueté d'un aigle, celui qui avait été le plus touché au cours de la collision. Le corps éventré d'un *banth* gisait à proximité. Le lion avait dû attaquer l'aigle en pensant qu'il serait facile de le tuer. Mais il ne connaissait pas la force et la vitalité des grands aigles verts et il avait payé son erreur de sa vie.

Plus loin, il sauta au-dessus du corps de Quotshaml, ou du moins de ce qui en restait. Les restes de celui qui avait été l'empereur des Tishquetmoacs étaient éparpillés sur plusieurs mètres carrés.

Toujours bondissant, il escalada le flanc de la colline qui était si haute qu'on aurait presque pu la qualifier de montagne. Aux deux tiers de sa hauteur, dissimulée derrière un affleurement de granit mêlé de quartz, se trouvait l'entrée de la caverne. Il n'y avait aucune raison pour qu'il ne réussît pas à l'atteindre. Quelques minutes auparavant, il semblait que toute chance l'eût abandonné, mais la situation avait soudainement évolué en sa faveur.

Mais un cri lui fit comprendre que ce n'était peut-être qu'en apparence. Il regarda par-dessus son épaule. A cinq cents mètres de là, Podarge et les deux aigles survivants volaient rapidement vers lui. Les *banths* n'étaient pas en vue. Ils n'avaient visiblement pas réussi à bloquer leurs proies dans le corridor de l'habitation. Peut-être les grands félins les avaient-ils volontairement laissées s'échapper, afin de demeurer en vie et de pouvoir festoyer avec les restes de l'unique aigle qu'ils avaient tué.

Quoi qu'il en soit, il risquait à nouveau de se faire prendre dans ces espaces découverts. Ses poursuivants avaient appris à voler avec efficacité malgré la pesanteur réduite. Il en résultait que leur allure était d'un tiers plus rapide que celle qu'ils auraient eue sur la planète. C'était du moin ce qu'il semblait à Kickaha. A vrai dire, la fatigue consécutive au dur combat et le sang qu'ils avaient perdu les contraignaient à voler à une vitesse réduite.

Lorsqu'il regarda une deuxième fois, il lui sembla que Podarge et un aigle étaient blessés. Ils avaient considérablement réduit leur vitesse depuis qu'il les avait aperçus pour la première fois, et ils se tenaient loin derrière l'autre aigle. Ce dernier semblait indemne, bien que ses plumes vertes soient maculées de sang. Il rattrapa Kickaha et se laissa tomber sur lui comme un faucon sur un écureuil.

L'écureuil, toutefois, était armé d'une épée et avait décidé à l'avance de la ligne de conduite à adopter. S'arrangeant afin que l'attaque de l'oiseau coïncide avec son bond, il se propulsa en l'air. Il retomba en tournant le dos à l'aigle vert, dont les serres ouvertes se trouvèrent à portée de son épée. L'aigle poussa un cri et étendit les ailes afin de freiner sa descente, mais trop tard. Kickaha se fendit. La lame transperça une des pattes de l'oiseau géant, à la jointure des serres, transperçant du même coup l'autre patte. La force du coup projeta Kickaha en avant et il roula sur le sol. Il demeura sur le flanc, épuisé, expirant l'air comme un soufflet de forge.

Il se releva presque aussitôt en haletant et alla récupérer son épée. L'aigle était allongé sur le sol comme un poulet blessé et il ne vit même pas approcher Kickaha qui l'acheva en lui transperçant le cou. La tête de l'oiseau retomba et son œil noir cerclé d'écarlate fixa l'humain d'un regard dénué d'expression.

Kickaha respirait toujours avec difficulté lorsqu'il franchit d'un bond l'entrée de la caverne, alors que Podarge et le dernier survivant de ses aigles ne se trouvaient plus qu'à dix mètres de lui. Il se précipita vers le mur du fond de la caverne, situé à douze mètres de l'entrée.

Son intrusion interrompit une scène domestique dont les protagonistes étaient deux grands singes blancs. Papa, haut de trois mètres cinquante, avait deux jambes courtes et quatre bras. Tout son corps blanc était imberbe, à l'exception d'une énorme touffe de poils blancs raides qui ornait le sommet de son crâne en pain de sucre. Il avait un faciès de gorille et des yeux roses. Accroupi contre le mur de droite, il dévorait la patte d'un jeune *thoat*, déchiquetant la chair avec ses canines protubérantes et ses incisives acérées. Maman, qui se tenait un peu plus loin, rongeait la tête du *thoat*, tout en allaitant ses jumeaux.

(Wolff et Kickaha avaient commis une erreur en créant les grands singes blancs. Ils avaient oublié que les seuls mammifères vivant sur la planète Mars de Burroughs étaient l'homme et un animal de petite taille. Lorsqu'ils se rendirent compte de cette erreur, il était trop tard pour la corriger : plusieurs milliers de singes avaient été transportés sur la lune. Il n'était pas question de les détruire, non plus que de créer une espèce qui ne fût pas mammifère.)

Les gigantesques créatures simiesques furent aussi surprises que Kickaha, mais il avait sur elles l'avantage d'être en mouvement. Il fut cependant retardé car il lui fallait, pour pouvoir accéder à la pièce taillée dans le roc au fond de la caverne, extraire de son socle de pierre un gros caillou qui servait de clé et l'ajuster dans une dépression du mur du fond. Un pan de muraille pivota, démasquant une pierre carrée de six mètres de côté.

Sept croissants étaient enchâssés dans le sol de granit, contre le mur du fond. A droite, au niveau de ses yeux, sept autres croissants métalliques étaient suspendus à des chevilles plantées dans le mur. Chacun de ces croissants était destiné à être apparié avec un de ceux qui étaient scellés dans le sol et, pour ce faire, il suffisait de trouver les croissants gravés dans les mêmes hiéroglyphes.

Lorsque deux croissants étaient placés l'un en face de l'autre pour former un cercle, ils devenaient une « porte » menant à un endroit prédéterminé de la planète. Deux des « portes » étaient des pièges. L'étourdi qui les aurait utilisées se serait retrouvé dans la prison souterraine du palais de Wolff, d'où il lui aurait été impossible de s'échapper.

Kickaha, étudia hâtivement les hiéroglyphes. Cette hâte ne lui plaisait guère mais le temps passait. La lumière du jour pénétrait très affaiblie dans la pièce et il pouvait à peine déchiffrer les signes gravés. Il se rendait compte, un peu tard, qu'il aurait dû installer un système d'éclairage lorsqu'il avait installé la pièce. De toute façon il était trop tard, même pour les regrets, et il n'avait que le temps d'agir immédiatement sans réfléchir.

La caverne était devenue aussi bruyante qu'une batterie de jazz. Les deux singes géants s'étaient dressés sur leurs courtes jambes arquées. Ils rugissaient en regardant dans sa direction, tout en tambourinant sur leur torse et sur leur ventre avec leurs quatre poings fermés. Avant qu'ils n'aient pu foncer sur lui, ils furent presque renversés par Podarge et son aigle vert qui firent ensemble irruption dans la caverne, avec l'impétuosité de la décharge d'un fusil à deux coups.

Ils avaient nourri l'espoir de s'emparer d'un Kickaha acculé et sans défense, bien que leur expérience eût dû leur enseigner la prudence. Ils avaient commis la faute impardonnable d'échanger trois *banths* blessés, ayant perdu une grande partie de leur combativité, contre deux signes blancs monstrueux, frais et dispos, et enragés.

Kickaha aurait aimé contempler la bataille et encourager les singes, mais il ne voulait pas laisser passer sa chance, qui lui avait fait comprendre qu'elle était prête à l'abandonner. Il jeta donc sur le sol les deux croissants-pièges et décrocha les cinq autres. Il en mit quatre sous son bras avec l'intention de les emporter avec lui. Si la harpie venait à bout des singes et essayait d'utiliser l'un des croissants restants, elle finirait dans la prison du palais.

Bien qu'il fût averti du danger, Kickaha ne put s'empêcher de s'attarder pour contempler le spectacle et cela le perdit. Podarge réussit soudain à se dégager de l'étreinte des singes — en fait, elle fut littéralement projetée en l'air et traversa la caverne comme un ballon de basket-ball. Elle arriva dans la pièce du fond à une telle vitesse que Kickaha dut lâcher précipitamment les croissants pour brandir son épée et se défendre. Podarge le frappa tout d'abord de ses serres et le rabattit contre le mur avec une violence telle qu'il en eut les reins et le foie endoloris. Elle était trop près de lui pour qu'il pût se servir de son arme ; d'ailleurs, le souffle coupé, il n'eût pas eu la force de la lui plonger dans le corps.

Ils roulèrent sur le sol, les serres de Podarge agrippées aux cuisses de Kickaha. Elle frappait à la tête, au visage, au cou et aux épaules avec l'extrémité de ses ailes et la douleur qu'il ressentait était intolérable.

Malgré la douleur et les coups d'ailes incessants, il réussit à la frapper du poing au menton puis à la toucher avec son épée.

Le sang coulait du nez de la harpie, et ses yeux brillaient

de fureur. Elle tomba en arrière, les ailes déployées, comme si elle tendait les bras. Ses serres acérées demeuraient cependant enfoncées dans les cuisses de Kickaha. Il fallut qu'il les dégage doigt après doigt. Le sang ruisselait le long de ses jambes, formant une mare à ses pieds.

Au moment où il arrachait la dernière serre, il vit le singe mâle qui chargeait dans sa direction, ses quatre mains tendues en avant. Kickaha prit fébrilement son épée à deux mains et en frappa un des antérieurs du monstre. le choc se répercuta dans sa main et dans son bras et il faillit desserrer son étreinte. La main tranchée tomba sur le sol, et du moignon jaillit un jet de sang qui l'aveugla momentanément. Il l'essuya assez vite pour voir le singe blanc s'enfuir en hurlant et en boitillant sur cinq membres. Tête baissée, il télescopa le dernier aigle qui venait d'éventrer la femelle avec son bec et ses serres. Ils tombèrent sur le sol agrippés l'un à l'autre et roulèrent sur eux-mêmes plusieurs fois.

A ce moment, Podarge reprit ses esprits. Elle se releva en criant et en battant frénétiquement des ailes.

Kickaha ramassa l'un des croissants qu'il avait laissé tomber, vit que le hiéroglyphe qu'il portait était le même que celui qui était gravé sur le croissant qui se trouvait à ses pieds et appair les deux. Il pivota ensuite sur les talons et se fendit en direction de Podarge, qui dansait autour de lui en essayant de retrouver assez d'énergie pour l'attaquer. Elle esquiva en reculant et il se plaça à l'intérieur du cercle formé par les deux croissants.

« Adieu, Podarge ! » cria-t-il. « Puisses-tu pourrir ici ! »

18

La « porte », instantanément, s'activa. Kickaha quitta la salle carrée aménagée au fond de la caverne sans éprouver la moindre sensation de déplacement — comme d'habitude — et se retrouva ailleurs, debout à l'intérieur d'un cercle formé par deux autres croissants joints. La mise en contact des deux croissants de la caverne et l'entrée de son corps dans le champ qu'ils irradiaient avaient activé la porte en trois secondes. Lui et le croissant mobile avaient été transférés jusqu'à un champ de même fréquence situé à l'autre extrémité du sous-continuum.

Il avait réussi à s'échapper mais il n'allait pas tarder à mourir vidé de son sang s'il ne réussissait pas à soigner ses blessures afin d'en étancher le flot.

Il se rendit soudain compte de l'erreur qu'il avait commise en agissant hâtivement, sous la pression de Podarge. Il avait ramassé un des croissants dont il ne fallait pas se servir, après avoir lâché les cinq autres lorsque la harpie l'avait attaqué. Au cours de la bataille, il avait dû donner accidentellement un coup de pied à l'un des croissants-pièges, qui s'était retrouvé au milieu des autres. C'était celui-là qu'il avait ramassé et qu'il avait utilisé pour disparaître.

Il se trouvait dans une cellule de la prison du palais du Seigneur.

Un jour, devant Wolff, il s'était vanté de pouvoir sortir de cette prison dont on garantissait qu'il était impossible de s'échapper, si par hasard il y était enfermé. Il pensait qu'un homme intelligent et résolu ne pouvait pas demeurer indéfiniment enfermé dans une prison, aussi inviolable fût-elle. En sortir pouvait demander un certain temps, mais on y réussissait toujours.

Il rageait maintenant, regrettant d'avoir été aussi vantard. Wolff avait fort bien conçu cette prison. Elle était creusée sous vingt-cinq mètres de pierre solide. C'était un ensemble autonome entièrement isolé du monde extérieur, à l'exception du détail : la nourriture et la boisson fournies au prisonnier éventuel provenaient des cuisines du palais par l'intermédiaire d'une « porte », mais trop étroite pour laisser passer autre chose qu'un plateau.

La prison comportait bien d'autres « portes » destinées à introduire ou à faire sortir les prisonniers, mais elles ne pouvaient être activées que depuis le palais, et seulement par les rares personnes qui connaissaient leur existence.

La pièce où il se trouvait, cylindrique, avait un diamètre d'environ douze mètres. Elle était éclairée par une source lumineuse invisible, qui ne projetait pas d'ombres. Les murs étaient recouverts de peintures exécutées par Wolff, qui représentaient des scènes de l'ancienne planète ancestrale des Seigneurs. Wolff avait créé cette prison uniquement à l'intention de ses pairs, et c'était pour eux qu'il avait peint ces scènes. Il y avait quelque cruauté dans ces décors, qui étaient tous axés sur la beauté grandiose de la nature extérieure et ne pouvaient manquer de faire prendre conscience au prisonnier de l'espace étroit dans lequel il était confiné.

Le mobilier, du style connu chez les Seigneurs sous le nom de Moyen Thyamarzan Antérieur à l'Exode, était splendide. Les grands placards et les majestueuses commodes renfermaient de nombreux objets destinés à éduquer et à distraire le prisonnier. A l'origine, les cellules étaient vides. Mais quand Wolff avait repris son palais, il les avait fait meubler et garnir d'objets divers car il n'était pas partisan de la torture, même de celle qui consiste à faire périr d'ennui les prisonniers.

Jusqu'alors, la prison était demeurée inoccupée. Et comble de l'ironie et de l'humour noir, l'homme qui l'inaugurait était le meilleur ami de celui qui avait eu l'idée de la créer, et qui ignorait tout de sa présence en ce lieu.

Kickaha avait l'espoir que les Cloches Noires occupant le palais l'ignoreraient également. Lorsqu'un prisonnier était introduit dans la cellule, trois lampes s'allumaient simultanément : une dans la chambre de Wolff, une autre sur un panneau installé dans la grande salle de contrôle, et une troisième aux cuisines.

Si les Cloches Noires en voyaient une briller, ils s'alarmeraient ou tout au moins chercheraient à en connaître la signification. Ils ne disposaient d'aucun moyen de comprendre le sens de ces signaux. Les talos des cuisines comprendraient pour leur part mais, même si on les questionnait, ils seraient dans l'impossibilité de répondre. Ils enregistraient les ordres, mais leurs bouches ne leur servaient qu'à goûter les mets et à manger. Ils n'étaient pas doués de la parole.

Kickaha, tout en réfléchissant intensément, se mit en quête d'une trousse de première urgence. Il trouva tout ce dont il avait besoin dans un placard, antiseptique, anesthésique à action locale, produits pharmaceutiques et bandes de pansement. Après avoir désinfecté ses plaies, il déroula des bandes ressemblant à de la peau humaine et les appliqua sur ses blessures. Leur effet cicatrisant se fit sentir presque immédiatement.

Il but de l'eau et ouvrit aussi une bouteille de bière. Ensuite, il fit couler une douche sous laquelle il demeura un bon moment, puis il prit une boîte de pilules destinées à calmer les nerfs surexcités et à procurer un sommeil réparateur. Il n'avalerait toutefois une de ces pilules qu'après avoir mangé et achevé d'explorer l'endroit où il se trouvait.

A vrai dire, peut-être n'aurait-il pas dû songer au repos. Chaque minute qui s'écoulait était vitale. Il ignorait ce qu'étaient devenus Anania et les Barbes Rouges qui combattaient à Talanac. Peut-être, en ce moment même, étaient-ils attaqués par un appareil des Cloches Noires équipé de lance-rayons puissants. Et que faisait von Turbat actuellement ?

Après avoir échappé à Podarge, von Turbat et son second von Swindebarn avaient dû certainement réintégrer le palais en franchissant une « porte ». Se contenteraient-ils de s'y terrer ? Ou bien — et cela semblait plus probable — se rendraient-ils à nouveau sur la lune en empruntant une autre « porte » ? Sans doute pensaient-ils que Kickaha s'y trouvait abandonné et incapable d'agir. S'ils y retournaient, ils se feraient vraisemblablement accompagner par un engin volant et une troupe nombreuse.

Il se mit à rire. Pendant qu'ils seraient là-haut, occupés à le chercher frénétiquement, lui serait tranquillement ici, à vingt-cinq mètres sous terre.

Il fallait néanmoins envisager la possibilité qu'ils découvrent la salle secrète au fond de la caverne, près de Korad. Dans ce cas, ils essaieraient tous les croissants l'un après l'autre et une Cloche Noire ferait bientôt son apparition dans sa cellule. Peut-être était-ce une erreur de dormir. Peut-être devait-il continuer à agir, et essayer de trouver un moyen pour quitter cet endroit.

Kickaha décida qu'il était *indispensable* qu'il dormit. Sinon, il n'allait pas tarder à s'effondrer et à perdre la presque totalité de ses moyens, devenant ainsi très vulnérable.

Lorsqu'il eut absorbé la bière et trois verres de vin, la tête lui tournait un peu. Il marcha jusqu'à une petite porte aménagée dans la muraille, et sur laquelle une topaze jetait des feux jaunes, et l'ouvrit. Dans la cavité du mur, il prit un plateau d'argent. Il contenait dix plats différents, coiffés d'un couvercle également en argent et contenant tous des mets succulents. Il en dévora le contenu puis il replaça le plateau et les plats vides dans la cavité. Tant qu'il laissa la porte ouverte, rien ne se passa. Il la referma puis la rouvrit presque immédiatement. La niche était vide. Le plateau avait été transféré aux cuisines où un talos laverait plateau et plats avant de les polir. Au bout de six heures, le talos préparerait un nouveau plateau et le transférerait dans la cellule enfouie sous la pierre.

Kickaha voulait être debout et prêt au moment de l'arrivée du plateau suivant. La cellule ne comportait malheureusement pas de pendule, et il lui fallait donc compter sur son horloge biologique. Mais l'état dans lequel il se trouvait actuellement ne lui permettait pas de s'y fier.

Il haussa les épaules. Il pouvait toujours essayer. Si ça ne marchait pas cette fois, eh bien, ce serait pour la suivante. Il lui fallait impérativement dormir car il ignorait quels seraient les efforts qu'il aurait à fournir si jamais il réussissait à sortir de cette prison.

En définitive, et à condition que les Cloches Noires ne découvrent pas la caverne sur la lune, cet endroit était la meilleure cachette dont il pût rêver.

Mais il fallait tout d'abord qu'il achève d'explorer la prison, afin de s'assurer que tout allait bien et aussi pour pouvoir éventuellement se servir plus tard de tout ce qui pourrait l'aider. Il marcha vers une porte aménagée dans la muraille, l'ouvrit et pénétra dans une petite antichambre. Il la traversa, ouvrit une autre porte, et entra dans une cellule cylindrique jumelle de celle qu'il venait de quitter. Elle était décorée luxueusement et meublée dans un style différent. Dans cette pièce, le mobilier ne cessait de s'animer et de changer de forme, et chaque fois qu'il s'approchait d'un divan, d'une chaise ou d'une table, le meuble se dérobait en glissant. Lorsqu'il pressait le pas ou se mettait à courir, le meuble prenait suffisamment de vitesse pour lui échapper.

Cette pièce avait été conçue pour amuser le prisonnier, pour le rendre perplexe et peut-être, éventuellement, enragé. Cela l'empêchait de penser à la situation fâcheuse dans laquelle il se trouvait plongé.

Kickaha renonça à essayer de capturer un divan et il passa dans une troisième cellule, après avoir traversé une seconde antichambre. La porte, comme les autres, se referma derrière lui. Il savait qu'elles ne pouvaient s'ouvrir que dans un seul sens mais il essaya néanmoins, espérant que Wolff aurait commis une erreur. Naturellement, la porte résista.

L'antichambre suivante donnait accès à un studio d'artiste. Il y avait ensuite une pièce quatre fois plus grande que la précédente, qui comportait une piscine couvrant presque toute sa surface. L'eau, légèrement froide, se renouvelait continuellement. Elle provenait du château d'eau du palais et était également introduite par une « porte ». L'arrivée de l'eau se faisait par une grille située à une extrémité de la piscine, et l'évacuation par une autre grille placée au centre du bassin. Kickaha examina soigneusement l'installation puis passa dans la pièce suivante. Elle avait la dimension de celle dans laquelle il avait été introduit en premier lieu. Elle comportait plusieurs installations sportives et son champ gravifique équivalait à la moitié de celui de la planète — lequel égalait celui de la Terre. La plupart des appareils paraissaient étranges, même à Kickaha qui avait pourtant beaucoup voyagé. Les seuls accessoires qui retinrent son attention furent des cordes fixées à des crochets, qui pendaient du plafond ou de barres destinées aux exercices d'escalade.

Il confectionna un lasso avec l'une des cordes et en enroula plusieurs autres qu'il jeta sur son épaule. Il traversa successivement vingt-quatre pièces, toutes équipées d'une manière différente, et finalement se retrouva dans la première.

Tout autre que lui aurait pensé que les pièces étaient reliées entre elles pour former une chaîne circulaire. Mais il savait qu'il n'y avait aucune liaison physique entre elles : douze mètres de granit séparait chaque pièce de ses voisines. On passait de l'une à l'autre par l'intermédiaire de « portes » qui se trouvaient sur le seuil de chaque petite antichambre de séparation. Lorsque la porte normale s'ouvrait, la « porte » se trouvait activée et le prisonnier était instantanément transporté dans une autre antichambre en tous points semblable à celle dans laquelle il croyait pénétrer.

Kickaha réintégra la première cellule avec prudence. Il voulait s'assurer qu'aucune Cloche Noire n'avait été transférée dans la prison pendant qu'il visitait les lieux. La pièce était vide d'occupant, mais cela ne prouvait rien car l'arrivant éventuel pouvait être passé d'une pièce à l'autre pour aller visiter les différentes cellules, comme lui-même venait de le faire.

Il empila trois chaises et les emporta dans la pièce voisine, celle où les meubles ne cessaient de changer de place et de se dérober. Il choisit un divan et fit tournoyer son lasso. Le nœud coulant accrocha la protubérance décorative grotesque qui surmontait le dossier du siège. La sculpture changea de forme mais elle ne pouvait se métamorphoser que jusqu'à un certain point et le lasso la tenait solidement. Le divan s'éloigna lorsque Kickaha s'approcha de lui. S'allongeant sur le sol et tendant la corde, il entreprit alors de s'en approcher. Les mouvements désordonnés du siège le firent rouler de droite et de gauche mais grâce à l'épais tapis qui recouvrait le sol, il supporta les secousses avec seulement quelques brûlures aux genoux. Il finit par réussir à s'agripper au divan et s'y hissa. Le siège cessa alors de s'agiter, comme s'il était subitement solidifié, ne bougeant pas plus qu'un meuble ordinaire. Il ne retrouverait ses propriétés étranges que lorsque son occupant l'abandonnerait.

Kickaha fit un nœud coulant à l'extrémité libre du lasso et captura par le dossier une chaise qui se tenait bien innocemment à proximité. La chaise demeura immobile jusqu'à ce qu'il eût exercé une traction sur la corde. Elle tenta alors de fuir. Kickaha sauta sur le sol et, après une série de manœuvres, il réussit à placer la chaise sur le divan. Il les attacha solidement l'un à l'autre et les poussa près de l'entrée.

A l'aide des autres cordes et de divers objets rassemblés en une masse pesante, il installa un dispositif Rube Goldberg. Cet ingénieux système comportait un nœud coulant posé à plat sur le sol. Si un intrus éventuel y plaçait le pied, sa masse agirait sur le divan et la chaise placés tout près et qui reculeraient vers le fond de la pièce, resserrant le nœud coulant autour de sa cheville. L'extrémité de la corde était attachée au divan et à la chaise, et une autre corde reliait la sculpture du divan à un lustre en or serti d'émeraudes et de turquoises.

Kickaha, perché au sommet des trois chaises empilées qu'il avait apportées de la pièce voisine, dévissa l'écrou du goujon qui maintenait le lustre à sa place, ne laissant engagé qu'un seul filet. Lorsque le divan et la chaise reflueraient vers le fond de la pièce, la tension de la corde nouée au goujon arracherait ce dernier — c'était du moins ce qu'il espérait — et le lustre s'écraserait sur le sol. Si ces calculs étaient exacts, il tomberait sur l'intrus tiré jusqu'à cet endroit par la corde fixée au divan et à la chaise.

En réalité, il ne s'attendait pas à ce que le piège fonctionne. Il ne pensait pas que quelqu'un pût manquer de perception au point de ne pas voir le nœud coulant. Il y avait quand même une chance pour que cela réussisse. Ce monde, comme tous les autres, fourmillait d'idiots et d'individus dépourvus de bon sens.

Il passa dans la pièce suivante, le studio d'artiste. Il ramassa un gros ballon fait d'une matière plastique extrêmement malléable. On pouvait lui donner la forme que l'on désirait et la stabiliser en lui injectant un produit chimique au moyen d'une seringue hypodermique. Il emporta le ballon et une seringue dans la piscine. Il plongea et aplatit le ballon sur le fond, contre la grille d'évacuation de l'eau. Il lui donna la forme d'un disque qui recouvrait entièrement l'orifice et rendit cette forme durable au moyen d'une injection. Puis il remonta à la surface et se hissa sur le bord de la piscine. Le niveau de l'eau se mit bientôt à monter, comme il l'avait espéré. La piscine ne comportait aucun dispositif d'arrêt automatique de l'arrivée d'eau lorsqu'un niveau critique était atteint, et elle continuait à couler même si le trou d'évacuation était obstrué. Ce fait avait échappé à Wolff. Il n'avait évidemment aucune raison de s'en préoccuper. Si un éventuel Seigneur prisonnier désirait se noyer, il était entièrement libre de le faire.

Kickaha passa dans la pièce suivante. Il empila des meubles et des statues contre la porte, puis il se sécha et alla s'allonger derrière un divan pour dormir. Il était sûr que quiconque tenterait de pénétrer dans la pièce aurait les plus grandes difficultés à le faire. Et si néanmoins cela se produisait, ce ne serait pas sans provoquer un grand vacarme.

Il s'éveilla avec un sursaut et la sensation que des cloches attachées à ses nerfs s'étaient mises à tinter. Son cœur battait à la même cadence que les ailes d'un coq de bruyère en train de prendre son essor. Quelque chose dans son rêve, s'était écroulé. Non, pas dans son rêve. Dans la pièce. Il se releva d'un bond, l'épée à la main, au moment précis où un homme s'abattait sur le sol au milieu d'une gerbe d'eau. La porte se referma automatiquement. L'intrus haletait comme s'il avait retenu son souffle pendant longtemps.

C'était un homme de haute stature, solidement charpenté, avec de longues jambes. Il avait la peau très claire, de grosses taches de rousseur et une chevelure blonde que l'eau assombrissait. Il semblait n'avoir pour armes qu'une dague et une courte épée. Il ne portait pas d'armure. Il était vêtu d'une chemise rouge à manches courtes et d'une culotte collante jaune à bande foncée ; il avait autour de la taille une large ceinture de cuir.

Kickaha bondit dans sa direction, l'épée haute. L'intrus, encore étourdi, voyant qu'il ne pourrait se relever à temps pour se défendre, fit la seule chose qu'un homme avisé pouvait faire en l'occurrence : il se rendit.

Kickaha s'adressa à lui dans la langue des Seigneurs. L'homme parut perplexe et répondit en allemand. Kickaha répéta sa phrase dans cette langue puis il le laissa se relever afin qu'il pût s'asseoir sur une chaise. Il tremblait, peut-être à cause de l'eau froide, mais sans doute aussi à la pensée de ce que Kickaha pourrait lui faire.

Le fait qu'il parlât allemand suffit à convaincre Kickaha qu'il ne pouvait s'agir d'une Cloche Noire. Il avait l'accent des habitants des Monts Einhorner. De toute évidence, les Cloches Noires n'avaient pas voulu s'exposer aux dangers inconnus des « portes » de la caverne et ils avaient envoyé des cobayes en avant.

Pal Do Shuptarp raconta à Kickaha tout ce qu'il savait. C'était un baronnet qui commandait la garnison du roi von Turbat d'Eggesheim. Lors de l'invasion de Talanac, il était demeuré à son poste. A un certain moment, von Turbat et von Swindebarn étaient réapparus, sortant du château comme s'ils ne l'avaient jamais quitté. Ils avaient ordonné à la garnison et à un certain nombre d'autres soldats de les suivre jusqu'à une pièce « magique » du château. Là, von Turbat avait expliqué que leur ennemi numéro un, Kickaha, se trouvait sur la lune et qu'ils allaient s'y rendre grâce à la sorcellerie — la magie blanche, naturellement — afin de le traquer. Von Turbat n'avait rien dit de ce qui était arrivé aux soldats qui avaient pris part à l'opération contre Talanac.

« Ils sont tous morts », dit Kickaha, qui ajouta : « Comment von Turbat s'adressait-il à vous ?

— Par l'intermédiaire d'un prêtre, comme il le fait depuis un certain temps », répondit Do Shuptarp.

« Et cela ne vous a pas paru bizarre ? »

Le Teutonique haussa les épaules.

« Il se passait tellement de choses bizarres en même temps que cela n'en faisait jamais qu'une de plus. D'ailleurs, von Turbat affirmait avoir reçu du Seigneur une révélation divine. Il disait que la faculté de parler le langage sacré lui avait été octroyée. Et on lui avait interdit de parler une autre langue que celle-là car le Seigneur voulait que chacun sût qu'il avait fait de lui son favori.

— Excellente rationalisation et bonne excuse », dit Kickaha.

« Une machine volante magique apparut alors au-dessus du château », poursuivit Do Shuptarp. « Elle se posa et il nous fut ordonné de la démonter et d'en transporter les morceaux dans la pièce d'où nous devions être envoyés magiquement sur la lune. »

C'était une expérience terrifiante que de se trouver transporté instantanément sur le satellite, et que de voir au-dessus de soi, suspendue dans le ciel et menaçant de tomber sur vos têtes et de vous écraser, la planète sur laquelle vous vous trouviez une seconde auparavant.

Mais un homme peut s'habituer à tout, ou presque.

La caverne creusée dans le flanc de la colline avait été découverte par un groupe de soldats envoyé en exploration. Elle contenait le cadavre d'un aigle géant dont la tête et les pattes avaient disparu, les carcasses de deux singes immenses et le corps d'un deuxième aigle. Au fond de la caverne, il y avait une pièce sur le sol de laquelle se trouvaient sept croissants de métal sertis dans le sol, et cinq autres croissants mobiles.

En entendant cela, Kickaha comprit que Podarge avait réussi à s'échapper en empruntant une « porte ».

Von Turbat avait alors choisi ses dix meilleurs chevaliers, puis il avait formé des cercles avec les croissants et les avait fait se placer à l'intérieur, deux par cercle. Il espérait que certains d'entre eux trouveraient Kickaha et le tueraient.

« Ainsi, vous êtes deux ? » demanda Kickaha.

« Non », répondit Do Shuptarp. « Karl von Rothadler est venu avec moi mais il est mort. Il était très fort pour charger impétueusement, l'épée en avant, sans se préoccuper de chercher d'abord à savoir ce qui se passait, et il s'est précipité dans la pièce à une telle vitesse qu'il a évité le nœud coulant posé sur le sol près de l'entrée. Malheureusement, le divan et la chaise se sont dérobés devant lui et une corde s'est tendue, arrachant le boulon qui retenait le lustre au plafond. Le lustre lui est tombé sur la tête et il a été tué net. Je ne sais pas comment tu as réussi à ensorceler le divan et la chaise, mais tu dois être un puissant magicien.

— Ainsi le piège a fonctionné, mais pas tout à fait selon mes prévisions », dit Kickaha. « Comment as-tu fait pour pénétrer dans la pièce remplie d'eau ?

— Après la mort de Karl, j'ai essayé de revenir sur mes pas, mais je n'ai pas pu ouvrir la porte. Alors, j'ai continué à avancer. Quand je suis arrivé à la porte qui communiquait avec la pièce remplie d'eau, il a fallu que je pousse de toutes mes forces pour réussir à l'ouvrir. L'eau s'est engouffrée dans l'ouverture, alors j'ai cessé de pousser. Mais je ne pouvais pas revenir en arrière, et il fallait donc que je continue à aller de l'avant. J'ai à nouveau poussé et réussi à ouvrir la porte, malgré la forte pression de l'eau. Je sentais que je ne pourrais pas la maintenir ouverte très longtemps, car l'eau qui jaillissait menaçait de me renverser, mais je réussis néanmoins à m'infiltrer par l'ouverture — je suis très fort. L'antichambre était presque pleine d'eau lorsque j'y pénétrai, et la porte se referma dès que je fus à l'intérieur de la grande pièce.

» L'eau était claire et transparente. Heureusement, car je me serais noyé avant d'avoir découvert l'autre porte. Je nageai vers le plafond, espérant qu'il subsisterait un espace avec de l'air, mais il n'y en avait pas. Je me mis alors à nager vers l'autre extrémité de la pièce. La pession avait ouvert la porte qui se trouvait de ce côté et l'eau emplissait en partie l'antichambre. Lorsque j'y pénétrai, il y en avait suffisamment pour que la pression entrouvre la porte de communication avec la pièce où nous nous trouvons actuellement.

» J'attendis jusqu'à ce qu'elle se soit refermée. Puis, lorsqu'elle recommença à s'ouvrir, je me propulsai en avant en poussant du pied contre le sol, et j'atterris dans cette pièce comme un marin naufragé jeté par la tempête sur une île déserte. »

Kickaha ne dit rien durant une minute. Il pensait à la fâcheuse situation dans laquelle il s'était mis et dans laquelle il avait fourré ce type en faisant déborder la piscine. Il se pouvait fort bien que les vingt-quatre pièces composant la prison soient submergées les unes après les autres.

« Eh bien, si je n'arrive pas à trouver rapidement un moyen de nous sortir d'ici, nous sommes fichus », dit-il.

Do Shuptarp lui demanda ce qu'il voulait dire par là, et Kickaha lui expliqua la situation. Le Teutonique devint encore plus pâle. Kickaha entreprit de lui résumer ce qui était à l'origine des récents événements, et il lui donna quelques détails sur les Cloches Noires.

« Maintenant, je comprends beaucoup de choses qui jusqu'à présent étaient incompréhensibles pour moi — pour nous tous », dit Do Shuptarp. « Un jour, alors que je me préparais à entreprendre une chasse au dragon, j'appris que von Turbat et von Swindebarn avaient proclamé une guerre sainte. Ils prétendirent que le Seigneur, Herr Gutt, ordonnait que nous attaquions une ville à un étage inférieur de la planète. Notre mission consistait à découvrir et à tuer les trois hérétiques qui s'y cachaient.

» La plupart d'entre nous n'avaient jamais entendu parler de Talanac, des Tishquetmoacs et de Kickaha. Nous savions naturellement qui était Horst von Horstmann, le baron brigand. Von Turbat nous dit que le Seigneur nous avait procuré des moyens magiques pour nous déplacer d'un niveau à l'autre de la planète, et il nous expliqua la raison pour laquelle il n'employait que le langage des Seigneurs.

» Et maintenant, tu me dis que les âmes du roi, de von Swindebarn et de quelques autres ont été dévorées, et que leurs corps sont possédés par des démons. »

Kickaha se rendit compte que le chevalier ne comprenait pas encore parfaitement, mais il n'essaya pas de le détromper. S'il voulait interpréter les choses d'une manière superstitieuse, c'était son affaire. L'important était qu'il sût que les deux rois étaient devenus de terribles dangers déguisés.

« Puis-je te faire confiance ? » demanda-t-il à Do Shuptarp. « Veux-tu m'aider, maintenant que tu connais la vérité ? Bien sûr, cela n'a de l'importance que dans la mesure où je trouverai un moyen pour nous faire pénétrer dans le palais avant que nous ne nous noyions.

— Je te jurerai une fidélité éternelle ! »

Kickaha ne fut pas convaincu, mais il ne désirait pas le tuer. Do Shuptarp pouvait s'avérer une aide précieuse. Il lui dit de ramasser ses armes et de marcher devant pour rejoindre la cellule dans laquelle ils étaient l'un et l'autre arrivés. Lorsqu'ils l'eurent réintégrée, Kickaha fouilla dans un placard où il prit un appareil enregistreur. C'était un des nombreux objets avec lesquels un prisonnier pouvait se distraire. Mais Kickaha avait autre chose en tête que l'amusement. Il prit le cube noir brillant de dix centimètres de côté, appuya sur la tache rouge située sur sa face inférieure et prononça quelques mots dans la langue des Seigneurs. Il pressa alors un point blanc sur une face latérale du cube et ses paroles furent retransmises.

Pendant ce qui lui sembla durer des heures, Kickaha attendit que la topaze incrustée dans la porte du passe-plats se mette à briller. Il retira alors le plateau qui était apparu dans la cavité et qui contenait de la nourriture pour deux personnes. Deux lumières étaient maintenant allumées aux cuisines et les talos, l'ayant remarqué, avaient préparé des plats en conséquence.

« Mange », dit Kickaha au Teutonique. « Il se peut que ton prochain repas n'ait lieu que dans très longtemps — s'il a lieu. »

Do Shuptarp tressaillit. Kickaha se mit à manger, s'efforçant de mâcher lentement, mais la porte qui s'ouvrit en faisant jaillir de l'eau le fit avaler précipitamment. La porte se referma puis s'entrouvrit à nouveau pour laisser passer un autre flot d'eau.

Il remit les plats vides sur le plateau, qu'il replaça ensuite dans la cavité du mur. Il espérait que les talos n'auraient rien de plus pressé à accomplir et qu'ils le récupéreraient aussitôt. S'ils tardaient à le faire, ce serait sans doute la fin pour les prisonniers.

Le cube qu'il avait placé au milieu des plats vides avait commencé à retransmettre ses instructions. Kickaha avait exercé trois pressions sur la tache blanche, de manière qu'il les répète soixante fois. Malheureusement, il se pouvait que le transmetteur ait déjà cessé d'émettre au moment où un talos récupérerait le plateau.

La topaze cessa de luire. Kickaha ouvrit la porte du passe-plats. Le plateau avait disparu.

« Si le talos obéit à mes instructions, tout ira bien », dit-il au Teutonique. « Du moins, nous pourrons sortir d'ici. S'il n'obéit pas, alors ce sera la fin pour nous deux et nos soucis. »

Il fit signe à Do Shuptarp de le suivre dans l'antichambre. Ils y demeurèrent une minute puis Kickaha dit :

« Mon vieux, si rien ne se passe dans les secondes qui viennent, alors nous pourrons nous dire adieu. »

19

ILS se tenaient sur une plaque circulaire de métal gris, au milieu d'une vaste pièce. Les meubles, de style Radamanthe Première Epoque, étaient exotiques. Le sol et les murs étaient en pierre d'un rouge rosé veiné de noir. Il n'y avait ni portes ni fenêtres, bien qu'un mur parût être une baie qui ouvrait sur l'extérieur.

« Des lumières vont indiquer notre présence dans cette cellule », dit Kickaha. « Espérons que les Cloches Noires n'en comprendront pas la signification. »

Avec toutes ces lumières inexpliquées, les Cloches Noires devaient se trouver dans un état voisin de la panique. Ils devaient galoper en tous sens dans le palais pour découvrir ce qui n'allait pas, ou du moins s'il y avait quelque chose qui n'allait pas.

Soudain, une section du mur bougea puis s'effaça. Kickaha s'engouffra en tête dans l'ouverture. Un talos, haut de plus de deux mètres et portant une armure de chevalier, les attendait. Il tendit à Kickaha le cube noir enregistreur qu'il tenait à la main.

« Merci », dit Kickaha, qui ajouta : « Observe-nous bien. Je suis ton maître, et cet homme est mon serviteur. Tu dois nous servir tous deux, à moins que cet homme, mon serviteur, ne commette quelque acte qui puisse me causer du tort. S'il agit ainsi, tu devras l'empêcher de me faire du mal.

» Les autres êtres qui se trouvent dans ce palais sont mes ennemis, et chaque fois que tu en verras un, tu devras le tuer. Maintenant, je vais enregistrer un message dans ce cube et tu le feras entendre aux autres talos. Il leur ordonnera d'attaquer et de tuer mes ennemis partout où ils se trouvent. M'as-tu bien compris ! »

Le talos salua pour indiquer qu'il avait compris. Kickaha parla devant le cube, puis il l'activa afin qu'il répète le message mille fois et le rendit au talos. L'androïde salua à nouveau, fit demi-tour et s'éloigna.

« Ils exécutent magnifiquement les ordres », dit Kickaha, « mais c'est au dernier qui leur a parlé qu'ils obéissent. Wolff savait cela, mais il ne voulait pas modifier les structures. Il prétendait que cette caractéristique pourrait éventuellement tourner à son avantage et qu'il était de toute manière fort improbable que des envahisseurs pussent pénétrer dans le palais. »

Il expliqua ensuite à Do Shuptarp ce que c'était qu'un lance-rayons, et comment il lui faudrait s'en servir si un de ces engins lui tombait sous la main.

Ils quittèrent alors la pièce, se dirigeant vers la salle d'armes du palais. Pour l'atteindre, ils durent traverser l'étage où ils se trouvaient sur toute sa largeur puis en descendre six autres. Kickaha emprunta l'escalier car les Cloches Noires devaient certainement utiliser les ascenseurs.

Do Shuptarp était effrayé par la magnificence du palais. Devant ces pièces immenses, magnifiquement meublées et dont chacune contenait assez de trésors pour acheter tous les royaumes de Dracheland, il était saisi d'une crainte respectueuse. Il aurait voulu s'arrêter pour pouvoir regarder, toucher et peut-être remplir ses poches. Mais il était trop intimidé car le calme majestueux et les richesses qui l'entouraient lui donnaient l'impression qu'il se trouvait dans un lieu sacré.

« On pourrait errer ici des jours et des jours sans rencontrer âme qui vive », dit-il à voix basse.

« Oui, mais moi, je sais où je vais », répliqua Kickaha. Il se demandait jusqu'à quel point son compagnon serait efficace en cas de coup dur. C'était certainement un guerrier de premier ordre dans des circonstances normales ; la manière dont il s'était tiré d'affaire dans cette pièce remplie d'eau montrait son courage et ses facultés d'adaptation. Mais se trouver dans le palais du Seigneur était une expérience aussi terrifiante que celle qui consistait, pour un chrétien de la Terre, à se trouver transporté dans le royaume céleste et à découvrir que des démons s'en sont emparés.

En atteignant les dernières marches de l'escalier, Kickaha sentit une odeur de métal, de plastique et de protoplasme brûlés. Avec précaution, il longea le mur, s'immobilisa et pencha la tête pour observer le corridor. A trente mètres de lui, un talos était allongé à plat ventre sur le sol. Un de ses bras, arraché à son corps par la décharge d'un lance-rayons, gisait à quelques mètres de lui.

A proximité, il y avait les cadavres de deux Cloches Noires. Du moins, Kickaha jugea qu'il s'agissait de Cloches Noires à la vue des coffrets en argent qu'un harnais retenait dans leur dos. Leur cou avait été tordu à un tel point que leur tête regardait presque vers l'arrière.

Un peu plus loin, deux Cloches Noires, armés chacun d'un lance-rayons, parlaient sur un ton excité. L'un d'eux tenait à la main le cube noir enregistreur, fortement endommagé. Kickaha sourit en l'apercevant. L'appareil était dans un tel état qu'il avait certainement cessé ses retransmissions. Ainsi, les Cloches Noires ne sauraient pas pour quelle raison le talos les avait attaqués, et ne connaîtraient pas la nature du message contenu dans le cube.

« Vingt-neuf Cloches Noires en moins, reste vingt et un », murmura-t-il en reculant la tête. Il ajouta : « Ils vont maintenant se tenir sur leurs gardes. Ils savent qu'il y a quelque chose dans l'air et ils vont certainement placer des hommes à la porte de la salle d'armes. Tant pis, nous allons essayer de l'atteindre par un autre moyen. Cela peut être dangereux, mais qu'est-ce qui ne l'est pas ? Remontons l'escalier. »

Suivi du Teutonique, il pénétra dans une pièce située au sixième étage. Elle avait environ deux cents mètres de long sur cent de large et était remplie de créatures naturalisées provenant de nombreux univers. Ils passèrent devant un cube transparent dans lequel était serti, telle une libellule dans un bloc d'ambre, un être mi-homme mi-insecte. Cela avait des antennes et des yeux humains quoique démesurément grands, une taille étroite, des pattes grêles recouvertes d'une fourrure rosâtre, quatre bras maigres, un grand dos arrondi et quatre ailes de papillon articulées par paires.

En dépit de l'urgence de l'action, Do Shuptarp s'arrêta pour contempler l'étrange créature. Kickaha dit :

« Cet être est âgé de dix mille ans. C'est un *kwiswas*, un homme-coléoptère, un produit des laboratoires de biologie d'Anania — c'est du moins ce que l'on m'a dit. Le Seigneur de cet univers a opéré un raid dans le monde de sa sœur et y a recueilli quelques spécimens pour son musée. Ce *kwiswas*, d'après ce que j'ai compris, a été à une certaine époque l'amant d'Anania — mais il ne faut pas croire tout ce que l'on dit, particulièrement lorsqu'il s'agit d'un Seigneur qui parle d'un de ses pairs. Tout cela, naturellement, se serait passé il y a pas mal de temps. »

Le regard des yeux monstrueux avait été définitivement fixé dans le plastique épais dix millénaires auparavant — cinq mille ans avant que la civilisation ne s'instaure sur la Terre. Bien que Kickaha eût vu l'hybride à plusieurs reprises, il ressentait toujours sous son regard figé une certaine crainte, un certain malaise et une grande perplexité. Quelle force et quelle intelligence cette créature avait-elle dû déployer pour demeurer en vie, comme lui-même le faisait en ce moment ? Peut-être avait-elle combattu avec la même vigueur et la même opiniâtreté que lui, puis elle était morte — cela aussi lui arriverait — et on l'avait naturalisée, noyée dans le plastique puis placée là où elle pouvait observer sans les voir les luttes des autres. Tout passe...

Il secoua la tête et cligna des yeux. Philosopher était parfait lorsque les circonstances s'y prêtaient, mais en ce moment ce n'était guère opportun. D'ailleurs, la mort touchait tous les êtres, même ceux qui essayaient de l'éviter en déployant autant d'ingéniosité et d'efficacité que lui. Oui, et alors ? Une minute supplémentaire de vie valait bien qu'on se battît, à condition que les minutes qui s'étaient écoulées auparavant aient été des minutes dignes de ce nom.

« Je me demande quelle a été l'histoire de cette chose », murmura Do Shuptarp.

« La nôtre se terminera comme la sienne si nous n'avançons pas », répliqua Kickaha.

Arrivé au mur du fond, il fit pivoter un ornement en relief qui paraissait aussi fixe que les autres. Il le tourna de cent soixante degrés à droite, puis de cent soixante degrés à gauche, et enfin il lui fit faire deux tours complets vers la droite. Une section de mur s'enfonça puis s'effaça latéralement.

En manœuvrant l'ornement, Kickaha avait ressenti la tension causée par l'incertitude, car il n'était pas sûr de se souvenir du code à employer. S'il avait commis la moindre erreur dans ses manipulations, une bouffée de gaz empoisonnés lui aurait sauté au visage ou un rayon l'aurait coupé en deux.

Il prit Do Shuptarp par le poignet et l'obligea à pénétrer avec lui dans la cavité du mur. Le Teutonique commença par protester puis il poussa un cri en se sentant tomber dans un trou obscur. Kickaha mit une main sur sa bouche et lui intima l'ordre de garder le silence. « Il ne nous arrivera rien », ajouta-t-il.

Ses paroles furent emportées par le tourbillon de la descente. Do Shuptarp continua à se débattre mais il se calma lorsque la vitesse de leur chute commença à décroître. Au bout d'un moment, il leur sembla qu'ils allaient s'immobiliser. Les murs soudain s'éclairèrent et ils virent qu'ils tombaient lentement. A quelques dizaines de centimètres au-dessus et au-dessous d'eux, il y avait des ouvertures sombres.

La lumière les suivit jusqu'à ce qu'ils aient achevé leur descente, et ils se retrouvèrent debout au fond du conduit vertical. Il n'y avait pas de poussière sur le sol, et pourtant l'endroit semblait n'avoir reçu aucune créature vivante depuis des centaines d'années.

« J'aurais pu mourir d'un arrêt du cœur » dit le Teutonique avec colère.

« J'ai été obligé d'agir ainsi », répondit Kickaha. « Si tu avais su que tu allais tomber, tu n'aurais pas voulu me suivre. Ç'aurait été trop te demander.

— Tu as bien sauté, toi », objecta Do Shuptarp.

« Bien sûr, mais moi je me suis entraîné une douzaine de fois. Moi-même, je n'aurais jamais eu le cran de le faire si je n'avais vu Wolff — le Seigneur — sauter devant moi. » Il sourit. « Et même cette fois-ci, je n'étais pas sûr que le champ soit en activité. Les Cloches Noires auraient pu le neutraliser. Ç'aurait été un bon tour à nous jouer, non ? »

Do Shuptarp ne parut pas trouver la chose amusante. Kickaha lui tourna le dos et entreprit de les faire sortir du puits. Pour cela, il fallait frapper avec les doigts sur le mur, suivant un certain code. Une partie de la cloison glissa et ils pénétrèrent dans une pièce carrée aux murs blancs, bien éclairée, d'environ dix mètres de côté. Elle était vide de meubles et ne contenait que douze croissants sertis dans les dalles du sol. Douze autres croissants étaient suspendus à des crochets scellés dans le mur. Les croissants n'étaient gravés d'aucun signe distinctif.

Kickaha tendit le bras et retint Do Shuptarp.

« Pas un pas de plus. Cette pièce est dangereuse si l'on n'accomplit pas scrupuleusement certain rituel. Et je ne suis pas sûr de me souvenir de tout. »

Le Teutonique se mit à transpirer à grosses gouttes bien que la pièce fût balayée par un léger courant d'air.

« J'allais demander pour quelle raison nous ne sommes pas venus directement ici au lieu d'arpenter interminablement les corridors du palais », dit-il. « Maintenant, je comprends.

— Espérons que tu continueras à comprendre », dit Kickaha d'un ton ambigu.

Il avança de trois pas puis se mit à marcher de côté jusqu'à ce qu'il se trouve à proximité du dernier des croissants suspendus au mur, à droite. Il se tourna alors vers le mur et avança vers le croissant, le bras droit tendu parallèlement au sol. Dès que le bout de ses doigts eut touché le croissant, il s'immobilisa, sourit et dit :

« Très bien. Tu peux t'approcher, maintenant, en marchant où tu veux. »

Mais son sourire s'évanouit lorsqu'il examina les croissants.

« L'un d'eux permet d'accéder à la salle d'armes », dit-il, « mais je ne me souviens plus si c'est le deuxième ou le troisième à partir de la droite. »

Do Shuptarp demanda ce qui se passerait si l'on se trompait de croissant.

« L'un d'eux — je ne sais pas lequel — nous amènerait dans la salle de contrôle. C'est ce que j'aurais choisi de faire si j'avais possédé un lance-rayons et si j'avais été certain qu'il n'y eût pas de dispositifs détecteurs installés par les Cloches Noires.

» Un autre nous ramènerait directement à la prison souterraine d'où nous venons. Un troisième nous transporterait sur la lune. Un quatrième au niveau atlantéen. Je ne sais pas très bien où nous irions avec les autres, si ce n'est que l'un d'eux nous conduirait jusqu'à un univers... disons inconfortable. »

Do Shuptarp frissonna et dit :

« Je suis courageux. Je l'ai prouvé sur le champ de

bataille. Mais je me sens comme un enfant perdu au milieu d'une forêt pleine de loups. »

Kickaha ne répondit pas, bien qu'il approuvât la franchise du Teutonique. Il ne pouvait décider lequel, du deuxième ou du troisième croissant, il fallait prendre. Il lui fallait impérativement en choisir un car il n'y avait aucune possibilité de remonter le long du conduit vertical. Comme de nombreuses autres voies secrètes du palais, il était à sens unique.

Il déclara finalement :

« Je suis à peu près sûr que c'est le troisième. Wolff a un faible pour le chiffre trois et ses multiples. Cependant... » Il haussa les épaules et ajouta :

« Au diable ! Nous ne pouvons demeurer ici éternellement. »

Il décrocha le troisième croissant de droite et l'apparia avec le troisième des croissants sertis dans le sol, à gauche.

« Je me rappelle que les croissants mobiles s'adaptent aux croissants fixes en sens opposé », dit-il.

Puis il expliqua soigneusement à Do Shuptarp quelle était la méthode à employer pour franchir une « porte » et ce à quoi il fallait s'attendre. Ils se placèrent alors dans le cercle formé par les deux croissants. Trois secondes s'écoulèrent. Sans qu'ils aient éprouvé la moindre sensation physique de déplacement, ils se retrouvèrent brusquement dans une vaste pièce carrée d'environ cent mètres de côté. Elle était pleine d'armes et d'armures familières ou exotiques, disposées sur des panneaux muraux ou des râteliers posés sur le sol.

« Nous avons réussi », dit Kickaha. Il sortit du cercle et ajouta : « Nous allons prendre des lance-rayons portatifs, des recharges d'énergie, de la corde, des missiles-espions de reconnaissance et des grenades à neutrons. » Il s'empara également de deux couteaux qu'il fit sauter dans sa main pour en vérifier l'équilibrage. Do Shuptarp se familiarisa avec son lance-rayons en visant une petite cible placée au fond de la salle d'armes. Le disque de métal, épais de quinze centimètres, fondit en cinq secondes. Kickaha s'équipa d'un harnais supportant une boîte métallique qui renfermait plusieurs missiles-espions, un poste émetteur-récepteur et des lunettes vidéo-auditives.

Kickaha espérait que les Cloches Noires n'avaient pas

encore découvert toutes ces armes. S'ils avaient placé dans les corridors des gardes équipés de missiles-espions, mieux valait renoncer tout de suite.

La porte avait été verrouillée par Wolff et, autant que Kickaha pût en juger, elle n'avait été ouverte par personne. Elle comportait plusieurs dispositifs de sécurité destinés à empêcher qu'on y pénétrât, mais les personnes qui se trouvaient à l'intérieur pouvaient en sortir sans difficulté. Kickaha se sentit soulagé. Les Cloches Noires n'étaient pas entrés dans la pièce, ce qui signifiait qu'ils ne disposaient d'aucun missile. Bien sûr, ils auraient pu en avoir apporté d'autres univers, mais c'était improbable car, en ce cas, ils n'auraient pas manqué d'en équiper les engins volants.

Il plaça les lunettes (il s'agissait en fait d'une sorte de casque) sur ses yeux et sur ses oreilles, prit la boîte fixée au harnais qu'il portait sur le dos et en manœuvra les boutons de commande. Elle s'ouvrit, livrant passage à un missile. L'engin, long de dix centimètres, avait la forme de ces flèches en papier qui font la joie des écoliers. Il était transparent et, vu sous un certain angle, il laissait apparaître de minuscules parties colorées. Le nez du missile contenait un « œil » qui procurait une vision particulière et limitée, et une « oreille » par l'intermédiaire de laquelle on percevait les sons, que l'on avait la possibilité d'amplifier ou de réduire.

Kickaha guida le missile qui franchit la porte et obliqua dans le corridor, lequel était désert. Remontant les lunettes sur son front, il sortit à son tour ainsi que Do Shuptarp et referma la porte, sachant qu'elle se verrouillerait et s'armerait automatiquement derrière lui.

Il se servit de sa vue normale pour guider l'engin dans la ligne droite du corridor et replaça les lunettes sur ses yeux pour lui faire inspecter les coins.

Kickaha et Do Shuptarp, précédés par le missile espion, parcoururent environ dix kilomètres de corridors et de couloirs, passant d'un étage à l'autre puis quittant une aile pour en visiter une nouvelle, jusqu'à ce qu'ils atteignissent le bâtiment abritant la salle de contrôle. Cette inspection demanda plus de temps qu'une simple promenade, en raison des précautions qu'il leur fallait prendre.

A un certain moment, ils passèrent devant une immense baie vitrée par laquelle on voyait le bord de la falaise monolithique sur laquelle le palais s'érigeait, et Do Shuptarp faillit s'évanouir en apercevant le soleil. L'astre se trouvait *sous* lui. Il fallait qu'il plonge ses regards vers le bas pour le voir. Puis il blêmit en contemplant le niveau atlantéen, large de huit cents kilomètres, qui s'étalait à ses pieds, avec en dessous une partie du niveau inférieur et, tout en bas, le bord d'un autre niveau.

Kickaha l'arracha à sa contemplation et essaya de lui expliquer la structure verticale de la planète et le mouvement du minuscule soleil autour duquel elle gravitait. Etant donné que le palais était bâti au sommet du monolithe le plus élevé de la planète, il se tenait effectivement au-dessus du soleil qui se trouvait au niveau du monolithe intermédiaire.

Le Teutonique dit qu'il comprenait cela, mais qu'il n'avait jamais vu le soleil que depuis son niveau natal. Et bien sûr, de la lune. Il était jusqu'alors persuadé que le soleil se trouvait très haut dans le ciel.

« Si tu estimes que c'est une expérience effrayante », dit Kickaha, « alors que ressentirais-tu en regardant par-dessus le bord de l'étage inférieur de la planète, là où il n'y a plus rien que le vide vert ! »

Ils pénétrèrent dans le corps central du bâtiment qui contenait la salle de contrôle. Une fois là, ils ralentirent encore leur progression. Ils longèrent un hall Brobdingnagien aux murs recouverts de miroirs qui ne réfléchissaient pas l'extérieur physique, mais l'intérieur psychique. Ainsi que l'expliqua Kickaha, chacun des miroirs détectait les ondes émises par différentes régions du cerveau, les synthétisait en couleurs, en musique et en ondes subsoniques et les restituait en images visuelles. Certaines visions étaient hideuses, d'autres très belles, d'autres d'une obscénité outrageante, d'autres encore menaçantes.

« Elles ne veulent rien dire », dit Kickaha, « et celui qui les voit peut les interpréter comme il l'entend. Elles n'ont aucune signification objective. »

Do Shuptarp se sentit soulagé lorsqu'ils quittèrent le hall aux miroirs. Kickaha emprunta un escalier assez large pour que dix pelotons de soldats pussent y marcher de front. Il s'élevait en spirale et semblait ne devoir jamais finir, comme s'il se fût agi de l'escalier qui mène au Ciel.

20

AU bout d'un moment, le Teutonique implora une pause et Kickaha y consentit. Il lança le missile-espion en reconnaissance. Il n'y avait pas de Cloches Noires à l'étage situé sous celui où se trouvait la salle de contrôle. Sur les six marches supérieures de l'escalier gisaient les corps brûlés et fondus de dix talos. De toute évidence, ils avaient tenté d'attaquer les occupants de la salle de contrôle et on les avait neutralisés en les irradiant avec des lance-rayons. Le dispositif qui les avait liquidés se trouvait au sommet des marches. C'était un petit coffre noir monté sur roues, avec un col mince en métal gris. L'extrémité renflée du col comportait une petite lampe. Cette lampe détectait toute masse en mouvement et projetait vers elle un rayon mortel. Sa portée maximum était de dix mètres.

L'engin balayait régulièrement toute la largeur de l'escalier. Il ne réagit pas au passage du missile, ce qui signifiait que le *cou-de-serpent* ainsi que l'appelait Kickaha, ne détectait que des masses d'une certaine importance. Il fit obliquer le missile et le guida dans le corridor jusqu'à la porte à double battant de la salle de contrôle. Elle était fermée. Il put voir, grâce à l'« œil » du missile, que de nombreux petits disques étaient appliqués au mur, tout le long du corridor. Il s'agissait de détecteurs de masse, mais au champ d'action limité. Une personne avertie pouvait longer le corridor sans déclencher l'alarme à condition de se tenir exactement dans son axe. Mais il devait y avoir également des dispositifs d'observation visuels — les Cloches Noires avaient certainement pensé à en installer. Kickaha fit avancer le missile très lentement au ras du plafond, car il ne voulait pas que sa présence fût détectée. Il repéra les dispositifs. Ils avaient été dissimulés à l'intérieur des têtes de deux statues placées sur des piédestaux. C'étaient les Cloches Noires qui avaient évidé les têtes.

Kickaha fit revenir le missile vers lui avec précaution. Puis il ôta ses lunettes et entreprit de monter l'escalier, suivi de Do Shuptarp. Ils n'avaient gravi que quelques marches lorsqu'ils sentirent une odeur de protoplasme et de plastique brûlés. Comme ils atteignaient les restes des talos empilés sur les marches, Kickaha arrêta le Teutonique.

« Pour autant que je puisse en juger, ils se tiennent tous dans la salle de contrôle », dit-il. « Il nous faut les détruire avant qu'eux-mêmes ne nous abattent. Tu vas demeurer derrière moi et ouvrir l'œil. Ne cesse pas d'observer autour de toi. Il y a de nombreuses « portes » dans la salle de contrôle, qui permettent d'accéder à diverses parties du palais. Si les Cloches Noires les ont découvertes, ils s'en serviront. Sois sur tes gardes ! »

Il se tenait juste à la limite du cou-de-serpent qui continuait à balayer l'escalier sur toute sa largeur. Il s'assit sur une marche, effilocha une extrémité de la plus mince des cordes qu'il avait emportées et l'attacha au missile. Puis il remit ses lunettes et fit avancer le missile dans la direction du lance-rayons.

L'engin progressait lentement en raison du poids de la corde qu'il remorquait. Le cou-de-serpent continuait son balayage et il ne réagit pas lorsque le missile, traînant la corde, s'approcha de lui. Il était réglé pour tirer sur des masses plus importantes mais il était possible qu'il soit équipé d'un dispositif transmettant des images à la salle de contrôle. Si c'était le cas, les Cloches Noires allaient arriver au pas de charge et tirer par-dessus la rampe.

Kickaha recommanda à nouveau à Do Shuptarp de faire preuve de vigilance et de tirer sans hésiter s'il apercevait quoi que ce soit de suspect.

Le missile, tirant toujours la corde, longea le cou-de-serpent, en fit le tour et revint vers le bas de l'escalier. Kickaha le récupéra, ôta ses lunettes, dénoua la corde et en prit les deux extrémités dans sa main. Il la tendit doucement, puis tira d'un coup sec. Le cou-de-serpent bascula et dégringola jusqu'à mi-hauteur de l'escalier. Il resta là, couché sur le côté, continuant à balayer mais devenu inoffensif car il était maintenant braqué vers la rampe. Kickaha s'approcha par-derrière et manœuvra un cadran placé sur la face arrière de la boîte noire. Le cou-de-serpent cessa son mouvement de va-et-vient.

Kickaha ramassa l'engin et le mit sous son bras. Il entreprit de gravir les marches, un lance-rayons dans la main droite. Lorsqu'il eut atteint le palier, il posa le cou-de-serpent sur le sol et l'orienta de manière qu'il menace une des statues placées au bout du corridor, près des portes de la salle de contrôle. Il manœuvra un cadran et l'engin s'ébranla. Il le regarda s'éloigner puis recula. Au bout d'une minute, un crachement se fit entendre, suivi d'un grand fracas. Kickaha remit les lunettes et envoya le missile en exploration. Comme il l'avait espéré, le cou-de-serpent avait continué sa route jusqu'à ce qu'il soit activé par la masse d'une des statues sur piédestal. Son lance-rayons avait craché une décharge, faisant basculer la statue dont la tête avait éclaté au contact du sol, libérant la caméra qui y était dissimulée.

Il redescendit vivement l'escalier et courut le long du corridor inférieur, toujours suivi du Teutonique. Lorsqu'il se jugea hors du champ de vision de quiconque viendrait se placer en haut des marches, il s'immobilisa.

Il remit les lunettes et guida le missile à l'étage de la salle de contrôle, où il l'immobilisa au-dessus de la porte, le nez au mur, l'« œil » braqué vers le bas. Puis il attendit.

De longues minutes s'écoulèrent. Il eut envie de retirer ses lunettes afin de vérifier si Do Shuptarp accomplissait bien sa mission de surveillance, mais il réfréna cette impulsion. Il lui fallait demeurer vigilant car la porte de la salle de contrôle pouvait s'ouvrir d'un instant à l'autre.

Presque aussitôt, les deux battants s'entrouvrirent. Un tube périscopique apparut, qui observa dans toutes les directions. Il se retira, remplacé bientôt par une tête à cheveux blonds. Le corps suivit lentement. La Cloche Noire bondit vers le cou-de-serpent et le désactiva. Kickaha fut déçu car il avait espéré que l'engin lui lancerait une décharge. Mais il était réglé pour ne balayer qu'un arc de cercle déterminé et ne réagissait pas si on l'approchait par-derrière.

La statue avait presque complètement fondu. La Cloche

Noire la contempla un moment puis, prenant le cou-de-serpent sous son bras, l'emmena dans la salle de contrôle. Kickaha fit aussitôt franchir la porte au missile posté au-dessus d'elle et le guida jusqu'au plafond de la pièce, laquelle était assez vaste pour contenir un porte-avions. Il le fit évoluer au ras du plafond, puis descendre le long du mur du fond et se poser sur le sol derrière un pupitre de commandes. La vision et l'audition perdirent alors de leur netteté et de leur intensité, ce qui fit comprendre à Kickaha que la porte avait été refermée. Bien que le missile eût été étudié pour transmettre des images et des sons à travers des écrans épais, il perdait néanmoins une grande partie de son efficacité lorsqu'il se trouvait derrière un obstacle.

Zymathol était en train de parler à Arswurd de l'étrange comportement du cou-de-serpent. Il l'avait remplacé par un autre qui, il l'espérait, ne se montrerait pas aussi capricieux. Par contre, il n'avait pas remplacé la caméra. Celle qui se trouvait dans la tête de la statue intacte suffisait à couvrir toute la largeur du corridor. Zymathol regrettait qu'ils aient perdu autant de temps à essayer d'entrer en rapport avec von Turbat sur la Lune, par laser ou par radio. Pendant ce temps, ils n'avaient pu observer les écrans de contrôle et voir ce qui s'était passé.

Kickaha aurait bien voulu continuer à écouter, mais il lui fallait poursuivre l'exécution de son plan de campagne. Il désactiva le missile qui se trouvait dans la salle de contrôle et attacha l'extrémité de la corde effilochée à un deuxième engin. Il l'envoya vers le cou-de-serpent placé au haut des marches et répéta l'opération précédente. L'engin lance-rayons dégringola le long des marches, bien plus bas que le précédent, ne s'arrêtant que contre le corps d'un des talos. Il s'immobilisa, le tube braqué à la verticale. Kickaha le désactiva, puis il l'emporta à l'étage supérieur où il le lança de toutes ses forces dans la direction de la statue demeurée intacte. Il redescendait déjà les marches lorsqu'il entendit le fracas du choc. Il propulsa le missile en direction de la porte de la salle de contrôle et vit que la deuxième statue gisait sur le sol, brisée en plusieurs morceaux. Il plaça le missile le nez au mur, au-dessus de la porte, réactiva celui qui se trouvait à l'intérieur de la pièce et se remit à attendre.

Pendant longtemps, tout demeura silencieux. Puis il entendit la voix de Zymathol, qui disait à son congénère que le fonctionnement défectueux du deuxième cou-de-serpent était certainement autre chose qu'une simple coïncidence. Il se passait quelque chose d'anormal — donc de dangereux. Il ne voulait pas quitter à nouveau la salle pour se livrer à des recherches.

Arswurd répliqua qu'il leur fallait sortir, que cela leur plût ou non. Ils ne pouvaient pas demeurer là à ne rien faire pendant qu'un intrus rôdait dans le palais. Cet intrus était certainement Kickaha, et il leur fallait le découvrir et le tuer. Qui d'autre que lui était capable de pénétrer dans le palais en se jouant de tous les dispositifs défensifs qui l'équipaient ?

Zymathol, quant à lui, était certain qu'il ne s'agissait pas de Kickaha. Du moment que von Turbat et von Swindebarn le cherchaient sur la Lune, c'était donc qu'il s'y trouvait.

En entendant cela, Kickaha fut envahi par la perplexité. Pourquoi von Turbat demeurait-il sur la Lune, étant donné qu'il devait savoir que son ennemi s'était échappé grâce à l'une des « portes » situées dans la pièce secrète aménagée au fond de la caverne ? Se pouvait-il que le roi d'Eggesheim se méfiât des ruses de son ennemi numéro un au point de penser qu'il avait expédié quelque objet par la « porte » pour laisser croire qu'il s'agissait de lui ? Mais dans ce cas, qu'est-ce qui pouvait lui laisser supposer qu'il y avait sur la Lune quelque chose qui retînt Kickaha ?

Il se sentit troublé et légèrement effrayé. Se pouvait-il qu'Anania l'eût suivi sur la Lune, où les Cloches Noires étaient occupées à la pourchasser ? C'était une possibilité et cela le rendait nerveux.

Zymathol reconnut que seul Kickaha pouvait avoir lancé les talos contre eux. Arswurd répondit que c'était une raison supplémentaire pour se débarrasser d'un tel danger. Zymathol demanda comment ils allaient pouvoir s'y prendre.

« Certainement pas en demeurant ici », répondit Arswurd.

« Alors, va à sa recherche », rétorqua Zymathol.

« C'est ce que j'ai l'intention de faire. »

Kickaha trouva qu'il était intéressant que la conversation eût pris un tour aussi humain. Si les Cloches Noires avaient pour origine des complexes métalliques, ce n'étaient pas pour autant des machines fabriquées à la chaîne. Leurs personnalités étaient aussi diversifiées que celles des humains.

Arswurd se dirigeait vers la porte quand Zymathol le rappela. Il lui dit que leur mission exigeait que l'on ne prît pas de risques superflus. Ils étaient si peu nombreux maintenant que la perte d'un seul d'entre eux pouvait être irréparable et anéantir toutes leurs chances de conquête. En fait, la conquête était passée maintenant au second plan : ils se battaient pour survivre. Qui eût pu croire qu'un vulgaire *leblabbiy* était capable de déployer autant d'ingéniosité pour les exterminer ? Kickaha n'était même pas un Seigneur — ce n'était qu'un simple être humain.

Zymathol ajouta qu'il était préférable d'attendre le retour de leurs deux chefs. Il était impossible d'entrer en rapport avec eux car quelque chose interférait chaque fois qu'ils essayaient de communiquer avec la Lune.

Kickaha aurait pu leur expliquer pour quelle raison leurs efforts étaient vains. La structure spatio-temporelle de cet univers comportait une déformation particulière qui influait sur la qualité des transmissions par radio ou par laser. Une machine volante n'aurait pu assurer la liaison planète-lune car elle se serait désintégrée en atteignant l'étroite ligne de partage qui séparait les deux corps célestes. Le seul moyen pour passer de l'un à l'autre était d'emprunter une « porte ».

Les deux Cloches Noires s'étaient mis à discuter nerveusement de diverses choses. Vingt-neuf de leurs congénères, sur les cinquante qui existaient originellement, avaient été tués. Il y en avait deux ici au palais, deux dans l'univers de Nimstowl, deux dans celui d'Anania, deux dans le monde de Judubra. Zymathol était d'avis qu'on les appelât à la rescousse. Ou mieux, que lui-même et Arswurd quittent cet univers en bloquant les portes du palais. Il existait de nombreux univers. Pourquoi ne pas abandonner celui de Wolff à jamais ? Si Kickaha le voulait, qu'il le prenne ! Entre-temps, dans un endroit sûr, ils pourraient créer des milliers de nouvelles Cloches. Et dans dix ans, ils seraient en mesure de faire disparaître tous les Seigneurs.

Mais von Turbat — qu'ils appelaient Graumgrass — était d'un entêtement extraordinaire. Il refuserait d'abandonner. Ils étaient tous deux d'accord sur ce point.

Il devint évident pour Kickaha qu'Arswurd, bien qu'il insistât sur la nécessité de se mettre à la recherche de l'intrus qui se trouvait dans le palais, n'avait aucune intention de quitter son abri. Toutefois, il lui fallait donner l'impression qu'il ne manquait pas de courage.

Ces deux personnages n'avaient rien de commun avec les êtres inhumains, froids, strictement logiques et totalement dépourvus de sensations qu'Anania lui avait dépeints. Si l'on faisait abstraction de certains éléments de leur conversation, il aurait pu tout aussi bien s'agir de deux soldats de n'importe quelle nation de n'importe quel univers en train de bavarder.

Pendant un moment, il se demanda s'il était vraiment impossible de raisonner avec les Cloches Noires, et s'ils ne seraient pas satisfaits d'avoir une place dans ce monde tout comme les autres êtres sensibles.

Ce sentiment s'évanouit bien vite. Les Cloches Noires préféraient loger dans des corps d'êtres humains plutôt que de demeurer enfermés dans leur cercueil de métal en forme de cloche. Les délices et les avantages de la chair étaient trop tentants. Non, ils ne se contenteraient pas de demeurer enfermés dans leurs structures métalliques. Ils continueraient à vider les cerveaux humains et à s'installer dans les somas dépossédés.

La guerre devait donc se poursuivre jusqu'à la fin, c'est-à-dire jusqu'à l'extermination des Cloches Noires ou la mort de Kickaha.

Il eut à ce moment-là l'impression que tout le poids du monde reposait sur ses épaules. S'ils le tuaient, ils pourraient poursuivre leur conquête sans grand risque, car peu de personnes connaissaient leur identité et leurs buts et celles-là aussi mourraient. Ce monde était son monde, comme il l'avait clamé, et il était l'homme le plus fortuné de deux mondes car seul, parmi les Terriens, il avait pu franchir le mur qui séparait les deux univers. Pour lui, le monde qu'il avait adopté était supérieur à la Terre. Il l'avait fait sien à un point tel qu'il lui appartenait, peut-être même plus qu'à Wolff, le Seigneur qui l'avait créé.

Maintenant, délices et récompenses avaient disparu, remplacées par une responsabilité si écrasante qu'il n'y avait jamais pensé car il n'aurait pu supporter cette idée.

Pour un homme chargé d'une telle responsabilité, il avait agi bien imprudemment. Et pourtant, c'était en raison même de cette imprudence qu'il avait survécu si longtemps.

Si, tenant compte de l'importance de cette responsabilité, il avait agi avec une grande prudence, il se serait probablement fait prendre et tuer. Ou alors il aurait réussi à s'échapper mais serait demeuré totalement inefficace, car il aurait eu peur d'agir. Imprudent ou non, il allait continuer à se comporter comme par le passé. S'il se trompait, il appartiendrait à ce passé et l'avenir serait aux Cloches Noires.

Il posa près de lui les lunettes et la boîte de contrôle des missiles, et expliqua à Do Shuptarp ce qu'il avait l'intention de faire. Le Teutonique estima que c'était de la folie, mais il approuva néanmoins car il n'avait personnellement aucune idée.

Ils choisirent un talos et hissèrent le corps, qui devait peser plus de deux cents kilos, jusqu'au corridor qui conduisait à la salle de contrôle. Ils l'assirent dans le passage situé hors du champ d'action des détecteurs, face à la porte, et revinrent rapidement à l'endroit d'où ils étaient partis.

Après avoir jeté un coup d'œil rapide dans les environs, Kickaha remit ses lunettes. Il fit descendre le missile posté au-dessus de la porte, visa, et le projeta contre la tête casquée du talos assis dans le corridor. Le missile se disloqua sous le choc et il ne put observer l'effet de sa manœuvre. Il en prit rapidement un autre dans la boîte et l'envoya se poster au-dessus de la porte. Comme il l'avait espéré, le corps du talos était retombé, mais de travers, et sa tête et ses épaules se trouvaient dans le champ d'action d'un détecteur. Le signal d'alarme devait être en train de retentir furieusement dans la salle de contrôle.

Pourtant, rien ne se passa. Les battants de la porte ne s'ouvrirent pas. Kickaha demeura immobile jusqu'à ce que l'attente fût devenue insupportable. Bien qu'il fût important de laisser le missile à son poste d'observation, il le désactiva et réactiva celui qui se trouvait à l'intérieur de la salle.

Il vit l'arrière du pupitre de contrôle derrière lequel le missile était posé, mais il n'entendit rien. Aucun signal d'alarme ne retentissait — on avait dû les mettre hors circuit. Il amplifia le son au maximum mais les Cloches Noires continuèrent à ne donner aucun signe de vie.

Il activa un instant le missile posté dans le corridor. Les portes étaient toujours closes. Il revint au premier missile, mais le silence continuait à être total.

Que pouvait-il bien se passer ?

212

Jouaient-ils à Qui-de-nous-deux-gardera-le-plus-long-temps-son-sang-froid ? Cherchaient-ils à le contraindre à attaquer le premier ?

Il fit sortir le missile de sa cachette et lui fit longer le mur au ras du plancher. La vision était nette jusqu'à une faible distance, mais au-delà tout était flou. Kickaha orienta l'engin de manière qu'il s'élève jusqu'au plafond, toujours en rasant le mur. Il espérait voir les Cloches Noires avant qu'ils ne détectent la présence du missile. On pouvait utiliser l'engin pour tuer, en le propulsant comme un projectile, mais le champ de vision dans la salle de contrôle était si limité qu'il eût fallu pour cela qu'il se trouvât tout près de la cible. Si une Cloche Noire se mettait à crier en l'apercevant, dévoilant l'endroit de sa cachette, Kickaha pourrait lancer le missile avant qu'il ne soit détruit à coups de lance-rayons.

Kickaha décida d'explorer toute la salle. C'était assez risqué mais il en avait assez d'attendre. Il ramena le missile vers le sol, l'écarta du mur et le fit à nouveau s'élever. Ne voyant rien, il agrandit la zone de recherches. Il était naturellement possible que les Cloches Noires aient détecté le missile et qu'ils se tiennent hors de portée — à moins qu'ils ne fussent cachés quelque part. Cela n'avait pas de sens, sauf si leur but était de détourner l'attention de celui qui manipulait le missile pendant qu'ils quitteraient la salle pour se mettre à sa recherche. Ils ne connaissaient sans doute pas le mode de fonctionnement du missile, mais ils devaient se rendre compte que sa portée de transmission était limitée et que l'opérateur devait se trouver relativement près.

Kickaha demanda à Do Shuptarp d'être particulièrement vigilant et de surveiller le haut de l'escalier, par où les Cloches Noires pourraient surgir. Qu'il n'hésite pas à se servir des grenades à neutrons si cela s'avérait nécessaire.

Il avait à peine achevé de parler que Do Shuptarp poussa un cri. Kickaha fut tellement surpris qu'il leva les mains et lâcha la boîte de commande, qui tomba sur le sol avec fracas. Arrachant les lunettes de sa tête, il plongea vers le sol et roula plusieurs fois sur lui-même afin d'esquiver les décharges éventuelles de lance-rayons. Il ne savait absolument pas pour quelle raison le Teutonique avait crié, mais il n'aurait pas été prudent de demeurer immobile en essayant de découvrir la cause de l'alarme.

Une décharge roussit le tapis près de lui. Elle provenait d'un endroit inattendu, l'extrémité opposée du corridor. Une tête et une main braquant un lance-rayons étaient seules visibles, émergeant d'un recoin du mur. Do Shùptarp se mit heureusement à tirer en voyant la Cloche Noire, dont la tête disparut. La main continua à tirer, au hasard.

A cette distance, les lance-rayons perdaient la majeure partie de leur efficacité. A bout portant, leur décharge était capable de fondre vingt-cinq centimètres d'acier et de carboniser un homme en une seconde. Mais à plusieurs dizaines de mètres, ils pouvaient tout juste causer des brûlures locales au troisième degré.

Do Shuptarp bondit vers l'escalier en zigzaguant, dévala les premières marches quatre à quatre et plongea à l'abri du tas de talos. Kickaha courut dans le corridor en direction de la porte de la salle de contrôle. Il comprenait ce qui s'était passé. Une Cloche Noire, et peut-être même les deux, s'était transporté dans un autre endroit du palais en utilisant une « porte », afin de procéder à une attaque de flanc. Peut-être même l'un ou l'autre s'était-il transporté ailleurs pour aller chercher des renforts.

Kickaha jura, fit demi-tour et revint en courant vers l'endroit où il avait laissé tomber les lunettes et la boîte de commande des missiles. La Cloche Noire passa à nouveau la tête à l'angle du recoin, au ras du plancher, et tira. Do Shuptarp, dont l'angle de tir était plus propice, riposta. Kickaha déchargea également son arme. La tête disparut et, là où elle s'était trouvée, le tapis ininflammable fondit sur plusieurs centimètres carrés.

Les trois grenades qu'ils avaient posées sur le sol étaient trop loin pour qu'on perdît du temps à aller les récupérer. Kickaha ramassa vivement la boîte de commande et les lunettes et reflua rapidement. Il s'attendait à voir apparaître quelqu'un du côté où il se trouvait et il était prêt à se jeter dans l'embrasure d'une des portes qui flanquaient le corridor. Lorsqu'il atteignit l'avant-dernière de ces portes, il aperçut une tête qui émergeait d'un recoin. Il lâcha plusieurs décharges, arrosant la moulure et l'angle du mur. La tête disparut toutefois avant que le rayon ne l'atteigne. Kickaha s'accroupit contre le mur et tira au-delà du recoin, espérant que le rayon ricocherait et atteindrait le ou les ennemis qui étaient embusqués là. Un cri lui apprit qu'il avait effrayé ou peut-être légèrement brûlé quelqu'un.

Kickaha eut un rire sarcastique et revint à l'abri de la porte avant que la Cloche Noire n'ait eu le temps de tirer à son tour. La situation ne prêtait pas à rire mais il ne pouvait s'empêcher de s'amuser férocement lorsqu'il jouait un tour à ses ennemis.

21

LA pièce dans laquelle il s'était replié était de dimensions relativement réduites. Elle ressemblait à des centaines d'autres pièces du palais, et elle était destinée au stockage des trésors artistiques. Ils étaient cependant arrangés avec goût, comme si la pièce était habitée ou du moins recevait de nombreux visiteurs.

Il jeta un rapide regard autour de lui afin de vérifier s'il existait des « portes » — il y en avait une telle quantité dissimulées dans le palais qu'il ne pouvait se souvenir que de certaines d'entre elles. Il n'en vit aucune, ce qui ne signifiait rien en soi, mais en ce moment il ne pouvait que se fier aux apparences. Sinon, il n'aurait pu continuer à agir.

Il plaça les lunettes sur sa tête, bien que cela lui déplût car elles le rendaient aveugle et sourd à tout ce qui pouvait se passer dans le corridor. Il se brancha sur le missile qui se trouvait dans la salle de contrôle et qui, obéissant au dernier ordre reçu, continuait à tourner en rond dans la pièce. Aucune Cloche Noire ne se trouvait dans son champ de vision. Kickaha activa alors le missile qui se trouvait à l'extérieur et lui fit longer le corridor. Plus l'engin se rapprochait de lui, plus la transmission visuelle et auditive était forte et plus son contrôle sur le missile était précis.

De par sa position, Do Shuptarp empêchait la Cloche Noire qui se trouvait à l'extrémité du corridor de quitter son abri. Mais c'était le ou les autres, plus proches, qui représentaient le plus grand danger. Kickaha guida le missile jusqu'au plafond et lui fit contourner le recoin. Il y avait là trois Cloches Noires, armés chacun d'un lance-rayons. Le visage de l'un d'eux était légèrement coloré, comme s'il avait été brûlé par le soleil. Plus loin, venant d'un couloir perpendiculaire, deux autres Cloches Noires s'approchaient en poussant un traîneau antigravité qui supportait un lance-rayons de la dimension d'un canon. L'engin était capable de lancer des décharges épousant l'angle du mur et de tenir ainsi Kickaha à distance tandis que les autres Cloches Noires l'attaqueraient avec leurs armes portatives. Mettant à profit son immobilisation, ils amèneraient alors le canon lance-rayons dans le corridor, dont ils balaieraient toute la longueur en lui faisant donner toute sa puissance. Les décharges brûleraient ou dissoudraient tout ce qui se trouverait sur leur passage.

Kickaha n'hésita pas. Il lança le missile à pleine vitesse sur l'un des deux envahisseurs qui poussaient le traîneau, celui de droite. Le brutal accroissement de vitesse brouilla sa vision, puis tout s'obscurcit à ses yeux. Le missile avait pénétré dans le corps de la Cloche Noire et s'était disloqué au contact de quelque chose de dur. Il en prit un autre dans la boîte qu'il avait décrochée du harnais pour la poser près de lui et le propulsa le long du plafond avec l'intention de le faire sortir de la pièce pour atteindre le corridor. Mais soudain une des Cloches Noires embusqués sortit du recoin en hurlant afin de déconcerter quiconque se trouverait dans le corridor. Il aperçut le missile et leva son lance-rayons. Kickaha appuya sur un bouton de la boîte de contrôle afin de propulser le missile vers lui à toute vitesse. Tout devint sùbitement noir. L'engin avait dû percuter la cible de chair, à moins qu'il ne se fût désintégré en touchant le sol ou le mur. Peut-être aussi avait-il été dissous par la décharge du lance-rayons.

Kickaha n'osa pas prendre le temps d'envoyer un autre missile en reconnaissance. Si l'envahisseur avait réussi à s'échapper, il devait être en train d'explorer les embrasures des portes afin de découvrir celui qui manipulait les missiles. Et il avait certainement appelé ses congénères à la rescousse.

Il arracha les lunettes de sa tête, le lance-rayons à la main, il bondit vers la porte. Il l'avait laissée ouverte afin de pouvoir mieux contrôler et voir le missile. Il avait eu là une bonne idée car la Cloche Noire n'allait pas manquer de visiter en premier lieu les pièces dont les portes étaient fermées.

Mais en atteignant l'entrée de la pièce, il se trouva nez à nez avec une Cloche Noire. Kickaha tenait son arme braquée à la hauteur de sa poitrine et il appuya sur la détente dès qu'il l'aperçut. L'envahisseur noircit ; de la fumée s'éleva de sa peau qui se mit à se déchirer en grésillant ; le blanc de ses yeux devint d'un noir sombre et l'humeur aqueuse de ses globes oculaires se mit à bouillir ; ses cheveux se dressèrent sur sa tête en s'enflammant, dégageant une odeur nauséabonde ; ses dents blanches se calcinèrent, ses lèvres se gonflèrent et éclatèrent, ses oreilles se déchiquetè-rent, leur cartilage s'enroulant sous l'effet de la chaleur dégagée. Ses vêtements, bien qu'ignifuges, se dissolvèrent. Tout ceci se passa en quatre secondes.

Kickaha referma la porte d'un coup de pied et appuya sur la plaque commandant le verrouillage de la serrure. Puis il traversa la pièce en quatre bonds et pressa sur une autre plaque, neutralisant le champ d'énergie qui empêchait l'accès à la fenêtre. Il jeta à l'extérieur la boîte contenant les missiles afin que les Cloches Noires ne pussent s'en servir contre lui, puis il attacha une extrémité de la corde qui était enroulée autour de son épaule au pied d'un meuble massif. Il jeta l'autre extrémité de la corde par la fenêtre, passa à l'extérieur et s'y suspendit, le dos tourné au mur.

L'aile du palais où il se trouvait était bâtie à l'extrême bord du monolithe, et il avait sous lui un vide vertigineux de dix mille mètres. En avançant la tête, il pouvait voir presque la moitié de la surface verticale de la falaise. Il s'efforça de ne pas penser à la chute interminable qui l'attendait si par malheur il lâchait la corde. Il gardait les yeux fixés sur une étroite corniche, à quelques dizaines de centimètres de ses pieds. Il s'y laissa tomber, tout en écartant les bras pour agripper les deux montants de la fenêtre. Ses genoux légèrement repliés se trouvaient dangereusement près de l'invisible champ de force extérieur.

Il lâcha une main, retira sa chemise, en enveloppa sa main puis dégaina un couteau. Il poussa lentement la lame en avant avec sa main protégée. Il avait détourné la tête et fermé les yeux. Le champ de force allait se trouver activé par la lame d'acier et l'énergie libérée lacérerait et brûlerait le tissu et la main qui se trouvait dessous. Il se pouvait même que l'énergie arrache le couteau et tire irrésistiblement Kickaha vers le vide.

218

Il espérait toutefois que le champ de force n'agirait pas. C'était un espoir infime car Wolff avait certainement activé tous les pièges et toutes les protections du palais avant de partir — s'il en avait eu le temps. Et s'il ne l'avait pas fait, les Cloches Noires n'avaient certainement pas manqué de remédier à cet oubli.

Malgré ses paupières closes, un éclair lumineux lui brûla les yeux. Une flamme lécha son visage, ses épaules nues, ses côtes et ses jambes. Le couteau se cabra dans sa main mais il le maintint à proximité du champ de force, même lorsque le tissu protecteur se consuma et prit feu, lui donnant l'impression que sa main était plongée dans un four.

Il rattrapa alors la corde, se hissa vivement, plongea par la fenêtre et atterrit sur le plancher de la pièce qu'il avait quittée quelques instants auparavant. Il fallait deux secondes au champ de force pour se réactiver et il avait bondi en espérant que son saut correspondrait avec cette période. Le fait qu'il fût toujours vivant, quoique brûlé, démontrait qu'il avait parfaitement minuté l'opération. Le couteau tombé sur le plancher auprès de lui n'était plus qu'un morceau de métal tordu porté au rouge. Sa chemise était calcinée, sa main avait noirci et commençait à se couvrir de cloques. A un autre moment, il s'en serait inquiété. Pour l'instant, seules pouvaient l'arrêter de graves blessures ou la mort.

Tournant son regard vers la fenêtre, il vit que la corde se consumait, puis elle cassa et son extrémité disparut à l'intérieur. Une décharge du canon lance-rayons avait traversé la porte et brûlé la corde. Dans un instant, les Cloches Noires allaient dévaler l'escalier pour le chercher à l'étage inférieur. Quant au pauvre Do Shuptarp, mieux valait qu'il cherche à se tirer d'affaire tout seul, et vite. Les envahisseurs braqueraient certainement le canon sur lui afin de déblayer le terrain. S'il était assez malin pour monter d'un étage, il contraindrait les Cloches Noires à diviser leurs forces.

Kickaha ouvrit la porte, jeta un regard à droite et à gauche et ne vit personne. Il sortit dans le corridor et courut jusqu'à l'escalier. En atteignant le palier, il jeta un regard vers le haut. Il n'y avait pas de Cloches Noires en vue. Il dévala les marches jusqu'à ce qu'il atteigne le corridor dans lequel se trouvait la salle aux miroirs rétropsychiques.

Il avait croisé au passage plusieurs cabines d'ascenseurs mais il s'était bien gardé d'y pénétrer, car elles étaient probablement piégées ou tout au moins équipées de dispositifs d'écoute. Il tentait d'atteindre une pièce renfermant une « porte » secrète qu'il n'avait jamais souhaité emprunter auparavant. Il ne le ferait que s'il s'y voyait contraint et forcé, mais il voulait s'en rapprocher pour le cas où il se verrait acculé par ses ennemis.

Lorsqu'il fut dans cette salle, il démonta un fauteuil qui paraissait construit d'une seule pièce. A l'intérieur du siège était dissimulé un croissant métallique.

Il dégagea un second croissant d'un piédestal sur lequel trônait une statue. Ils donnaient l'impression de peser chacun une demi-tonne mais ils étaient légers et faciles à manier. Il les plaça dans son dos, sous sa ceinture qu'il serra d'un cran afin qu'ils ne glissent pas. Ils étaient plutôt gênants ainsi mais d'une utilité telle que cela valait bien quelque dérangement.

Il y avait des milliers de ces demi « portes » dissimulées dans tout le palais, et des milliers d'autres, sans marques distinctives, étaient placées dans des endroits découverts. N'importe qui pouvait utiliser ces dernières, mais celui qui s'y avisait ne savait jamais ce qui l'attendait de l'autre côté de la « porte ». Wolff lui-même était incapable de se rappeler l'emplacement de toutes celles qui étaient cachées, ni tous les lieux où conduisaient celles qui étaient disposées bien en vue. Il en possédait la liste, en code bien entendu, mais ce code était lui-même camouflé et se trouvait dans la salle de contrôle.

Bien que Kickaha eût couru à toute vitesse, il n'était pas allé assez vite. Une Cloche Noire apparut à l'extrémité du corridor alors qu'il sortait de la pièce. Une autre passa la tête d'un recoin à l'autre extrémité. Ils avaient dû l'apercevoir alors qu'il courait et l'avaient suivi dans l'espoir de le rattraper. L'un des deux avait été assez intelligent pour dépasser l'endroit où il se trouvait, et il était maintenant pris entre deux feux.

Kickaha rentra dans la pièce, désactiva le champ de force qui protégeait la fenêtre et se pencha pour regarder à l'extérieur. Il y avait une corniche à quelques mètres sous la fenêtre, mais il n'avait rien pour s'y laisser glisser. De toute façon, il ne voulait recommencer l'expérience du champ de force extérieur que s'il était poussé dans ses derniers retranchements. Il revint vers la porte, braqua le canon de son lance-rayons sans sortir lui-même de la pièce et lâcha une décharge dans les deux directions. Il y eut des cris, mais ils étaient si éloignés qu'il fut à peu près certain de n'avoir atteint personne.

La porte située en face de lui, de l'autre côté du corridor, était fermée. Il pouvait traverser à toute vitesse et pénétrer dans l'autre pièce avec l'espoir d'y découvrir un meilleur moyen de s'échapper. Mais si la porte était verrouillée — et il y avait de grandes chances pour qu'elle le fût — il serait exposé aux rafales tirées des deux côtés du corridor lorsqu'il le traverserait à nouveau pour revenir se mettre à l'abri.

Il était trop tard maintenant pour avoir des regrets. S'il ne s'était pas arrêté pour prendre les croissants, il aurait gardé son avance sur ses ennemis. Il se trouvait à nouveau acculé et bien qu'il possédât un moyen de s'échapper, il ne voulait pas s'en servir. Revenir une deuxième fois au palais serait bien plus difficile. En outre, il y avait Do Shuptarp. Kickaha avait l'impression de l'avoir abandonné, mais il n'y pouvait rien.

Il posa les deux croissants sur le sol et les ajusta pour former un cercle. Il se redressa au moment où une grenade ricochait contre le montant de la porte et roulait dans la pièce. Elle s'immobilisa à quinze mètres de lui, et il était donc hors de portée des neutrons qu'elle allait libérer en explosant. Mais les Cloches Noires n'allaient pas tarder à en lancer d'autres, à commencer par celles qu'il avait imprudemment abandonnées. De toute manière, ils allaient approcher le canon lance-rayons et le tirer comme un lapin.

Il était donc inutile de remettre à plus tard ce qui était inévitable. Il pénétra dans le cercle formé par les deux croissants.

22

Il se retrouva instantanément dans la grande salle du temple de Talanac où les Cloches Noires avaient installé une grande « porte » permanente. Anania, les Barbes Rouges et un certain nombre de Tishquetmoacs se trouvaient encore là. Ils se tenaient tous d'un même côté de la pièce et étaient en train de parler. Lorsqu'ils l'aperçurent, certains firent un bond en arrière, d'autres crièrent, d'autres eurent simplement l'air effrayé. Il allait faire un pas en avant lorsqu'ils disparurent à sa vue.

Le ciel était vide d'étoiles mais un petit objet brillant le traversait à grande vitesse d'est en ouest et un autre, plus lent, gravitait dans la direction opposée. La masse planétaire semblable à la Tour de Pise brillait, suspendue dans le ciel. Au loin, Korad, la ville de marbre abandonnée, luisait d'une blancheur laiteuse. A trente mètres de Kickaha un peloton de Drachelanders commençait à se rendre compte que quelqu'un était apparu dans la « porte ». Et au-dessus de la colline, un objet sombre était en train de s'élever dans le ciel — l'engin volant des Cloches Noires.

Tout disparut à nouveau. Il se trouvait dans une caverne carrée de trois mètres de côté et de deux mètres cinquante de hauteur. Le soleil brillait et illuminait l'entrée de la caverne. Un arbre géant à l'architecture étrange, avec d'immenses feuilles hexagonales, s'élevait au loin. Au-delà, il y avait des buissons écarlates et de la vigne verte qui semblait se tenir en l'air sans tuteur, comme une corde sous la flûte d'un sorcier hindou. Plus loin encore, il y avait quelque chose qui ressemblait à une mince ligne noire, surmontée d'un fil blanc et d'une ligne bleue ténue : la mer, le ressac et une plage de sable noir.

Il était venu en cet endroit auparavant, à plusieurs reprises. C'était l'une des « portes » qu'il utilisait pour atteindre le niveau le plus bas de la planète, l'étage des Jardins, lorsqu'il y venait « en vacances ».

Bien qu'il fût engourdi, il comprenait qu'il avait été pris dans un circuit de résonance. Quelqu'un, quelque part, avait installé un système permettant de piéger quiconque utiliserait l'une ou l'autre des « portes » du circuit. Celui qui s'y trouvait pris ne pouvait se libérer en raison de la brièveté du temps d'activation de chaque « porte ». S'il tentait de le faire, il serait coupé en deux. Une partie de son corps demeurerait en arrière pendant que l'autre moitié serait transférée jusqu'à la « porte » suivante.

La caverne disparut et il se retrouva au sommet d'un pic escarpé qui s'élevait au milieu d'une chaîne de montagnes. Au loin, d'un côté, on apercevait, entre les falaises bordant un défilé, ce qui paraissait être les Grandes Plaines. Une sorte de marée noire recouvrait une partie de la prairie verte et brune, sans doute un immense troupeau de bisons. Un faucon passa à proximité de Kickaha poussant des cris à son intention. Sa tête était vert émeraude et ses pattes étaient munies de plumes roulées en spirale. Pour autant qu'il le sût, ce faucon appartenait à la faune du niveau Amérindia.

Tout disparut à nouveau. Il se trouvait dans une autre caverne, plus grande et plus sombre que celle de l'étage des Jardins. Des fils métalliques, fixés aux croissants constituant la « porte », couraient sur le sol pour disparaître six mètres plus loin derrière un énorme rocher. Quelque part, un signal d'alarme résonnait. Près du mur du fond, il y avait un meuble dont les portes étaient ouvertes. Sur les étagères se trouvaient des armes et des objets de différente nature. Il reconnut cette caverne et comprit qu'elle devait constituer le point de départ du circuit de résonance. Le piégeur n'était pas en vue mais il ne tarderait pas à apparaître s'il entendait le signal d'alarme.

Cela aussi disparut. Il était maintenant dans une pièce en ruine, dont les murs de pierre penchaient tous dans la même direction comme si une main géante les avait poussés. Une partie de la toiture était écroulée. Le ciel, visible par l'ouverture, était d'un vert vif. Il voyait également une partie du monolithe noir qui surplombait l'endroit où il se trouvait. Il comprit qu'il était au niveau atlantéen et que cette assise de pierre était celle qui supportait le palais du Seigneur, trente mille mètres plus haut.

Cela disparut également et il se retrouva à l'endroit où il avait commencé ce voyage, qui ressemblait à un jeu de marelle. Il se trouvait dans la pièce du palais, au milieu du cercle formé par les deux croissants qu'il avait réunis. Deux Cloches Noires, qui l'observaient à travers des lunettes, braquèrent un lance-rayons dans sa direction. Il tira le premier car il se tenait prêt à se servir de son arme et deux décharges presque simultanées leur transpercèrent la poitrine.

Trente-quatre Cloches Noires en moins. Il en restait seize.

Au franchissement suivant, il revit Anania et les Thyudas, qui se tenaient à proximité de la « porte ». Il eut le temps de crier : « Circuit de résonance ! Pris au piège ! » avant de se retrouver sur la Lune. L'engin volant s'était rapproché, et il descendait le flanc de la colline. Ses occupants ne l'avaient certainement pas encore aperçu, mais ils le verraient au passage suivant ou à l'autre. Tout ce qu'ils auraient à faire alors serait de projeter un rayon à travers la « porte » dès qu'il réapparaîtrait.

Plusieurs Drachelanders s'étaient mis à courir dans sa direction ; les autres tournaient les manivelles de leurs arbalètes pour en tendre la corde. Kickaha, qui ne voulait pas attirer l'attention des Cloches Noires, s'abstint de les décourager avec son lance-rayons.

La caverne de l'étage des Jardins réapparut, puis le sommet du pic de l'étage Amérindia. Kickaha s'effraya car le faucon voletait maintenant autour de la « porte ». Le rapace était aussi effrayé que lui mais cela ne l'empêcha pas de plonger en criant vers la poitrine de Kickaha, dans laquelle il enfonça ses serres. Kickaha se protégea le visage et subit le martyre lorsque le bec du rapace s'enfonça dans sa main brûlée. Il l'arracha et le repoussa violemment, et l'oiseau s'enfuit en emportant des lambeaux de chair de sa poitrine et de sa main. Il ne fut pas coupé en deux en franchissant la « porte », ne perdant que les plumes de l'extrémité de ses ailes. Son mouvement avait coïncidé avec la limite du champ au moment où l'activation de la « porte » commençait, et l'effet contraire le projeta dans la caverne du niveau Drachelander une fraction de seconde avant que Kickaha lui-même n'y apparût. C'était là un phènomène qui n'avait pas été prévu par celui qui avait installé le circuit de résonance.

L'homme d'un embonpoint effrayant qui venait de pénétrer dans la caverne tenait un lance-rayons dans une main, et un lapin à demi calciné dans l'autre. Il s'attendait à ce qu'un homme ou une femme apparaisse, sans savoir exactement à quel moment cela se produirait. Mais il ne s'attendait pas à l'attaque du rapace furieux qui se déchaîna sur son visage à coups de bec et de serres.

Kickaha eut juste le temps de voir Judubra, qui laissait tomber lapin et lance-rayons pour porter les mains à son visage, et il se retrouva dans la pièce en ruine du niveau atlantéen. Il sauta alors à la verticale aussi haut qu'il le pût, attentif à ce qu'aucune partie de son corps ne se trouve à l'extérieur du cercle. Il était au point culminant de son saut, les jambes repliées, lorsqu'il apparut dans la salle du palais. Le bond qu'il avait fait en vue d'éviter d'être atteint par la décharge d'un lance-rayons s'avéra inutile. Les corps noircis et brûlés des deux Cloches Noires gisaient sur le sol, dégageant une odeur suffocante de chair brûlée. Kickaha ignorait ce qui s'était passé depuis son départ, mais il était à peu près certain qu'à son prochain passage, il y aurait d'autres Cloches Noires dans la pièce. Il espérait qu'ils ne comprendraient pas, mais il ne se faisait pas trop d'illusions à ce sujet. Ils seraient désorientés mais il faudrait qu'ils soient vraiment stupides pour ne pas comprendre que le tueur avait abattu leurs camarades en apparaissant à la porte, pour disparaître aussitôt. Ils attendraient, l'arme braquée.

Il était à nouveau dans la pièce du temple de Talanac. Anania avait disparu. Le prêtre, Withrus, lui cria :

« Elle a sauté dans le cercle ! Elle aussi est prise au piège ! Elle... »

Il était sur la Lune. L'engin volant s'était rapproché mais il n'avait pas augmenté sa vitesse. Un rayon de lumière jaillit de son nez, éclairant en plein Kickaha. Les Cloches Noires qui occupaient l'appareil venaient soudain de prendre conscience de l'agitation des Drachelanders qui couraient vers la « porte », et des arbalétriers qui la visaient. Ils avaient allumé leur projecteur afin de découvrir ce qui se passait.

225

Le claquement sec des cordes des arbalètes se fit entendre, mais il était déjà dans la caverne de l'étage des Jardins. La « porte » suivante était celle qui se trouvait sur la petite zone plane au sommet du pic du niveau Amérindia. Il regarda sa poitrine, où le sang ruisselait, et sa main qui était également sanglante. Il souffrait bien un peu mais ce n'était rien à côté de ce qu'il endurerait plus tard. Il était encore relativement insensible et sa plus grande douleur provenait de sa situation et de sa conclusion inévitable. Il ignorait qui l'aurait, des Cloches Noires ou de l'énorme personnage de la caverne. Judubra, lorsqu'il se serait débarrassé du faucon, pourrait se cacher derrière le rocher et l'irradier dès qu'il apparaîtrait. Il avait toutefois l'espoir que le gros type le laisserait en vie. Après tout, ce n'était qu'aux Seigneurs qu'il en avait.

Il se trouvait maintenant dans la caverne. Le gros personnage et le faucon gisaient morts sur le sol, noircis, et une odeur de plumes brûlées empuantissait l'air. Il n'y avait qu'une explication possible : Anania, qui se trouvait devant lui dans le circuit, les avait abattus avec un lance-rayons pendant que Judubra essayait de se débarrasser du rapace.

S'il avait douté qu'elle fût amoureuse de lui, il avait maintenant la preuve du contraire. Elle n'avait pas hésité à sacrifier sa vie pour le sauver. Elle l'avait fait presque sans y penser car elle avait eu très peu de temps pour se rendre compte de ce qui se passait, mais avait vite compris et s'était précipitée encore plus vite dans la « porte » piégée. Elle devait savoir qu'en y bondissant immédiatement après son activation, elle la franchirait sans dommage. Mais elle n'avait aucun moyen de savoir à quel moment exact il fallait sauter : elle l'avait vu apparaître puis disparaître et avait pris le risque.

Elle l'aimait — elle l'aimait vraiment, pensa-t-il.

Et du moment qu'elle avait pu pénétrer dans le cercle sans dommage, c'était donc qu'il pouvait lui-même en sortir.

Les ruines de la cité atlantéenne se matérialisèrent, et il plongea à l'extérieur du cercle. Il atterrit brutalement sur le plancher de la salle du palais. C'était comme si son talon avait été mordu par un rat. Un morceau de peau avait été arraché par le champ au moment où il se désactivait.

Soudainement, quelqu'un se matérialisa devant lui. Anania. Elle cria : « Des objets ! Jette-les dans... » et disparut.

Il n'eut pas besoin de réfléchir pour comprendre ce qu'elle avait voulu dire, car le moyen qu'elle avait choisi pour interrompre le circuit de résonance était celui qu'il espérait. En effet, si l'on ne neutralisait pas le dispositif d'activation, le seul autre moyen d'arrêter le circuit consistait à bourrer les « portes » vides d'objets quelconques ayant une masse suffisamment importante. Théoriquement, le circuit s'interrompait lorsque toutes les « portes » étaient occupées.

La méthode la plus simple de désactivation, qui consistait à écarter l'un de l'autre les croissants composant une « porte », ne pouvait pas être utilisée en l'occurrence : un circuit de résonance donnait naissance à une attraction magnétique entre les croissants, et cette attraction ne pouvait être neutralisée qu'en agissant sur certains dispositifs du palais. Or, ces dispositifs se trouvaient dans la salle d'armes.

Les yeux fixés sur la « porte », le lance-rayons prêt à tirer, Kickaha traîna d'une main le cadavre d'une Cloche Noire jusqu'à la « porte ». Il décomptait les secondes, s'efforçant de déterminer le moment où Anania apparaîtrait à nouveau. Tandis qu'il comptait, il vit cinq « objets » se matérialiser entre les croissants joints et disparaître presque aussitôt. Il eut le temps de reconnaître un tonneau, le torse d'un Drachelander sectionné au niveau de l'abdomen, la moitié d'un grand coffre en argent duquel s'échappaient des joyaux, une grande statue de jade et le corps décapité et privé de pattes d'un grand aigle vert.

Il était dans un état d'anxiété frénétique. Les Thyudas, à Talanac, devaient obéir aux ordres qu'Anania avait donnés avant de sauter dans la « porte ». Ils jetaient tout ce qui leur tombait sous la main entre les croissants, le plus rapidement possible. Il frémit en pensant que le circuit pouvait s'interrompre alors qu'elle se trouverait sur la Lune. Si cela arrivait, elle se ferait sans aucun doute tuer.

Au moment où il allait précipiter le cadavre de la Cloche Noire dans la « porte », Anania réapparut. Et cette fois elle demeura là, bien présente et matérielle.

Kickaha était tellement heureux qu'il en oublia presque de continuer à surveiller la « porte ».

« La chance dure ! » cria-t-il, puis, se rendant compte qu'on pouvait l'entendre de l'extérieur de la pièce, il ajouta à mi-voix :

« Les chances pour que le circuit s'interrompe au moment précis où tu arrivais étaient presque négligeables. Je...

— Le hasard n'a rien à voir là-dedans », coupa-t-elle en sortant du cercle. Elle mit les bras autour du cou de Kickaha et l'embrassa. En toute autre circonstance il eût été ravi, mais il interrompit ses effusions en disant :

« Plus tard, Anania. Les Cloches Noires d'abord. »

Elle s'écarta de lui et dit :

« Nimstowl va apparaître dans quelques instants. Ne tire pas. »

Le petit homme se matérialisa brusquement. Il tenait un lance-rayons à la main et un autre était glissé dans sa ceinture. Il possédait également un couteau et une corde était enroulée sur son épaule.

Kickaha tenait son lance-rayons braqué vers lui. Le Seigneur sourit et dit :

« Abaisse ton arme et ne crains rien. Je suis ton allié.

— Jusqu'à quand ? » répliqua Kickaha.

« Tout ce que je désire, c'est retourner dans mon propre monde », dit Nimstowl. « J'en ai plus qu'assez de toutes ces tueries, au cours desquelles j'ai failli me faire tuer moi-même. Par Shambarimen, un seul monde est bien suffisant pour un homme ! »

Kickaha ne crut pas un mot de ce qu'il disait, mais il décida néanmoins de lui faire confiance jusqu'à ce que la dernière Cloche Noire ait été abattue.

« Je ne sais pas ce qui se passe dans le corridor », dit-il. « Je m'attendais à une attaque, mais elle n'a pas eu lieu. Les Cloches Noires disposent d'un canon lance-rayons et je m'étonne qu'ils ne l'aient pas amené jusqu'ici afin de nous faire griller. »

Il demanda à Anania de lui expliquer ce qui s'était passé, bien qu'il fût en mesure de deviner une bonne partie des événements. Elle répondit que Nimstowl, en pénétrant dans la caverne, avait découvert le cadavre de Judubra. Le Seigneur avait été pris à son propre piège. Nimstowl en avait alors eu assez de demeurer caché dans cette caverne. Il voulait essayer de regagner son propre monde, après avoir évidemment fait tout son possible pour détruire les Cloches Noires, comme il était du devoir de tout Seigneur de le faire. Il avait neutralisé le circuit de résonance au moment où Anania était réapparue. Il ne lui avait ensuite fallu que quelques secondes pour régler le circuit de manière qu'il transporte deux personnes, à des intervalles de sécurité, jusqu'au palais où Anania avait aperçu Kickaha.

« Que dis-tu ? » s'étonna Kickaha. « Pour échapper au circuit, il a fallu que je saute, en laissant derrière moi des lambeaux de peau arrachés à mon talon !

— Si tu avais attendu quelques instants avant de franchir la porte, tu serais sorti en toute tranquillité », dit Anania. « Mais naturellement tu ne pouvais pas savoir.

— De toute manière, tu es venue à ma suite », répondit-il, « et c'est ce qui compte. »

Elle le regardait d'un air malheureux. Il était brûlé, il était blessé et le sang qui s'écoulait de ses plaies formait une petite mare à ses pieds. Mais elle ne dit rien. Pour le soigner, des médicaments et des pansements étaient nécessaires, et pour les trouver il fallait qu'ils réussissent à sortir de cette pièce.

Quelqu'un devait prendre le risque de passer la tête à la porte afin d'observer le corridor. Nimstowl n'allait certainement pas se porter volontaire et Kickaha ne voulait pas qu'Anania s'expose au danger. Il y alla donc lui-même. Il s'attendait à une décharge de lance-rayons, mais rien ne se passa. De chaque côté, le corridor était désert et silencieux.

Il fit signe à ses compagnons de le suivre. Il les conduisit jusqu'à une autre pièce, à plusieurs centaines de mètres de là. Ils y pénétrèrent et il put enfin soigner et stériliser ses plaies et ses brûlures. Il les recouvrit ensuite avec cette substance cicatrisante qui ressemblait à de la peau humaine, puis il avala des potions destinées à calmer ses nerfs soumis à une rude épreuve et à accélérer la régénération de son sang. Après cela, ils mangèrent et burent en discutant de ce qu'allait être leur programme d'action.

Il n'y avait pas grand-chose à dire, car il leur fallait au préalable explorer le palais afin de découvrir ce qui se passait.

23

CE ne fut que lorsqu'ils atteignirent le grand escalier qui conduisait à l'étage de la salle de contrôle qu'ils découvrirent quelque chose. Dans le corridor gisait un cadavre de Cloche Noire dont les jambes étaient presque entièrement carbonisées. Derrière un divan en partie calciné, un autre corps était allongé. Il avait été atteint au côté mais le degré de la brûlure indiquait qu'il n'avait été touché que par le bord du faisceau énergétique craché par un lance-rayons. Il n'était que blessé et respirait faiblement.

Kickaha s'approcha avec précaution, craignant une ruse. Mais il n'en était rien et il s'agenouilla auprès du blessé. Son intention était de le ranimer en employant des méthodes brutales afin de pouvoir l'interroger. Mais l'homme ouvrit les yeux dès qu'il sentit qu'on lui soulevait la tête.

« Luvah ! » cria Anania. « C'est Luvah, mon frère ! Un de mes frères ! Mais que fait-il ici ? Comment a-t-il... »

Elle tenait à la main un objet qu'elle avait dû ramasser derrière le divan ou un autre meuble. Il mesurait environ soixante-dix centimètres de long. Il était en argent et recourbé comme la corne d'un bison américain. Une de ses extrémités était évasée et l'autre comportait une embouchure recouverte d'une substance flexible et dorée. Sur le dessus de l'objet, il y avait un alignement de sept petits boutons.

Kickaha reconnut la Trompe de Shambarimen. Soulevé par une vague d'exaltation, il sauta sur ses pieds et cria :

« Wolff est de retour !

— Wolff ? » dit Anania. « Oh ! Jadawin ! Oui, peut-être. Mais qu'est-ce que Luvah fait ici ? »

Luvah avait un visage qui, dans des circonstances normales, aurait été attrayant. C'était un Seigneur, mais il aurait facilement pu passer pour un Irlandais avec son nez retroussé, sa lèvre supérieure longue, ses taches de rousseur et ses yeux bleu pâle.

« Parle-lui », dit Kickaha. « Peut-être pourra-t-il... »

Elle s'agenouilla auprès de son frère et l'interrogea. Il paraissait la reconnaître mais l'expression de son visage pouvait signifier n'importe quoi.

« Il ne peut pas se souvenir de moi dans l'état où il se trouve », dit Anania. « Peut-être aussi est-il effrayé. Il pourrait penser que je veux le tuer. Rappelle-toi, nous sommes des Seigneurs. »

Kickaha courut dans le corridor, à la recherche d'une pièce où il pourrait trouver de l'eau. Il en rapporta dans un pichet et Luvah but avidement. Il raconta ensuite à voix basse son histoire à Anania. Quand il eut terminé, elle se leva et dit :

« Il a été pris dans un piège placé par notre père, Urizen. Du moins est-ce ce qu'il a pensé à ce moment-là, car en fait le piège avait été disposé par Vala, notre sœur. Luvah et Jadawin — Wolff — étaient devenus amis. Wolff et sa compagne Chryséis furent également pris au piège, ainsi qu'un autre de nos frères et quelques cousins. Mais il dit que c'est une histoire trop longue à raconter maintenant (1). Seuls Luvah, Wolff et Chryséis survécurent. Ils sont rentrés en se servant de la Trompe. Elle peut s'accorder avec la résonance de n'importe quelle " porte ", à moins que la " porte " ne soit réglée pour résonner au hasard, par intermittence.

» Ils se sont matérialisés dans un emplacement secret de la salle de contrôle. Wolff a observé la salle au moyen d'un dispositif optique. Elle était vide. Il a branché les autres vidéos et a vu des cadavres d'hommes et de talos. Il n'a pas compris tout d'abord que ces hommes étaient des Cloches Noires, puis il a aperçu les coffrets en argent. Il n'a pas saisi

(1) Voir *les Portes de la création*, dans la même collection.

tout de suite le rapport — après tout, dix mille ans s'étaient écoulés.

» Grâce à une " porte ", il s'est transféré avec Chryséis dans la salle de contrôle. Par mesure de précaution, il avait au préalable envoyé Luvah à l'étage inférieur. Si la salle de contrôle était attaquée, Luvah pourrait prendre les assaillants à revers.

— Wolff est malin », dit Kickaha. Il s'était demandé comment il se faisait que Wolff n'eût pas aperçu les envahisseurs survivants, puis rappelé que le palais était tellement vaste qu'il lui aurait fallu des jours et des jours pour en inspecter toutes les pièces. Il était sans doute avide de repos après les aventures épuisantes qu'il avait vécues, et il devait être si heureux de se retrouver chez lui qu'il avait dû précipiter quelque peu les choses. Il avait dû se satisfaire de la certitude que la salle de contrôle et ses environs immédiats étaient inoccupés.

« Luvah m'a dit qu'il avait gravi l'escalier, s'apprêtant à dire à Wolff que tout était normal », poursuivit Anania. « A ce moment-là, deux hommes se matérialisèrent dans une " porte " de grande dimension qui avait été disposée à côté des cadavres — par les Cloches Noires, évidemment. Ils amenaient avec eux des éléments d'un engin volant démonté et un gros lance-rayons.

— Von Turbat et von Swindebarn », murmura Kickaha. « Vraisemblablement », dit Anania. « Ils savaient que quelque chose de bizarre se passait, après t'avoir vu apparaître sur la Lune pour disparaître aussitôt, et moi à ta suite. Ils ont alors abandonné leurs recherches et...

— Nous allons emmener Luvah dans une pièce où nous pourrons soigner ses brûlures », interrompit kickaha. « Tu me raconteras la suite pendant que je le panserai. »

Avec Nimstowl et Anania placés en protection à l'avant et à l'arrière, il traîna le Seigneur inconscient jusqu'à la pièce où il s'était lui-même soigné peu de temps auparavant. Il lui administra un calmant et une dose d'un produit régénérateur du sang, et le pansa au moyen de la substance qui ressemblait à de la peau. Pendant qu'il s'occupait du blessé, Anania acheva de lui raconter l'histoire de Luvah.

Il semblait que les deux chefs des Cloches Noires se fussent attendus à avoir des ennuis en regagnant le palais, et ils avaient pris leurs dispositions en conséquence. Ils avaient fait feu avec leur gros lance-rayons, contraignant Wolff et Chryséis à s'abriter derrière les immenses consoles et les machines de la salle de contrôle. Luvah, pour sa part, avait plongé et trouvé refuge derrière un des panneaux de commande qui se trouvaient à proximité de la porte d'entrée. Les deux Cloches Noires n'avaient cessé de lâcher décharge sur décharge tandis que des troupes commençaient à arriver en renfort. Avec les soldats était apparue une créature qui avait paru étrange aux yeux de Luvah, et qu'Anania avait reconnue d'après la description qu'il lui en avait faite : Podarge. D'après ce que Luvah avait pu en juger, elle était inconsciente, car plusieurs soldats la transportaient.

« Podarge ! » s'exclama Kickaha. « Mais je pensais qu'elle avait quitté la Lune en se servant d'une des " portes " de la caverne ! Il faut croire que... »

En dépit de la situation, il ne put s'empêcher d'éclater de rire. Une de ces « portes » permettait d'accéder à une autre caverne située dans les montagnes du niveau atlantéen. Dans cette caverne se trouvaient six ou sept jeux de croissants marqués de signes indiquant le niveau auquel les « portes » conduisaient, mais ces indications étaient toutes mensongères. Pour utiliser correctement les croissants, il fallait se servir d'un code que seuls Kickaha, Wolff et Chryséis connaissaient. La harpie avait dû ajuster les croissants supposés conduire au niveau Amérindia, où elle serait relativement près de sa tanière... et elle s'était retrouvée sur la Lune, à son point de départ.

Mais pourquoi alors ne demeurait-il là que quatre croissants, alors qu'après le retour de Podarge il aurait dû y en avoir cinq ?

Podarge, elle aussi, était rusée. Elle devait avoir transféré un objet quelconque au moyen d'une porte, ne laissant que quatre croissants. Do Shuptarp n'avait pas mentionné la présence des deux bébés singes dans la caverne ; c'était certainement eux qu'elle avait expédiés. Pourquoi n'avait-elle pas essayé d'autres croissants ? Peut-être avait-elle des soupçons et imaginait-elle que Kickaha s'était servi du seul qui n'était pas un piège. Mais qui savait quelles pouvaient être les réactions de cette femme-oiseau démente ? De toute manière, elle avait choisi de demeurer sur la Lune. Lorsque Kickaha, prisonnier du circuit de résonance, avait vu les

Cloches Noires, peut-être étaient-ils occupés à traquer la harpie dans Korad, la ville abandonnée.

Les soldats, dont certains étaient armés de lance-rayons, avaient contraint Luvah à sortir de la salle de contrôle. Cela surprit Kickaha. Les Cloches Noires devaient se sentir dans une situation vraiment désespérée pour confier de telles armes aux Drachelanders.

Luvah avait donc été obligé de se replier et, ce faisant, il avait abattu bon nombre de ses poursuivants. C'est alors qu'il avait été gravement brûlé mais, même dans cet état, il s'était arrangé pour foudroyer ceux qui restaient. Six d'entre eux portaient en bandoulière un coffret en argent.

« Wolff ! Chryséis ! » s'exclama Kickaha. « Il faut que nous les rejoignions le plus vite possible. Ils ont peut-être besoin de nous. »

Il réussit à maîtriser son agitation et avança précautionneusement en direction de la salle de contrôle, suivi de ses compagnons aux aguets. Ils longèrent les corps carbonisés qui témoignaient de l'efficacité du tir de Luvah. Kickaha avançait plus vite que ne l'exigeait la prudence mais il avait hâte de se porter à l'aide de Wolff. Leur route était jalonnée de cadavres calcinés, et en maints endroits les murs et les meubles avaient été endommagés. L'odeur nauséabonde dégagée par la chair brûlée se faisait plus forte à mesure qu'ils approchaient de leur but.

Les battements du cœur de Kickaha s'étaient accélérés et l'angoisse lui contractait la gorge. Il redoutait que Wolff et Chryséis n'eussent surmonté toutes leurs épreuves que pour se faire tuer en rentrant chez eux.

Il se raidit et plongea à quatre pattes dans l'immense salle, mais elle était aussi silencieuse qu'un ver enfoui dans un cadavre. Il y avait des morts partout, et parmi eux quatre Cloches Noires, mais il n'y avait pas trace du Seigneur et de sa compagne.

Kickaha se sentit soulagé à la pensée qu'ils avaient pu s'échapper — mais où étaient-ils allés ? Un examen en règle de la salle lui apprit quel avait été l'endroit où ils avaient opéré leur dernier repli stratégique : un angle, près du mur du fond, derrière une énorme console comportant des cadrans vidéo.

Les cadrans avaient éclaté sous les décharges des lance-rayons et le dessus du pupitre de commande était endommagé et fondu par endroits. Des corps gisaient çà et là derrière d'autres consoles, ceux de Drachelanders abattus par Wolff ou par Chryséis.

Von Turbat (Graumgrass) et von Swindebarn avaient eux aussi trouvé la mort au cours de la bataille. Ils gisaient de part et d'autre du gros lance-rayons qui, après leur disparition, avait continué à cracher décharge sur décharge jusqu'à ce que ses accumulateurs d'énergie soient complètement à plat. Le mur métallique vers lequel il était braqué était percé d'un grand trou de quatre mètres de diamètre, et il y avait encore sur le sol, sous le trou, une mare de lave bouillonnante. Von Turbat avait été presque coupé en deux. Tout le haut du corps de von Swindebarn, à l'exception de la tête, n'était plus qu'une masse charbonneuse. Les coffrets d'argent se trouvaient encore sur leur dos.

« Il ne reste plus qu'une Cloche Noire dont on ne retrouve pas la trace », dit Kickaha. Il revint vers le coin où Wolff et Chryséis s'étaient tenus pour combattre. Un grand disque gris était fixé au sol métallique. Ce ne pouvait être qu'une « porte » disposée là postérieurement à la dernière visite de Kickaha au palais.

« Si Wolff a mentionné cette " porte " dans son code », dit Kickaha à Anania, « peut-être découvrirons-nous où elle conduit. S'il en a eu le temps, il a certainement laissé un message à mon intention. Il se peut toutefois que les Cloches Noires l'aient détruit.

» Tout d'abord, il nous faut localiser le dernier envahisseur. Si par malheur il a utilisé une " porte ", soit pour revenir dans son univers, soit pour se cacher dans ceux de Nimstowl ou de Judubra, alors nous allons nous trouver en face d'un véritable problème.

— C'est effrayant ! » dit Anania. « Pourquoi les Seigneurs ne cessent-ils pas de se combattre pour s'unir afin d'anéantir cette Cloche Noire ? »

Elle s'était rapprochée inconsciemment des deux cadavres porteurs de coffrets et soudain un tintement résonna dans son cerveau. Elle reflua précipitamment vers Kickaha, dans un état voisin de la panique.

« Il faut que je sorte d'ici », dit-elle d'une voix angoissée.

« Je vais à nouveau examiner les cadavres », dit Kickaha. « Eloigne-toi. Attends !... Où est Nimstowl ?

« — Il était ici, près de moi », répondit-elle. « Je ne l'ai pas vu disparaître. »

Kickaha regrettait qu'elle n'eût pas mieux surveillé le petit Seigneur, mais il ne fit aucun commentaire. Il n'eût rien gagné à exprimer sa colère. A la décharge d'Anania, il y avait l'état d'énervement dans lequel elle se trouvait, consécutif aux événements récents, et le tintement dans sa tête n'avait pas arrangé les choses.

Elle quitta hâtivement la salle. Kickaha parcourut la pièce en tous sens, se penchant pour regarder chaque corps et examinant avec soin tous les coins et recoins.

« Wolff et Chryséis ont tiré comme à l'exercice », murmura-t-il pour lui-même. « Il a fallu qu'ils groupent leurs tirs pour pouvoir accumuler autant de cadavres derrière les consoles. C'est trop parfait pour mon goût. Je n'y crois pas. »

Et Podarge ?

Il alla jusqu'à la porte d'entrée. Anania était accroupie à proximité, montant la garde.

« Je n'arrive pas à comprendre », dit-il. « Si Wolff a tué tous ses assaillants, ce qui est fort improbable, comment se fait-il qu'il ait éprouvé le besoin d'utiliser une " porte " pour sortir de la salle de contrôle ? Et comment s'y est-il pris pour tuer les deux Cloches Noires qui disposaient contre lui d'une arme redoutable, un canon lance-rayons ? Et où est Podarge ? Et la Cloche Noire manquante ?

— Peut-être la harpie s'est-elle enfuie par une « porte » pendant la bataille », suggéra Anania. « Ou peut-être est-elle sortie de la salle de contrôle en volant ?

— Ouais. Et Nimstowl, où s'est-il envolé, lui ? Allez, viens. Commençons nos recherches. »

Anania grommela une protestation. Il ne l'en blâma pas, car il la comprenait. Ils étaient tous deux vidés de leur énergie mais ils ne pouvaient pas s'arrêter maintenant. Il lui prit la main et ils allèrent examiner les corps qui gisaient dans le corridor, jusqu'aux marches de l'escalier. Il s'assura que les deux Cloches Noires percutés par les missiles-espions avaient bien été tués. Au moment où ils se penchaient sur le cadavre d'un soldat abattu par Luvah, ils entendirent un gémissement.

Le doigt sur la détente de leur lance-rayons, ils s'approchèrent d'un bureau renversé, chacun d'un côté. Derrière le meuble était assis Nimstowl. Adossé au mur, il se tenait le côté droit et le sang filtrait à travers ses doigts. A quelques pas de lui était allongé un homme portant un coffret d'argent en bandoulière.

C'était l'ultime Cloche Noire. Un couteau était enfoncé dans son ventre jusqu'à la garde.

« Il avait un lance-rayons mais il devait être déchargé », murmura Nimstowl. « Il a brandi un couteau et a essayé de me tuer. Me tuer, moi, Nimstowl, avec un couteau ! »

Kickaha examina la blessure du petit Seigneur. Le sang coulait abondamment mais la plaie n'était pas profonde. Il l'aida à se relever, tout en s'assurant que le petit homme n'avait aucune arme dissimulée sur lui. Il l'entraîna, le portant presque, dans la pièce où dormait Luvah et soigna et pansa sa blessure. Il lui fit ensuite avaler une dose de produit régénérateur du sang.

« Il a failli m'avoir car son attaque a été très rapide », dit Nimstowl. « Mais ceci » — il montra la bague qu'il avait au doigt, identique à celle que portait Anania — « m'a averti à temps.

— Les Cloches Noires sont anéantis », dit Anania.

— C'est difficile à croire », répondit le petit Seigneur. « Mais si c'est vrai, j'aurai eu l'honneur de tuer le dernier. »

Kickaha sourit mais ne fit aucune remarque. Il se contenta de dire :

« Allez, Nimstowl, debout. Je suis obligé de te boucler pendant un moment. Et n'essaie pas de résister. »

Il fouilla à nouveau le petit Seigneur. Nimstowl était indigné.

« A quoi rime tout ceci ? » dit-il.

« Nous ne pouvons pas nous permettre de prendre des risques », répondit Kickaha. « Je veux tout vérifier. Viens. Je vais t'enfermer en bas, dans une pièce du hall, jusqu'à ce que je n'aie plus aucun soupçon à ton égard. »

Nimstowl ne cessa de protester tandis que Kickaha l'entraînait vers les étages inférieurs du palais. Avant de l'enfermer, Kickaha lui dit :

« Que faisais-tu aussi loin de la salle de contrôle ? Tu étais supposé demeurer avec nous. Tu n'essayais pas par hasard de nous semer ?

— Et si cela était ? » répondit hargneusement le petit homme. « La bataille était terminée — du moins je pensais qu'elle l'était. J'essayais de regagner mon univers avant que cette garce d'Anania n'essaie de me tuer, maintenant qu'elle n'a plus besoin de moi. Je ne pouvais pas compter sur toi pour l'en empêcher. De toute manière, j'ai bien fait de vous quitter. Si je n'avais pas tué le dernier envahisseur, il aurait pu s'enfuir après s'être arrangé pour vous faire tomber dans un piège.

— Tu as peut-être raison », dit Kickaha. « Cela n'empêche pas que tu vas demeurer ici un petit moment. »

Il sortit avec Anania, ferma la porte et pressa le bouton qui commandait le verrouillage de la serrure.

24

APRES cela, Kickaha et Anania reprirent leurs longues recherches. Ils auraient pu éviter tout ce va-et-vient si les écrans vidéo avaient fonctionné, mais ils avaient malheureusement été détériorés au cours de la bataille. Ils visitèrent des centaines de pièces, longèrent des douzaines de corridors interminables et gravirent d'innombrables marches d'escalier. Lorsqu'ils eurent terminé, ils n'avaient visité qu'une infime partie de l'un des nombreux bâtiments du palais.

Ils décidèrent qu'il leur fallait manger et dormir avant de poursuivre leurs recherches. Ils allèrent prendre des nouvelles de Luvah qui dormait paisiblement puis ils commandèrent un repas qu'ils firent venir des cuisines. Il s'y trouvait encore quelques talos, les seuls qui n'avaient pas participé à la bataille contre les Cloches Noires. Ils transmirent un plateau à Kickaha et à Anania par l'intermédiaire d'une « porte ». Lorsqu'ils eurent mangé et se furent un peu reposés, Kickaha décida de remonter à la salle de contrôle afin de se rendre compte si rien de nouveau ne s'y était passé. Il avait quelque espoir que Wolff puisse revenir, bien que cela lui parût improbable. Il y avait de fortes chances pour que la « porte » qu'il avait empruntée soit à sens unique. Il n'était possible de la franchir dans l'autre sens qu'en se servant de la Trompe de Shambarimen. Or, c'était Luvah qui l'avait en sa possession.

Ils gravirent à nouveau l'interminable escalier. Kickaha n'osait toujours pas se servir des ascenseurs, de crainte qu'ils fussent piégés. Avant de pénétrer dans la salle de contrôle, il s'arrêta.

« Tu n'as rien entendu ? » demanda-t-il à Anania.

Elle secoua la tête. Il lui fit signe de le couvrir puis il bondit vers l'entrée de la salle, roula plusieurs fois sur lui-même, atterrit derrière une console et se remit immédiatement sur ses pieds. Il demeura là un moment, immobile, écoutant. Il entendit un faible gémissement puis le silence se rétablit. Un nouveau gémissement s'éleva. Il se mit à plat-ventre et rampa d'une console à l'autre, guidé par les plaintes qui se répétaient à intervalles réguliers.

Il fut surpris, mais pas excessivement, en découvrant la harpie, Podarge, qui gisait derrière un tableau de commande. Ses plumes étaient noircies et dégageaient une odeur nauséabonde. Ses pattes étaient calcinées à un tel point que certains des doigts s'étaient détachés. Sa poitrine n'était plus qu'un magma de chair sanguinolente. Une de ses serres était encore crispée sur un lance-rayons à demi fondu.

Elle avait pénétré dans la salle de contrôle pendant l'absence de Kickaha et d'Anania, et quelqu'un qui y était embusqué l'avait irradiée. Toujours à plat-ventre, il inspecta les environs et il lui fallut moins d'une minute pour découvrir le responsable. C'était le chevalier Drachelander, Do Shuptarp, que Kickaha croyait mort depuis longtemps sous les décharges des lance-rayons des Cloches Noires. Maintenant, en y pensant, il ne se rappelait pas avoir identifié son corps. Il était vrai qu'un bon nombre des morts étaient brûlés au point d'en être méconnaissables.

Do Shuptarp avait donc échappé aux Cloches Noires, probablement en se repliant vers les étages supérieurs. Puis il était redescendu afin de se rendre compte de ce qui s'était passé. Podarge, elle aussi, était revenue après s'être enfuie de la salle où se déroulait la bataille entre les Cloches Noires et Wolff. Paradoxalement, ces deux êtres qui n'avaient aucune raison de se vouloir du mal s'étaient mutuellement brûlés à mort.

Kickaha parla à l'oreille du Teutonique, qui murmura quelque chose en retour. Kickaha se pencha tout près de son visage. Les mots étaient inintelligibles, mais il réussit à en distinguer quelques-uns. Le mourant ne parlait pas allemand, mais s'exprimait dans la langue des Seigneurs.

Kickaha se releva et alla se pencher sur Podarge. Les yeux de la harpie étaient ouverts mais ils se vidaient peu à peu de toute expression et devenaient ternes, comme si des couches successives de voiles ténus les recouvraient lentement.

« Podarge ! » dit Kickaha. « Que s'est-il passé ? ».

La harpie gémit, puis bredouilla quelques mots. Kickaha sentit une chape de glace s'appesantir sur ses épaules. La femme-oiseau ne parlait pas en mycénien mais, tout comme le Drachelander, dans la langue des Seigneurs !

Lorsqu'il ramena son regard vers Podarge, elle était morte.

Kickaha fit entrer Anania dans la salle, puis il se pencha à nouveau sur Do Shuptarp et essaya de le questionner. Le Teutonique agonisait, mais il parut reconnaître Kickaha l'espace d'un instant. Peut-être fut-ce l'instinct de conservation qui le soutint, mais il eut la force de formuler une demande qui, si elle avait été satisfaite, l'eût sauvé — à condition que Kickaha ait été miséricordieux.

« Ma cloche... là-bas... mets-la... sur ma tête. Je... »

Ses lèvres devinrent une mince ligne pâle et il y eut un gargouillement dans sa gorge. Kickaha approcha la bouche de son oreille et dit en articulant nettement :

« Tu as pris possession du corps de Do Shuptarp au lieu de le tuer, n'est-ce pas ? Qui étais-tu ?

— Dix mille... ans », murmura la Cloche Noire. « Et puis... toi. »

L'expression de son regard se modifia, comme si de la poussière avait été tamisée dans son cerveau. Sa mâchoire inférieure s'abaissa comme un pont-levis pour laisser s'échapper son âme — si tant est qu'une Cloche Noire en possédât une.

Et pourquoi n'en auraient-elles pas eu ? Tout le monde a une âme. Les Cloches Noires étaient les ennemis mortels de l'humanité, particulièrement horribles en raison de leur méthode de possession. Mais en pratique ils n'étaient pas plus vicieux ni meurtriers que n'importe quels ennemis humains. Leurs victimes, après tout, étaient déjà mortes lorsqu'ils se transféraient dans leurs corps.

« Une troisième Cloche Noire a usurpé le cerveau de Do Shuptarp », dit Kickaha. « L'envahisseur a dû s'enfuir vers les étages supérieurs, pensant que si j'échappais à ses congénères, il m'aurait lui-même plus tard. Il devait penser que je le prendrais pour le Teutonique.

» Il y a aussi Podarge. Je pense qu'une Cloche Noire a pris

possession de son corps alors qu'elle était sur la Lune. Et pourtant non, ce n'était pas possible. Il n'y avait que deux Cloches Noires sur la Lune, von Turbat et von Swindebarn, et Luvah a affirmé les avoir vus se matérialiser dans une " porte " de la salle de contrôle. Le transfert doit donc avoir eu lieu aussitôt après le départ de Wolff et de Chryséis. Une des deux Cloches Noires a pris possession de Podarge, mais ils avaient auparavant abattu les Drachelanders qui les accompagnaient afin de donner l'impression qu'ils avaient été tués par Wolff et par Chryséis.

» Ensuite l'autre Cloche Noire s'est transféré dans le corps d'un soldat qu'ils avaient gardé en vie dans ce but. L'envahisseur qui occupait le corps du soldat doit être celui qui a attaqué Nimstowl.

» Von Turbat et von Swindebarn sont morts, en dépit de leurs ruses ! Je parierais que la Cloche Noire hébergé par Podarge voulait tenter de m'abuser en me laissant croire que la harpie avait abandonné toute idée de me tuer. La Cloche Noire-Podarge se serait déclarée mon amie et aurait agi comme si la harpie s'était vraiment repentie. Et lorsque je n'aurais plus été sur mes gardes, couic ! C'est vraiment drôle, tu sais. Podarge et Do Shuptarp se sont entretués, ignorant l'un et l'autre qu'ils avaient une Cloche Noire en face d'eux ! »

Il hoquetait tellement il riait. Puis il se calma brusquement et prit un air songeur.

« Wolff et Chryséis sont à la dérive quelque part. Allons dans la bibliothèque de Wolff, étudier son code. Si cette " porte " y est mentionnée, le code nous indiquera comment nous en servir et l'endroit où se trouvent le Seigneur et sa compagne. »

Ils marchèrent vers la porte de la salle de contrôle. En passant, Kickaha jeta un dernier regard à Podarge et eut un léger frisson. La ressemblance était si extraordinaire qu'il avait l'impression de contempler Anania morte. Il eut néanmoins une pensée attristée pour la harpie. Durant trois mille deux cents ans, elle avait subi des tourments qui l'avaient peu à peu fait sombrer dans la folie. Si elle l'avait voulu, elle aurait pu obtenir de Wolff la restitution de son corps de femme. Mais sa folie l'aveuglait ; elle voulait souffrir et se venger d'une manière terrible de celui qui l'avait logée dans un corps de harpie.

Anania s'immobilisa si brusquement que Kickaha faillit buter contre elle.

« Le tintement de la cloche », murmura-t-elle. « Il vient de recommencer. »

Elle poussa un cri, braquant en même temps son lance-rayons. Kickaha avait déjà pressé la détente de son arme. Il avait dirigé son rayon vers la porte, frôlant dangereusement Anania, avant même que quiconque n'y apparaisse. L'engin était réglé sur la puissance maximum, et sa décharge sectionnait au lieu de brûler. Le rayon découpa une partie de l'épaule gauche de Nimstowl.

Le petit Seigneur fit un bond en arrière. Kickaha courut vers la porte mais il ne sortit pas dans le corridor.

« Ce n'est pas Nimstowl ! » hurla-t-il. « C'est von Turbat ou von Swindebarn ! » Il essayait frénétiquement de comprendre. L'un des deux chefs s'était transféré dans le corps de Podarge, l'autre avait pris possession de celui du soldat. Ils avaient ensuite détruit en les brûlant, les corps qu'ils avaient occupés précédemment, puis ils avaient quitté la salle de contrôle, chacun s'éloignant d'un côté différent.

C'était l'envahisseur qui se dissimulait sous l'apparence du soldat qui avait attaqué Nimstowl dans le corridor. Peut-être l'avait-il réellement blessé. De toute manière, il s'était arrangé pour prendre possession du corps du Seigneur.

Non. C'était impossible. La présence de deux Cloches Noires était nécessaire pour réaliser le transfert. L'un devait tenir la cloche pendant que l'autre opérait sa mutation.

Donc, Podarge — ou plutôt la Cloche Noire qui s'était emparé de son corps — devait se trouver avec l'envahisseur qui occupait le corps du soldat. Après l'opération, Podarge était partie et la Cloche Noire qui occupait maintenant le corps de Nimstowl avait planté un couteau dans le ventre du soldat, lequel devait avoir été assommé avant le transfert.

La ruse aurait pu réussir si Kickaha s'était départi de son esprit soupçonneux. D'une façon ou d'une autre, le faux Nimstowl avait réussi à sortir de la pièce verrouillée. Par quel moyen ? Grâce à un lance-rayons miniature dissimulé dans une cavité de son corps ?

Quoi qu'il en soit, il était revenu vers la salle de contrôle en espérant tromper la vigilance de Kickaha. S'il avait réussi dans son entreprise, il aurait pu ainsi réaliser les plans de conquête des Cloches Noires. Mais il n'avait pu s'empêcher de prendre sa cloche avec lui et Anania avait pu détecter sa présence.

Il était possible que Podarge eût aidé à l'opération de transfert du soldat-Cloche Noire en Nimstowl. Mais si ce n'était pas elle, c'est donc qu'il existait une autre Cloche Noire qu'il fallait découvrir, identifier et tuer.

Mais tout d'abord, il fallait régler l'affaire de la Cloche-Noire-Nimstowl.

Kickaha estima qu'il avait attendu assez longtemps. Il fit signe à Anania de s'écarter. Il recula de quelques pas, puis s'élança en avant et franchit la porte d'un bond. Tout en s'élevant en l'air, il se jeta sur le côté et appuya sur la détente du lance-rayons, creusant un sillon de cinq centimètres de profondeur dans le marbre du mur. Il retomba sur ses pieds, aperçut la Cloche Noire et abaissa son arme devenue inutile.

L'envahisseur était allongé sur le sol, au milieu d'une mare de sang. Sa tête était rejetée en arrière et sa mâchoire inférieure pendait. Il avait une horrible blessure à l'épaule d'où le sang suintait et sa peau avait pris une coloration bleuâtre.

Kickaha s'approcha lentement, convaincu qu'il ne pouvait plus faire de mal, et se pencha vers lui. La Cloche Noire-Nimstowl le regarda avec des yeux dont la vie ne s'était pas encore retirée.

« Nous sommes un peuple condamné », murmura le mourant. « Nous avions tout pour vaincre, et pourtant nous avons été battus par un homme.

— Qui es-tu ? » demanda Kickaha. « Graumgrass, ou celui qui se fait appeler von Swindebarn ?

— Je suis Graumgrass, le Souverain des Cloches Noires. J'ai occupé le corps de von Turbat et ensuite celui du soldat.

— Qui t'a aidé à t'emparer du corps que tu occupes actuellement, celui de Nimstowl ? »

Le mourant parut surpris.

« Tu ne le sais pas ? » demanda-t-il d'une voix presque inaudible. « Alors, il nous reste encore un espoir. »

Anania détacha le coffret en argent du harnais qu'il portait sur le dos. Elle l'ouvrit et, en grimaçant, en sortit la grande structure noire en forme de cloche.

« Tu t'imagines peut-être que nous allons te laisser mourir sans que tu nous aies révélé qui est cette Cloche Noire et ce qu'elle a l'intention de faire ? » grinça-t-elle. « Cela ne va pas

atterré mais, après avoir réfléchi quel
asséréna. Il avait maintenant deux rai
ur la Terre. L'une, la plus essentielle,
abuuz et de le tuer avant qu'il ne réussi
ojet. La deuxième était de retrouver V
leur dire qu'ils pouvaient rentrer chez
était leur désir. Wolff voudrait sans a
venir à bout de la Cloche Noire.
tructure sur la tête d'Anania, et le retra
mgrass s'opéra en quinze minutes. I
et lui substitua celle dans laquelle
sprit d'Anania. Lorsque ce fut fini,
et pleura un peu. Elle lui raconta
on esprit était dans la cloche, elle
son cerveau avait été extrait de sa tê
de obscur et infini. Elle ne cessait de p
chose arrivait à Kickaha, son esprit po
s prisonnier. Elle savait que si cel
deviendrait folle, et l'idée d'être déme
chait un peu plus de la folie...
conforta et, lorsqu'elle se fut calmée,
it appris. Elle lui répondit qu'ils dev
Terre. Mais au préalable, il leur falla
l'esprit de Graumgrass.
de », dit-il. « Je vais sceller la cloche dan
ue que je placerai dans le musée. Plus
le temps — c'est-à-dire lorsque je
rre — je l'enverrai à Talanac en utilisan
transférera l'esprit de Graumgrass da
ondamné à mort et on s'en débarrasser
ur l'instant, préparons-nous à aller s
ter le code afin d'obtenir l'information q
e lui avait pas donnée. La « porte » de la
mmuniquait avec une « porte » située a
, à un endroit qui n'était pas précisé.
d'avoir quelques petits accès de nos
à ma planète natale », dit Kickaha, « m
sément. Mon vrai monde, c'est cet univers
s, avec son ciel vert et ses animaux fabu
pparaît comme un grand cauchemar
agine que je pourrais y vivre en perman

se passer ainsi. » Elle ajouta, tournée vers Kickaha : « Soulève-le. Je vais ajuster la cloche sur sa tête. »

Graumgrass tenta de se débattre, mais il était trop faible et ne réussit qu'à se contorsionner légèrement. Il dit d'une voix angoissée :

« Que vas-tu faire ?

— Le contenu de ton cerveau va se trouver automatiquement transféré dans la cloche — je ne t'apprends rien en disant cela. Le corps que tu occupes va mourir, mais nous en trouverons un autre, bien vivant. Nous lui transférerons ton esprit puis nous te torturerons jusqu'à ce que tu nous aies appris ce que nous désirons savoir.

— Non, non ! » gémit Graumgrass, qui essaya à nouveau de se lever pour s'enfuir. Kickaha le maintint sans difficulté pendant qu'Anania lui plaçait la cloche sur la tête. Bientôt, les yeux de Graumgrass commencèrent à devenir vitreux tandis qu'un dernier râle montait de sa gorge.

Anania retira la cloche et la tendit vers Kickaha, qui en examina l'intérieur. Les deux minces aiguilles-antennes, après avoir accompli leur office, avaient réintégré leur logement.

« Je pense que son esprit a été transféré à la cloche avant que son corps meure », dit-il. « Toutefois, Anania, je ne te laisserai pas dépouiller un homme de son esprit et transférer dans son cerveau celui de cette cloche uniquement dans le but d'obtenir des renseignements. Même si ces renseignements devaient être d'une importance capitale.

— Je sais », dit-elle. « De toute façon, je n'ai pas l'intention de le faire. J'ai retrouvé à ton contact un peu de mon humanité perdue. De plus, nous ne disposons d'aucun corps vivant disponible. »

Elle se tut et posa son regard sur lui.

« Ne me regarde pas ainsi », dit-il. « Je n'ai pas le courage nécessaire pour me prêter à l'opération.

— Je ne te critiquerai pas, et de toute manière je n'aurais pas accepté. Moi, je vais le faire.

— Mais... »

Il se tut. Il fallait que cela fût fait, et il supposa que si elle ne s'était pas proposée, il s'y serait décidé lui-même, bien que vraiment à contrecœur. Il avait un peu honte de la laisser remplir le rôle de cobaye, mais pas suffisamment pour insister et prendre sa place. Il ne manquait pourtant pas de courage, mais cet acte en exigeait plus qu'il ne pensait en avoir. Cette position sans défense dans laquelle il se trouverait placé lui faisait peur.

« Il y a ici des drogues qui permettent d'obtenir la vérité — ou ce que les sujets pensent être la vérité », dit-il. « Il ne sera pas difficile d'extraire cette vérité de toi — je veux dire de la Cloche Noire — mais penses-tu que cela soit vraiment nécessaire ? »

Il savait que cela l'était. Mais il ne pouvait pas admettre qu'elle pût subir cette épreuve de la cloche.

« Tu connais l'horreur que j'éprouve pour cette chose », dit-elle. « Je vais néanmoins transférer mon esprit à la cloche et laisser un de ces êtres répugnants occuper mon cerveau. Nous devons découvrir la piste de la dernière Cloche Noire et anéantir à jamais cette engeance maudite. »

Il aurait voulu protester, dire que rien ne justifiait son sacrifice, mais il garda la bouche close. Il fallait le faire. Et bien qu'il se traitât de lâche et qu'il frémit à la pensée de ce qu'elle allait supporter, il ne la découragea pas.

Anania lui jeta les bras autour du cou et l'embrassa avec passion avant de se soumettre à l'épreuve. Elle dit : « Je t'aime. Je ne veux pas faire ça. Il me semble que je vais être mise au tombeau au moment même où je pourrais me rejoui... de t'aimer.

— Nous pourrions nous contenter de fouiller le palais », dit-il. « Nous ne pouvons manquer de débusquer la Cloche Noire.

— Et si elle a réussi à s'enfuir, nous ne saurons jamais où il faudra rechercher », objecta-t-elle. Allons-y. Vite. Mets-moi cette cloche sur la tête. Oh ! il me semble que je suis en train de mourir ! »

Elle s'étendit sur un divan et ferma les yeux tandis qu'il ajustait la cloche. Il la maintint tandis que les aiguilles pénétraient dans son cerveau. Sa respiration que l'anxiété avait rendue haletante, se normalisa presque aussitôt. Bientôt, ses paupières battirent et elle ouvrit les yeux. Son regard donnait l'impression d'avoir été fixé dans le temps et glacé en une étrange polarité.

Après avoir attendu quelques minutes afin d'être sûr que la cloche avait bien accompli son office, il la souleva et dégagea doucement la tête d'Anania. Il plaça la structure dans le coffret d'argent posé à ses pieds, puis il immobilisa

Anania en lui attachant le alors sur la tête la cloche Il la retira vingt minutes était complet.

Le visage d'Anania s'é aussi éperdu que celui d' était toujours la ravissante étaient différentes.

« Je suis dans un corp dit-il.

Kickaha hocha la tête, bras. Il attendit soixante soutirer les renseignemen moins de temps que le p

Les Seigneurs s'étaien Cloches Noires manquan mon cinquante. Les env bien gardés d'en inform « supplémentaire » était laboratoires de biologie créer de nouvelles Cloch déclenchée contre Kicka souterrains et était monte de faire grand-chose, m assommer Nimstowl et à

Graumgrass, ayant p devait tenter une nouv ennemis des Cloches N buuz avait pour missio l'intermédiaire d'une « son savoir. Une fois sur des univers, bien diss humain, il créerait d'au entreprendre une nouve

« Quelle " porte " a-t
« Celle qu'ont empru Graumgrass-Anania. »

— Comment peux-tu
— Nous avons décou consigné, et avons réus d'emprunter cette " po d'urgence le palais et t

Kickah instants, pour se re de découv démarrer et Chrysé du moins doute les

Il repla l'esprit de alors la c emmagasi s'accrocha pendant q l'impressio placé dans que, si que rester à j produisait jamais la ra

Kickaha dit ce qu'il partir pour débarrasser

« Ce sera cube de pla lorsque j'a revenu de la " porte ". cerveau d'u cette façon. Terre. »

Il alla con Cloche Noir de contrôle de la Califor

« Il m'arr lorsque je pe les surmonte plateaux emp La Terre n lorsque je m'

Mais j'ai quand même un peu le mal du pays de temps en temps. »

Il s'interrompit un instant puis reprit :

« Il se peut que nous passions quelque temps là-bas. Nous aurons besoin d'argent. Je me demande si Wolff en a en réserve quelque part. »

La banque mémorielle d'une machine souterraine lui apprit où était situé un dépôt d'argent terrestre. Kickaha revint avec un sac, le sourire aux lèvres. Il vida le contenu du sac sur une table.

« Une fortune en dollars », dit-il. « Plusieurs billets de cent et douze mille billets de un dollar. Mais le plus récent a été émis en 1875 ! » Il rit et ajouta : « Nous allons les emporter tout de même. Peut-être pourrons-nous les vendre à des collectionneurs. Nous emporterons également quelques bijoux.

Il mit en marche plusieurs machines et obtint, pour lui et pour Anania, des vêtements à la dernière mode de... 1945.

« Cela pourra aller jusqu'à ce que nous puissions en acheter de nouveaux. »

Lorsqu'ils furent prêts, ils emmenèrent Luvah dans une pièce plus grande et plus confortable et lui affectèrent plusieurs talos qu'ils firent venir des cuisines. Les androïdes s'occuperaient de lui. Kickaha laissa Anania parler avec son frère et il s'occupa de rassembler tout ce dont ils auraient besoin lorsqu'ils arriveraient sur la Terre : des médicaments et des produits pharmaceutiques, des lance-rayons avec des batteries de rechange, un couteau de jet pour lui et, pour Anania, un petit stylet dont le manche creux contenait du poison. Il n'oublia pas la Trompe de Shambarimen, enveloppée dans un étui, qu'il fixa à son épaule.

« J'ai l'air d'un musicien », dit-il à Anania et à Luvah. « Il faut que je me fasse couper les cheveux dès que je le pourrai — je ressemble à Tarzan et je ne veux pas attirer l'attention. Au fait, Anania, tu devrais commencer à m'appeler Paul dès maintenant. Kickaha n'existe plus. Je suis redevenu Paul J. Finnegan. »

Ils firent leurs adieux à Luvah, qui leur dit qu'il garderait le palais pendant leur absence. Il s'assurerait que les talos plaçaient bien les cadavres dans les incinérateurs, puis il installerait le dispositif de défense du palais pour le protéger contre les Seigneurs maraudeurs. Il était ravi de se trouver avec Anania, bien que ce ne fût que pour peu de temps. De toute évidence, ce n'était pas un Seigneur bâti sur le même modèle que les autres.

En dépit de cela, Kickaha demanda à Anania, dès qu'ils eurent quitté la pièce :

« Lui as-tu parlé du temps passé, comme je te l'avais demandé ?

— Oui », répondit-elle. « Il y a beaucoup de choses qu'il a oubliées. »

Kickaha s'immobilisa.

« Tu crois que... ? »

Elle secoua la tête et se mit à rire.

« Non. Il y avait également beaucoup de choses dont il se souvenait, des choses qu'il était impossible qu'une Cloche Noire connût. Et il m'a rappelé certains détails que j'avais moi-même oubliés. Il est mon frère par tous les pores. Ce n'est pas une Cloche Noire comme tu le soupçonnais, mon amour méfiant. »

Kickaha sourit et dit :

« Cette idée t'est venue en même temps qu'à moi, tu te souviens ? »

Il l'embrassa. Au moment de se placer dans la « porte » qu'une phrase du code activerait, il demanda :

« Tu parles anglais ? »

— J'ai passé la majeure partie de mes trois années sur Terre à Londres et à Paris », répondit-elle. « Mais j'ai oublié tout mon anglais et tout mon français.

— Tu les réapprendras. En attendant, tu me laisseras parler seul. »

Il s'arrêta un instant, et la regarda.

« Autre chose, à propos de notre voyage sur Terre. Bien sûr, il nous faudra nous mettre sur la piste de la Cloche Noire, mais nous n'aurons pas à redouter l'agressivité de l'un ou l'autre des Seigneurs. »

Anania eut l'air surprise. Kickaha mit un bras autour de ses épaules et ajouta en souriant :

« Wolff ne te l'a pas dit ? Orc le Rouge est le Seigneur secret de la Terre ! »

Achevé d'imprimer en mars 1983
sur les presses de l'imprimerie Bussière
à Saint-Amand (Cher)

— Nº d'édit. : 1967. — Nº d'imp. : 250.
Dépôt légal : avril 1983.

Imprimé en France